JN113275

首里城の創建者
初代『琉球国中山王察度』

下地昭榮 著

目次

第一章 首里城の創建者「琉球国中山王察度」

第四章 察度王の業績『琉球王国初の進貢』

第五章

『琉球王国・沖縄の歴史』年表

察度王――解説・マップ　目次

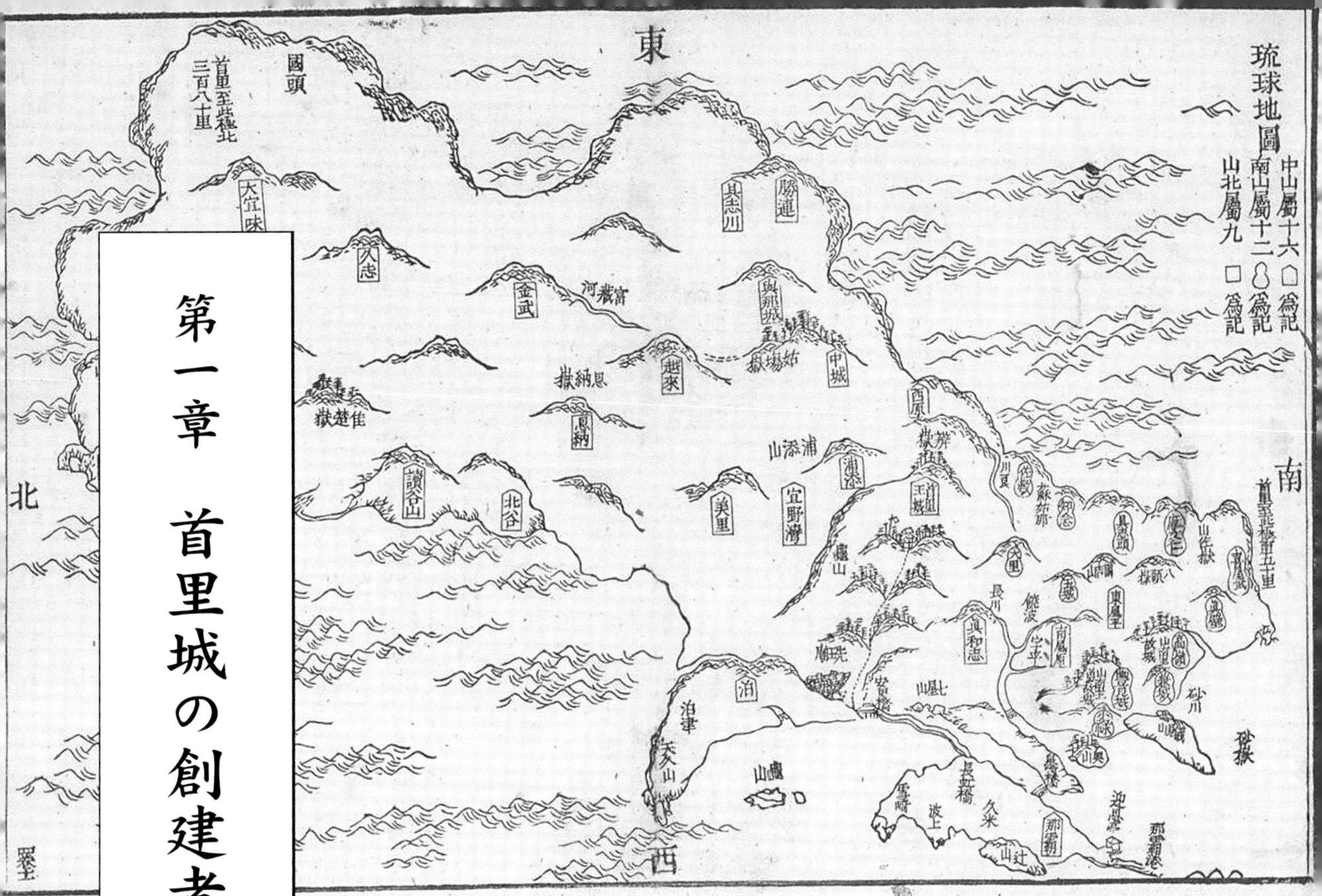

第一章　首里城の創建者「琉球国中山王察度」

一、中山王察度は旧中山浦添三王統と中山首里三王統の架け橋

義本王の墓・王妃墓《ウナザラバカ》・北中城村 仲順《チュンジュン》

1　旧中山浦添三王統は、首里城以前の王統である

旧中山浦添三王統とは、①舜天王統②英祖王統③察度王統である。

⑴舜天王の「為朝伝説」と大和との貿易港の牧港

舜天には、清和天皇の子孫である源為朝の子であるという伝説がある。子どもの頃は、尊敦《そんとん》と呼ばれる。舜天が、中山浦添の初代王となる。源為朝は保元《ほうげん》の乱（一一五六年）で、伊豆大島に流される。伊豆大島から運を天に任せて着いた港が運天港です。為朝は、南山の大里按司の娘と結婚し、生まれた子が尊敦である。後の舜天王です。為朝が大里按司の娘と出会いの場が「和解井《わきながー》」と呼ばれ、嘉手志川の側にある。為朝が、妻子を連れて日本へ帰ろうと牧港から出港するが、雨や風で、進むことができません。船長が女・子どもがいるからだと話します。為朝は、妻と子に牧港ティランガマで待つように話す。それで、牧港《まきみなと》は「待港《まちみなと》」と呼ばれる。

◎舜天王・舜馬順熙王《しゅんばじゅんき》・義本王の墓。北中城村

舜天王・舜馬順熙王の墓は、ナスの御嶽・仲順にある。義本王の子孫の花崎為継《ためつぐ》さんによると、義本王の墓を「王妃御墓《ウナザラウバカ》」と呼ぶ。義本王の位牌には、「御隠居様《ごいんきょさま》」とある。為継さんの墓や位牌の話を聞

中山王察度は旧中山浦添三王統から
中山首里三王統との架け橋となる。

旧中山浦添三王統
１舜天王統（為朝伝説）
２英祖王統（てだこ伝説）
３察度王統（羽衣伝説）
「高麗瓦葺き正殿」

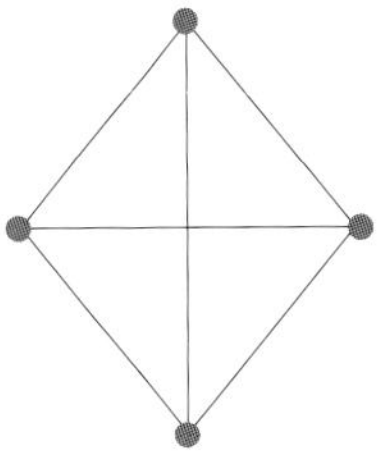

中山首里三王統
１察度王統（琉球王国の基礎）
「高よそうり殿」正殿
２尚思紹王統（琉球王国の成立）
３尚円王統（琉球王国の確立）

中山首里城・琉球王国・てだ王国
首里城正殿は西へ向く

◎中山王察度は、新旧中山王察度　『中山は一つ』を築く

くと、「為朝伝説」の存在を感じさせる。「為朝伝説」は、生きている。

また、「おもろ」にも謡《うた》われています。『やまとの軍勢』平山良明。「おもろさうし」巻十四－一〇二七「せりかくのろの、あけしろ、のろの、あまぐれ、おろちへ、よろいねらちへ、又……」「このオモロは勢理客ノロが詠んだ叙事詩である。勢理客からは、嘉津宇の嶺が美しい。そこに降る雨を、運天に上陸する敵軍の鎧をぬらして戦力を弱めよ、というのである。」（「おもろを歩く」おもろ研究会著、平山良明、大城盛光、波照間永吉編）

この「やまとのいくさ」のおもろは、大和の武士が、十二世紀・グスク時代初期に渡来したことを伝える。

◎薩摩氏は、清和源氏《せいわげんじ》。源為朝の琉球渡来説「中山世鑑説」
◎桓武平氏《かんむへいし》の平家の琉球渡来説「南走平家説」（奥里将建・親川光繁・伊敷賢）

⑵英祖王の「太陽子《てだこ》伝説」と元代の泉州からの華僑

英祖王は、母が腹に太陽が入った夢をみて生まれた子なので、「太陽子《てだこ》」と呼ばれた。

神号は、「えそのてだこ」です。

英祖王は、義本王の摂政《せっせい》となる。義本王の時、病気などで、国人の半分が死んだ。自分には、徳がないので、英祖に王位を譲った。〈禅譲説〉冬至、若てだの時、浦添グスクの東のハナリジーから見る久高島は、

英祖王は三山に王子を置く・三山は英祖王統

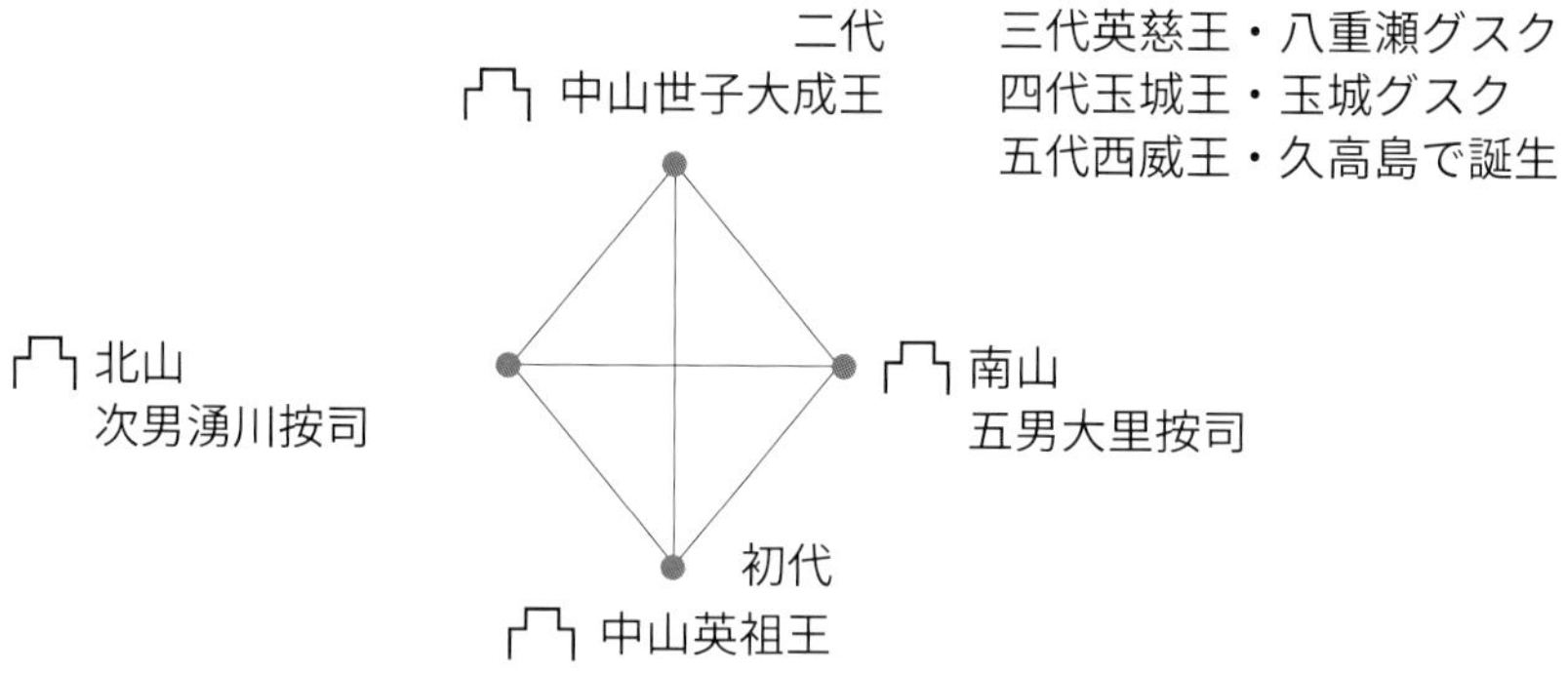

◎北山も南山もルーツは英祖王統である。

「太陽が穴」・神の島に見える。太陽は、拝むと「太陽神」となる。

◎首里城の正殿は、なぜ西を向いているか。

国王は、「太陽子」である。更に、国王は、「太陽神」となる。「てだ」は王権の源となる。

首里城の正殿は、国王が「太陽神」となり、西の御庭に向う。諸臣下は、東に向って太陽を拝する。

「えそのてだこ」・英祖王の浦添グスクは、琉球王国の「てだ王権」の発祥の地です。安里進氏は、「オモロにも『英祖《ゑぞ》にや真末《ませ》按司《あじ》添《おそ》い、てだが末《すゑ》按司《あじ》添《おそ》い』という対句がある。英祖の末裔《まつえい》の尚真王、てだ（太陽神）の末裔の尚真王という意味で、英祖王と太陽神を同一視したうえで、尚真王を英祖王＝太陽神の末裔に位置づけている。」と述べています。（「琉球の王権とグスク」安里進）

また、英祖王の浦添ようどれの西室一号石棺は、泉州との交易のもたらしたものである。

英祖王は、牧港で、中国元代のモンゴル帝国の泉州の華僑と私的貿易をする。泉州は、シルクロードの拠点である。世界の富は、泉州に集まる。泉州は、華僑の出身地である。

安里進氏は、「初期の中山王権の王陵・浦添ようどれの調査で、初期の中山王権が、泉州と深いつながりを持っていることがわかってきたのです」と述べています。（「琉球の大交易時代と琉球」琉球―中国・福建交流五〇〇年展「海のシルクロードと琉球王国へ」）

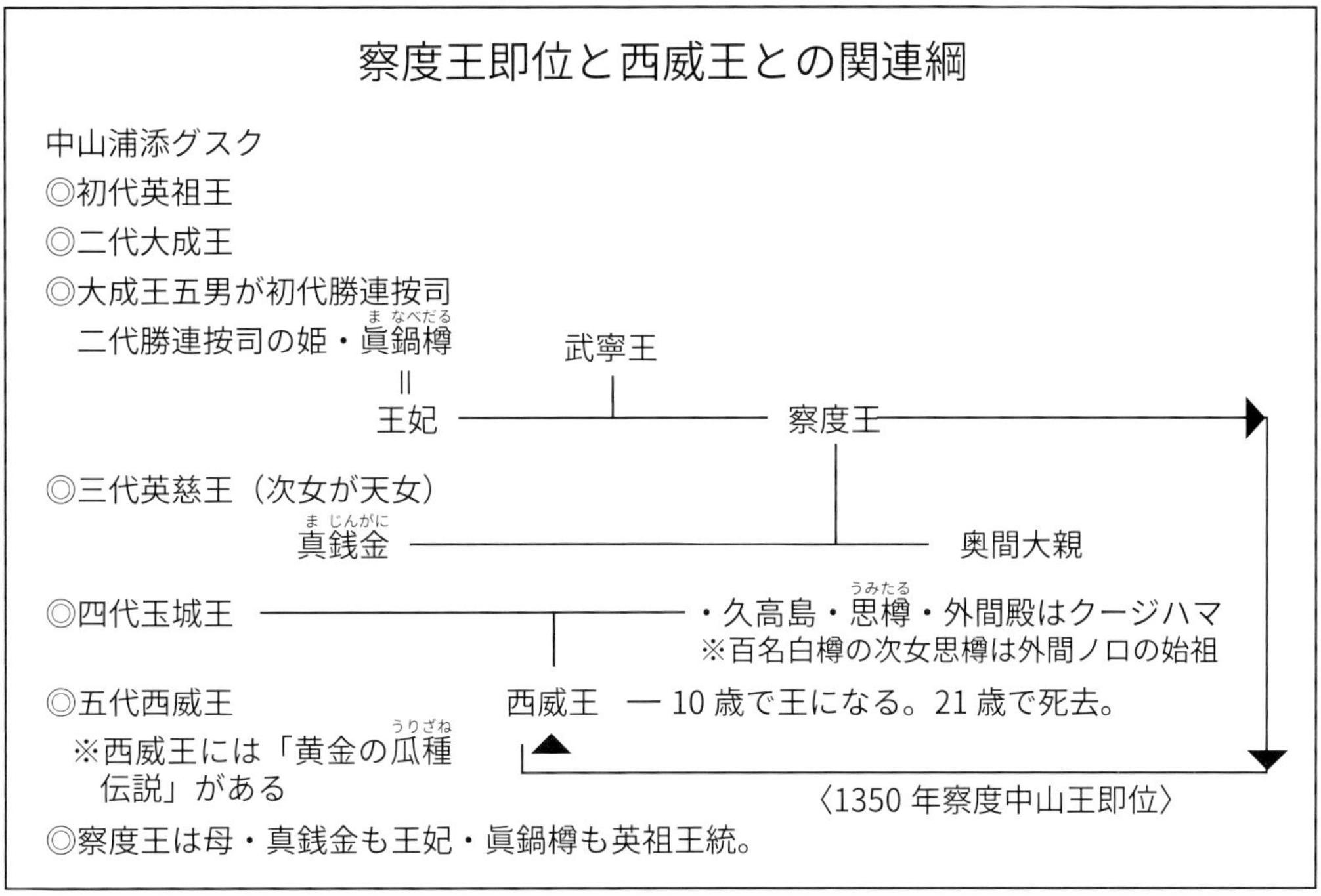

英祖王の泊港には、泊御殿《とうまいうどぅん》という公倉《こうそう》を建てた。離島や大島諸島から入貢した。

また、英祖王は、三山に王子を置いた。中山に世子大成王《たいせいおう》を、北山に次男湧川按司《わくがわあじ》を、南山に五男大里按司《おおざとあじ》を置いた。

英祖王の北山・中山・南山は、英祖王統である。

(3) 察度王の「羽衣伝説」は稲作と鉄の話

羽衣伝説は、水の豊かな稲作地帯にある。

浦添間切謝名村（大山・真志喜・大謝名）は、琉球でも有数の米所である。

羽衣伝説は、高倉の稲束の羽衣と鉄の話。

天女が水浴びをした森の川で、奥間大親は天女と出会い一男一女が誕生した。

男の子は、察度《さっと》と呼ばれる。後に中山王となる。察度は、英祖王統の二代目勝連按司の姫と結婚する。姫・真鍋樽《まなべだる》が、燭台の石をみると「黄金」です。察度の畑には、黄金がいっぱいある。この黄金を手もとに、高楼《こうろう》「黄金宮《クガニー》」・「黄金森グスク」を築いた。

当時の牧港には、鉄を積んだ日本の船が来た。察度は、自分の貿易港である「港田原」で、自分の黄金と鉄とを交換した。察度は、稲刈りに必要な鉄の鎌を農民に与えた。農民は、察度を慕い、浦添按司にした。英祖王統五代の西威王が亡くなると世子が五歳なので、

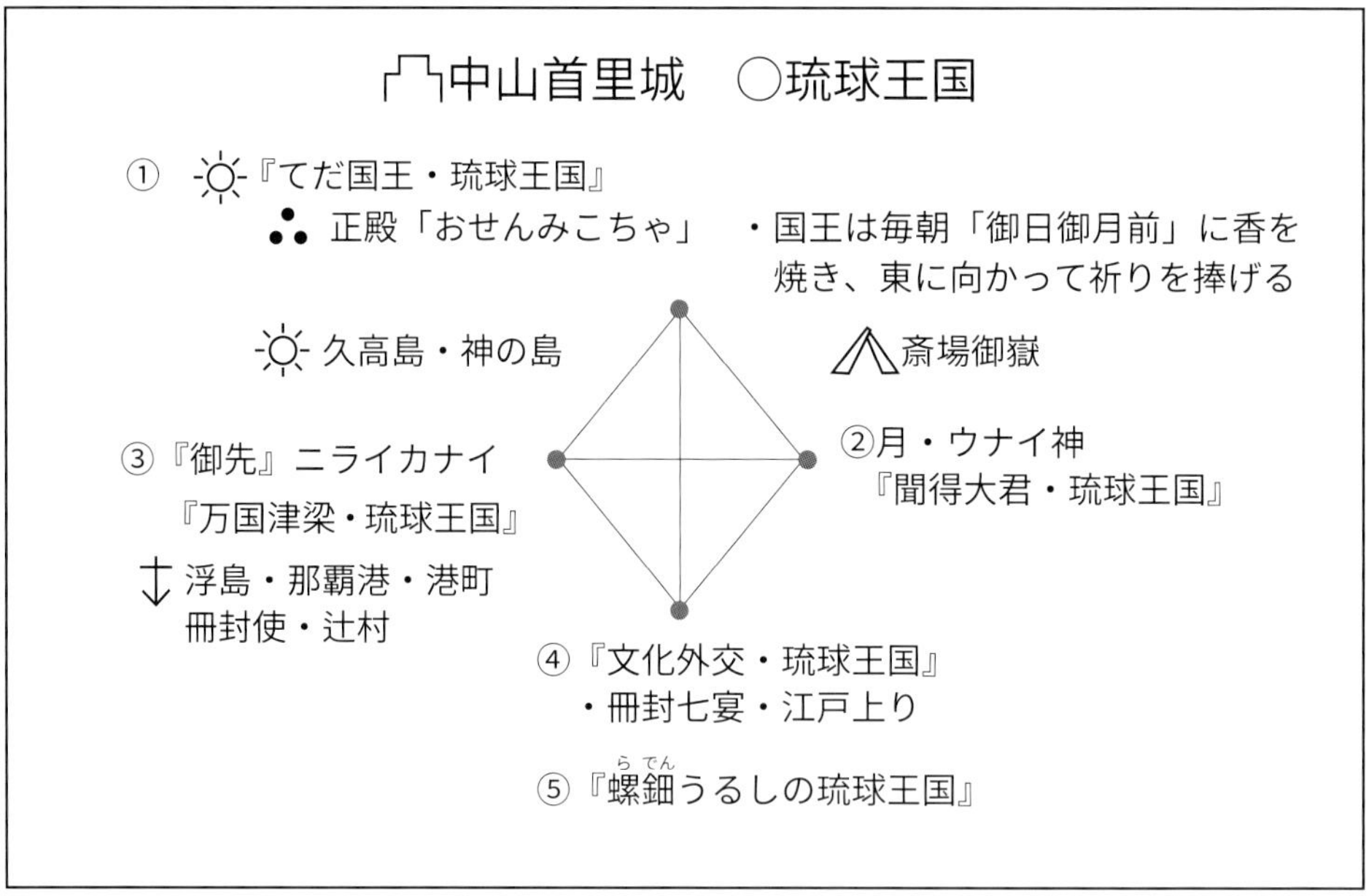

察度は国人に推されて、一三五〇年、中山王になる。三十歳。察度王は、琉球王国で初めて鉄の農具を作り、中山王となる。

次に鉄を手に入れた国王は、尚巴志である。

さて、察度の畑いっぱいの黄金《くがに》とは、何でしょうか。この黄金とは、夜光貝である。

真鍋樽の勝連半島の平安座島の西グスク・東グスクの御嶽のご神体は、夜光貝である。

琉球の夜光貝は、黒潮産で、世界で最も美しく、唐や奈良時代の螺鈿《らでん》に使われている。

平安時代の平泉の中尊寺金色堂《ちゅうそんじこんじきどう》の螺鈿には、琉球産の夜光貝が使われている。

一三五〇年、中山王察度が、牧港で、元代モンゴル帝国時代に泉州の華僑と貿易をした。

◎中山浦添での中山王察度の業績「浦添城跡」(浦添市教育委員会文化課)

「十三世紀に築かれた浦添グスクは、十四世紀には高麗系瓦ぶきの正殿を中心に、石積み城壁で囲まれた大規模なグスクとなりました」

中山王察度は、高麗系瓦葺きの正殿を建てた。

更に、中山王察度は十四世紀中頃、首里城を築く。三山時代は、元代泉州の華僑から明代朝貢になる。

首里三王統

『琉球王国の確立』　・尚円王統　・第２尚氏

◎尚真王　・中央集権政治の確立

祭政一致の政治
1509 年尚真王「百浦添之欄干之銘」

『琉球王国の基礎』
◎察度王統
1372 年王国初の進貢
1392 年「高よそうり殿」
1392 年閩人久米村に移住

『琉球王国の成立』
◎尚思紹王統第一尚氏
1429 年尚巴志三山統一
1458 年「万国津梁の鐘」
正殿に掛けた

2　中山首里三王統は首里城を居城とする琉球王国である

首里三王統とは、⑴察度王統⑵尚思紹王統⑶尚円王統のことです。
⑴察度王統は、王国初の進貢・首里城京の内に「高よそうり殿」を築く　◎『琉球王国の基礎』築く。
⑵尚思紹王統の尚巴志が、一四二九年に三山統一をし、『琉球王国の成立』
⑶尚円王統は、尚真王代に祭政一致の政治で『琉球王国の確立』
琉球王国の黄金時代を築いた尚真王。

⑴察度王統は、『琉球王国の基礎』を築いた

①「琉球国中山王察度」は、初めて中国の明と進貢をした

一三七二年中国の明の洪武帝は、海禁政策をとり、揚載を遣わして、中山王察度に朝貢・進貢をすすめた。これに応えて、中山王察度は、一三七二年異母兄弟の泰期を明へ遣わした。中山王察度は、一三八三年に、明の洪武帝から、鍍金銀印《ときんぎんいん》を賜わる。

一四〇六年に、武寧王は、巴志に首里城で滅ぼされた。一四〇六年、巴志は、父を中山王とする。一四〇七年に、父思紹は、武寧王の世子として冊封を受ける。王号は、「琉球国中山王思紹」。一四二九年に巴志は三山統一をし、琉球王国が成立した。一四三〇年中山王巴志は、冊封を受け、「尚姓」を賜わる。王号

◦左が首里森御嶽　◦南のアザナ展望台・久高島が見える

は「琉球国中山王尚巴志」となる。中山王察度の王号を受け継ぐ。

②一三九二年、察度王「高よそうり殿」を築いた。「高ヨザウソトテ、約十丈ノ高楼ヲ作り…」「中山世鑑」

中山王察度は、三山時代の十四世紀後半に、首里城京の内に「高よそうり殿」を築き、遊覧をした。首里城京の内は、首里城発祥の地です。首里城三つの空間は、祭祀空間・行政空間・居住空間です。アマミキヨの首里森御嶽京の内南側高所に、中山王察度は、「高よそうり殿」を築きます。首里森御嶽は、神が降臨する聖地です。聞得大君による国王の任命儀式が行われた祭祀空間です。京の内の南のアザナからは、ニライカナイの太陽が昇る久高島を拝むことができます。首里森御嶽のアーチ門からは、浮島・那覇港・進貢貿易港の一帯が一望できます。

「高よそうり殿」は、高麗瓦葺きの中山王察度の居城です。高麗瓦は、中山浦添グスクから運んだものとも言われ、「瓦寄せ」と多和田真淳氏は、呼んでいます。

京の内は、沖縄県立埋蔵文化財センターが平成六年度から九年度まで発掘調査をしています。京の内の倉庫からは、祭祀に使われた察度王代・十四世紀の「青花龍文高足杯」など世界に数点しかない逸品が出土しています。

③閩人《びんじん》三十六姓が久米村に移住

中山王察度は、一三九二年に、進貢貿易のために、福州の閩人

◦「崎山御嶽」崎山里主の瓦葺き屋敷跡　◦首里崎山町

三十六姓を明の洪武帝より賜わった。久米村発祥の地は、松尾山・松山公園一帯である。

久米村の仕事は、まず、進貢船が安全に航海できるようにする仕事である。

次に、皇帝への手紙を書いたり、通事は通訳の仕事である。

最後に、冊封使が来た時の案内役である。

久米村総役が、久米村すべての責任者となり、これらの仕事をまとめてやる。琉球王国の進貢貿易には、久米村の大きな力がある。

一三九二年の閩人三十六姓の久米村より先に、浮島に居住した元代の私的貿易の漢民族の泉州の華僑が、一三五〇年頃から居住したといわれる。

華僑とは、泉州を出身地とする中国の商人たちです。東南アジアの島にも華僑は居住しており、華僑ネットワークを持っていた。

一三七二年の初の進貢貿易には、程復のような漢民族の泉州華僑の力がある。程復は、中山王察度に四十年も仕え、通事などで仕えた。

浮島・那覇港の港町には、久米村と共に若狭町村・辻村・渡地村がある。

若狭町村は、琉球漆器の町として知られる。日本人の漆器職

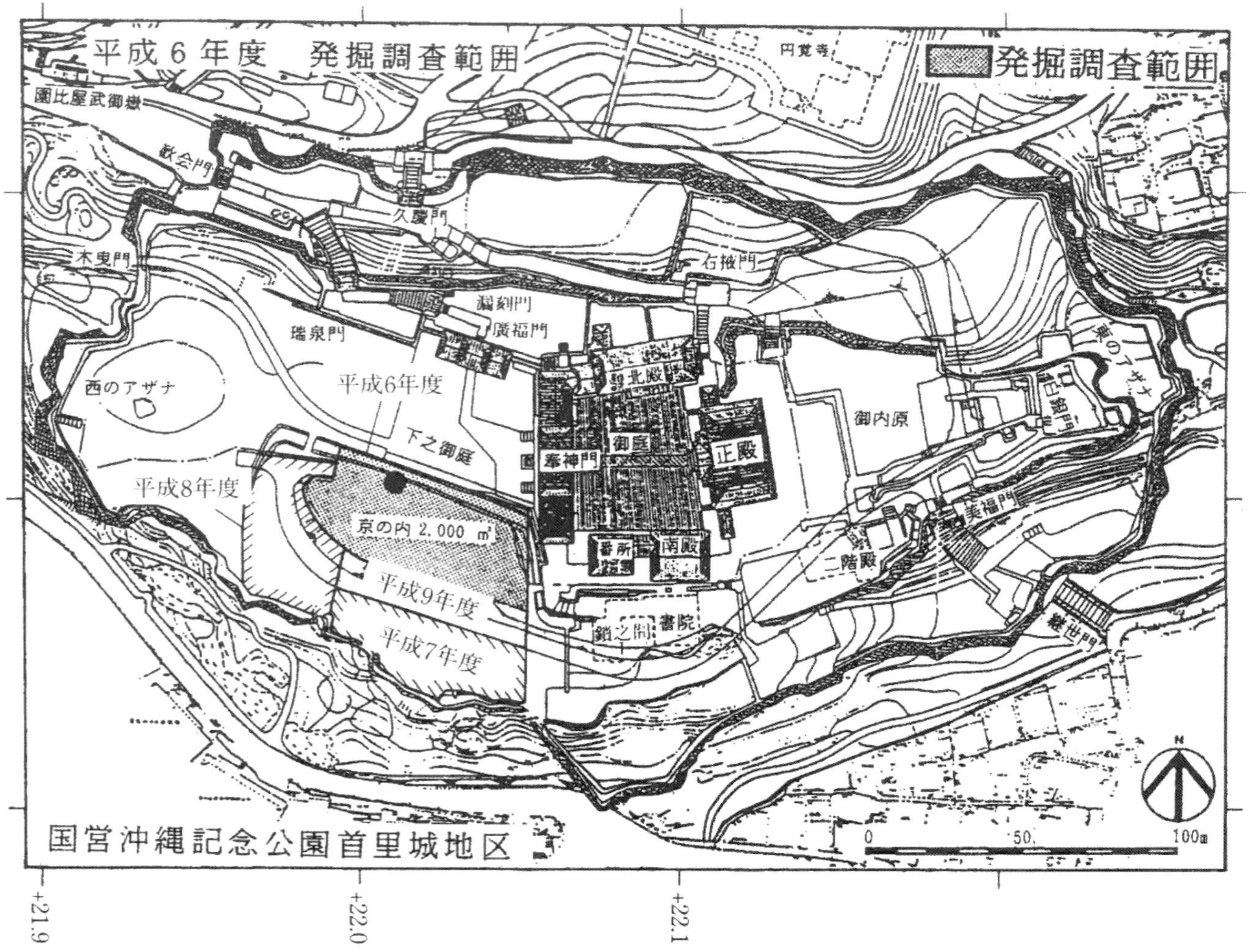

第１図　首里城跡京の内地区年度別発掘箇所
（●は1459年失火の倉庫跡）

沖縄県立埋蔵文化財センター所蔵

首里城の三つの空間

-☼- てだ国王・王権と月・聞得大君と海・ニライカナイの三つは、一体。

-☼- 東のアザナ

1、『住居空間・御内原』・国王とその家族・仕える女性・男性禁制
　1、黄金御殿は国王と王妃の居間・寝室　2、寄満は台所　3、世誇殿

2、『行政空間』・国王儀式・正殿・北殿・南殿・御庭（ウナー）
　1、正殿2階・大庫理・王妃や身分の高い女官たちが使用した空間。
　　◯「おせんみこちゃ」国王と聞得大君が、毎朝、日神・月神に対して香を焚いて東に向かって拝む。国家の安泰･子孫繁栄等を祈願した場所。男性禁制。
　　◎国王は「てだ･太陽」である。太陽神王権思想。◎「てだ国王･琉球王国」
　　◯正殿は西向き、臣下は、太陽を拝む。☆御差床（ウサスカ）・玉座
　2、正殿1階・下庫理（シチャグイ）
　　◯国王が行政を執り行う。御差床（ウサスカ）・玉座
　3、北殿・三司官･「冊封七宴」･組踊・重陽の宴・餞別の宴
　4、御庭（ウナー）
　　◎正月元旦儀式・中秋の宴◎冊封儀式・『御冠船芸能』
　　◎『文化外交・琉球王国』◎『螺鈿うるしの王国・琉球王国』

-☼- 西のアザナ

3、『祭祀空間』首里城発祥の地・京の内「高よそうり殿」中山王察度
　1、アマミキヨの首里森御嶽と斎場御嶽と久高島・クボゥ御嶽は一体
　　ニライカナイ信仰の御嶽。◎「ニライカナイ・万国津梁・琉球王国」
　　南のアザナから東方のニライカナイの「久高島」を拝むことができる。
　2、ノロは、国王のオナリ神である。◎「オナリ神・聞得大君・琉球王国」
　　◎国王のオナリ神である佐司笠・聞得大君は、国王の安泰・五穀豊穣・航海安全等を祈願する。首里森御嶽の南のアザナから久高島が一望できる。
　3、聞得大君による国王任命儀式。キミマモンの神が降臨する首里森御嶽。
　4、三平等の大あむしられは、京の内三御嶽を拝む。
　5、「おもろさうし」の「にるやかななや」は、『東方の大主』「てだが穴の大主」

＊参考文献「めんそーれ、首里城へ」首里城公園センター

尚巴志・尚忠王・尚思達王の墓。『佐敷森』読谷村伊良皆・サンジャー湧泉。首里の天山陵に遺骨は安置された。

人や商人たちが居住した日本人町といわれる。波上宮の熊野権現も日本の神様である。波上宮の創建者は、察度王の子崎山里主。

(2) 尚巴志は三山統一『琉球王国の成立』

① 一四二九年尚巴志の三山統一への道

o尚巴志のルーツ。巴志は、佐敷上グスクで誕生。父は苗代《なわしろ》大親《ウフヤ》・尚思紹。祖父は、佐銘川大主。曽祖父は、屋蔵大主《ヤグラウフシュ》・第一尚氏元祖。尚巴志は、英祖王の血統。

屋蔵大主は、英祖王・南山大里按司の兄弟の子で父が大里按司に殺され、伊平屋島へ逃げた。巴志は佐敷上《ウィ》グスクで、中城湾を一望しながら、三山統一への夢を語り合う。まず、第一歩は、島添大里按司の汪英紫《おうえいし》を一四〇二年に滅ぼした。中山王武寧を一四〇六年、首里城で滅ぼした。巴志は父を尚思紹王にする。一四〇七年に、尚思紹は、武寧王の世子として冊封を受けた。一四一六年巴志は北山王攀安知《はんあんち》を滅ぼした。尚巴志は一四二五年、冊封を受けて中山王に即位した。一四二九年、南山王他魯《たる》毎《みい》を滅ぼし、三山統一をした。『琉球王国の成立』である。

②尚巴志の業績

o一四二七年国相懐機は龍潭を掘り、安国山を築く。首里城第一拡張工事で内部整備。一四二七年「安国山樹華木之記碑」

o「李朝実録」三層の正殿があった。一四五〇年尚金福。

屋蔵大主《ヤグラウフシュ》・尚巴志の曽祖父の墓・伊平屋村我喜屋の海岸

o 一四二八年綾門大道《アヤジョーウフミチ》の入口に中山門建築。

o 一四二九年三山統一・琉球王国の成立。

◎すべての道は、首里城へ通ずる。各間切番所を設置した。宿次は、王府文書を伝達。

③尚泰久「万国津梁の鐘」を正殿に掛けた、一四五八年

「琉球国は、南海の勝地にあり、朝鮮・中国・日本と貿易をし、蓬来（仙人）の島である。船を以て、万国の港への架け橋となり、世界の富が、国中に充満する。」

琉球王国は、中国・朝鮮・日本・東南アジアと中継ぎ貿易をし、世界の宝物が集まった。

琉球王国は、大貿易時代・万国津梁の時代です。銘文は、京都の禅僧渓隠《けいいん》です。

尚泰久の禅僧は、芥隠《かいいん》で、外交もした。

芥隠は、尚泰久・尚徳・尚円・尚真王と四代の国王に仕えた禅僧です。円覚寺の開祖は、芥隠です。円覚寺は、一四九二年、第二尚氏の菩提寺となる。

(3)尚円王統は、中央集権の政治『琉球王国の確立』

①金丸は第二尚氏として尚円王となる。

◎金丸の足跡①金丸は、伊是名島の諸見で生まれる。生誕地「御

伊是名島・尚円王御庭公園　若き日の金丸（尚円）像　◦宜名真を指さす金丸

ほそ所」o童名は松金・思徳金《うみとくがね》。俗称は金丸。二十歳で父母を失う。水を盗んだと村人が殺害を計画。②白髪の老人の言葉で宜名真に逃げた。③また追われ、国頭奥間鍛冶屋の世話になる。④越来王子・泰久の勧めで、首里城の尚思達の家来赤頭《アクガミ》になる。

⑤尚泰久が王になると内間領主となる。（一四五四年）

金丸は尚泰久と同じ年で、尚泰久の相談相手となる。一四五九年、御物城《おものぐすく》御鎖之側《おさすのそば》になる。一四六五年おぎやか二十二歳で、金丸が五一歳で結婚した。金丸が五四歳の時、尚徳と意見が合わないで、内間御殿に隠居した。一四六九年尚徳王が没したので、世子のことで群臣が集まる。安里大親（護佐丸の弟）が「物呉《ムヌクイ》ゆ者《シドゥ》ど我《ワー》が御主《ウシュー》」と発言をし、金丸を「琉球国世主」と認めた。

一四七〇年、金丸は尚円王に即位した。

一四七二年尚円王は冊封を受けた。

②尚真王は「中央集権」を確立した

一四七七年尚宣威王位につく。六ヶ月間。

一四七七年尚真王位につく。十三歳。

一四七九年尚真王を冊封した。中山王となる。

◎尚真王の業績・『琉球王国の確立』

ア、祭政一致の政治で、中央集権を確立した。

o全島の按司を首里城に集めた。

『かぎやで風節』の碑。奥間鍛冶屋子孫・座安家。
・金丸が尚円王になってお世話になった恩返しに、奥間鍛冶屋次男を国頭按司に取り立てた喜びの歌
・奥間鍛冶屋は、察度と泰期の父の奥間大親の出身地

按司の領地には、代官を派遣。按司や役人は、簪の色・金銀による身分で統制をした。

o聞得大君を頂点とする各間切の神女の階層組織が形成された。神女は、国王が任命。

イ、中国との進貢貿易と、日本・朝鮮・東南アジアとの中継ぎ貿易で、文化と共に王府の財政を豊かにした。

ウ、一五〇九年「百浦添欄干《ももうらそえらんかん》之銘《のめい》」八重山征討等

③斎場《せいふぁ》御嶽《うたき》にみる首里城との関連

o御新下りは、聞得大君の就任儀式である。

o斎場御嶽は、アマミキヨの琉球開びゃく伝説のある琉球王国最高の聖地。中でも、大庫理《ウフグーイ》・寄満《ユインチ》は、首里城の部屋と同じ名である。

o首里城正殿の「大庫理」は、王妃・身分の高い女官たちが使用した空間。

o「寄満」は、正殿の台所。ニライカナイからの豊穣が寄り満ちる所。

o寄満（ユインチ）とは、王府用語で「台所」を意味しますが、ここで調理したわけではなく、貿易の盛んであった当時の琉球では世界中からの交易品の集まる「豊穣の満ち満ちた所」と解釈されています（世界遺産「斎場御嶽」沖縄県南城市）

二、中山王察度の居城京の内に「高よそうり殿」を築く

神が降臨したアーチ門・アーチ門の下に洞穴がある

1　京の内南側高所に「高よそうり殿」を築く

◎「高よそうり殿」は、首里城京の内の南側高所にある。首里城発祥の地です。

京の内とは、セジ（霊力）のある聖域を意味する。京の内には、首里森御嶽と真玉森御嶽と京の内の三つの御嶽と五つの御嶽がある。

首里森御嶽は、神が降臨する琉球最高の聖地である。アマミキヨの御嶽で、「首里森グスク」とも呼ばれる。

神は、首里森御嶽のどこに降臨したか。

金城亀信氏（沖縄県立埋蔵文化財センター所長）によると、「首里森御嶽の西側城壁（大岩の頂上に城壁を廻らす）で、城壁がアーチ門にすりつけられた部分がある。この部分が、新国王に託宣を下すために、〝キミマモン（君真物、天神・海神の陰陽の二神）〟が降臨する場所であったと言われている。」と記しています。

聞得大君がキミテズリ（君手摩）の儀式をし、キミマモンの神を迎え、国王に、世おそうせぢを高め、託宣を下した。

聞得大君による国王任命儀式が行われた。

キミマモン（君真物）の託宣を受けた国王には、「神号」がおくられた。

久高島の伊敷浜 ㊋御先・国王のニライカナイへの遥拝所
☆ニライカナイが、万国津梁・琉球王国の根本にある

o英祖王の神号は「えそのてだこ」◎最高神女
「四代真物」
o察度王の神号は「大真物《おおまもの》」◎察度王妃は、マジラス親ノロ
o武寧王の神号は「中真物《なかまもの》」
o尚思紹の神号は「君志真物《きみしまもの》」
o尚巴志の神号は「勢治高真物《せじたかまもの》」o佐司笠《さしかさ》・最高神女
o尚円王の神号は「金丸按司添末続之王仁子《かなまるあじそえつぎのおうにせ》」
o尚真王の神号は「於義也嘉茂慧《おぎやかもい》」o月清・初代聞得大君
尚円王の王女

◎中山王察度の神号「大真物」について。

首里森御嶽の南のアザナからは、久高島を拝むことができる。首里森御嶽は、久高島へ向いている。浦添グスクから冬至の時に、久高島は神の島に見える。「えそのてだこ」が王権の源となる。中山王察度の神号「大真物」は、察度王妃・マジラス親ノロがおくったと伝わる。『おもろさうし』(十六巻―一一五〇)「まちらすの親のろ」は、「伊計ぐすくの親のろ」である。

「中山世鑑」に「察度王モ…高ヨザウトテ、数十丈ノ高楼ヲ作リ、遊覧テシ給ケルガ、」とある。一三九二年の高楼については、首里城説があります。

首里城京の内を、沖縄県立埋蔵文化財センターが平成六年度から平成九年度まで、調査実施により、首里城説の可能性が高くなってきています。

京の内空間の復元案

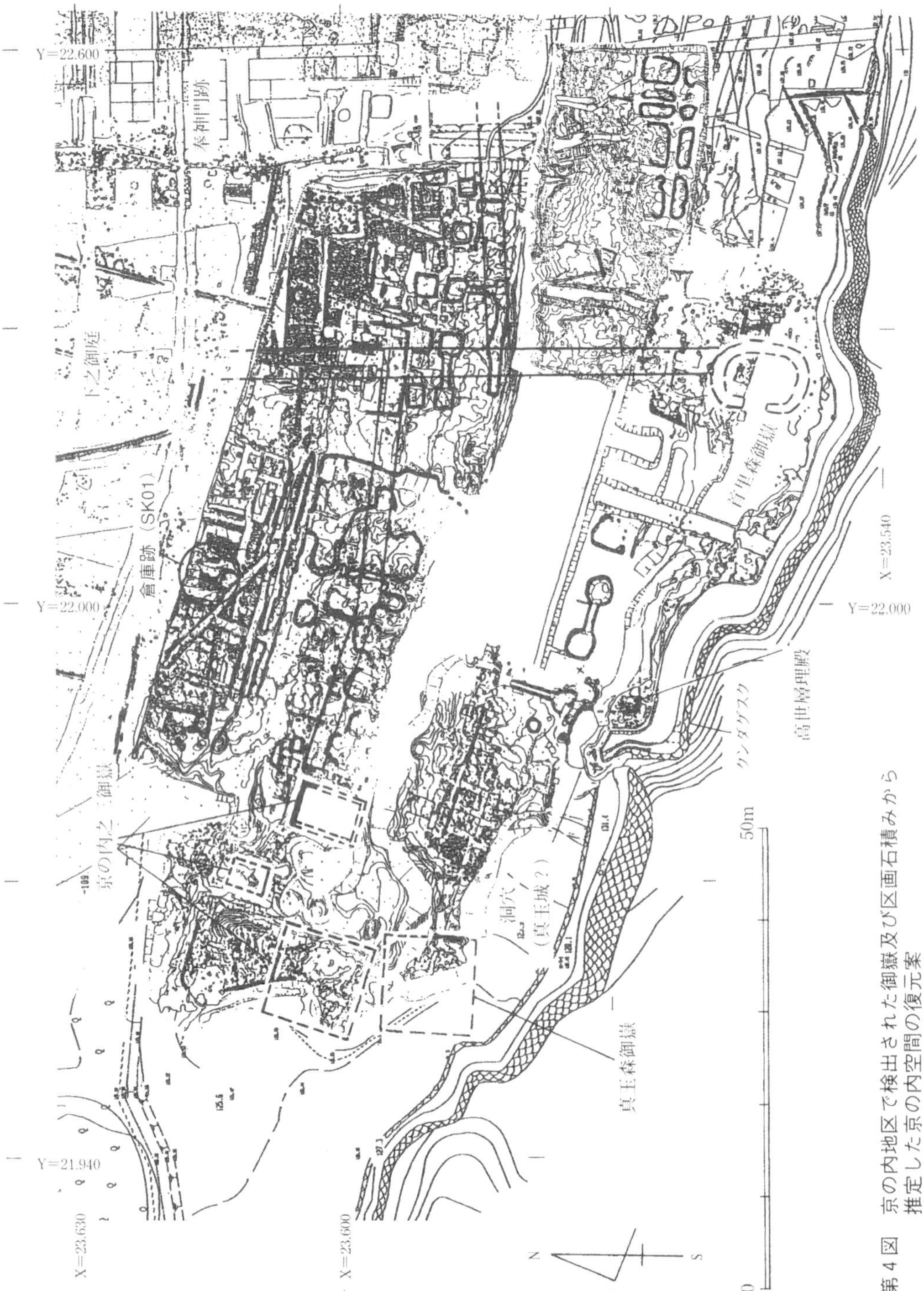

第４図　京の内地区で検出された御嶽及び区画石積みから推定した京の内空間の復元案

沖縄県立埋蔵文化財センター所蔵

首里城発祥の地『京の内』イラストマップ

中山王察度、京の内に『高ヨサウリ（高世層理殿）』を築く。『中山世鑑』

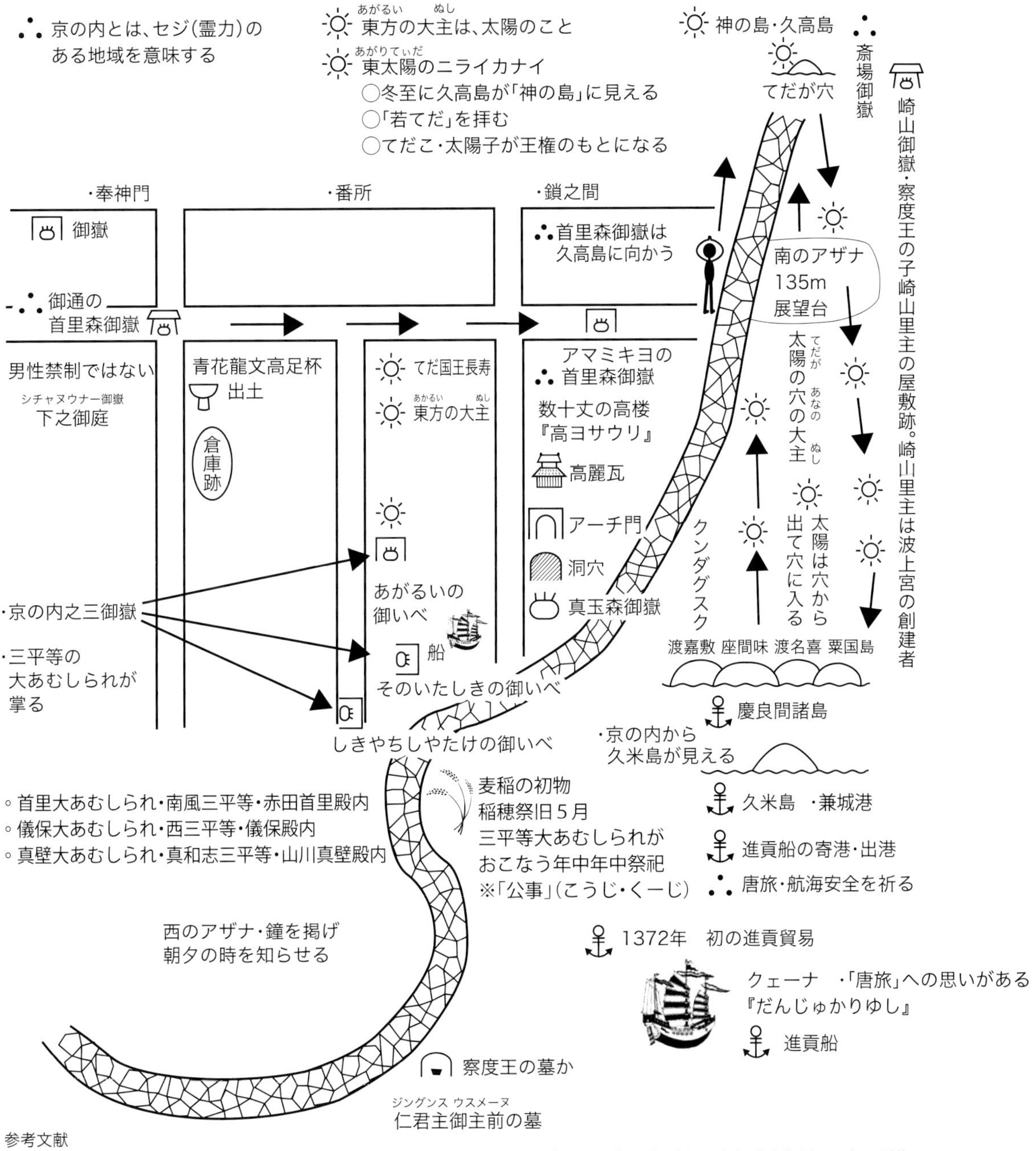

参考文献

◯「第４図　京の内地区で検出された御嶽及び区画石積みから推定した京の内空間の復元案」沖縄県立埋蔵文化財センター所蔵
◯「首里城古地図」（1703年～1707年）に修正・加筆
◯「おもろさうし」日本思想大系18　外間守善・西郷信綱　岩波書店刊行
◯「沖縄の聖地―拝所と御嶽」湧上元雄、大城秀子　むぎ社
◯琉球史料叢書第三巻「琉球国旧記」

勝連城跡・二の曲輪殿舎跡「瓦葺き仏殿風建物」うるま市教育委員会

金城亀信氏・沖縄県立埋蔵文化財センター所長「京の内跡出土品と過ごした日々」第七回文化講座。「一九九五（平成七）年度の遺構で注目されるのは、瓦葺き建物礎石（第12回A～C）である。この建物遺構（ＳＢ０２）は、京の内でも最も高い地域から検出されている状況からすると察度王（在位期間：一三五〇年～一三九五年迄の45年間）が、一三九二年数十丈の高楼を造り遊覧した高世層理殿の礎石か、或いは一五七六年の家譜資料にみえる天界寺が（守礼門と玉陵の中間にあった）失火し、高楼（高よそうり殿）の一部が炎上した際の建物礎石か、いづれかの高楼の礎石として考えられる。」と記されています。

　おわりに「京の内は、多和田真淳氏が指摘するように察度が浦添から首里に遷都し、最初にグスクを築城した〝古城〟があった可能性が高い。…一九九五（平成七）年度に調査をおこなった京の内の南側高所で発掘された礎石周辺から屋根瓦が建物の配置を示すような形（平面観が「Ｌ」字状となった雨落ち溝に屋根瓦が堆積）で出土していた。この礎石のある瓦葺きの建物が察度が一三九二年に構築した数十丈の高世層理殿の礎石か、或いは一五七六年の家譜資料にみえる天界寺の失火により炎上した高楼（高よそうり殿）の礎石かどうかについては、今後の遺構の検討や出土遺物の整理をとおして判断されるものである。」と記されています。

　察度王の一三九二年の「高よそうり殿」の可能性が高くなってきています。

癸酉年高麗瓦匠造
「浦添ようどれ館」浦添市教育委員会

鬼瓦
「浦添ようどれ館」浦添市教育委員会

2　京の内の「高麗瓦」について

宜野湾市立博物館講座「グスクの話」が、平成三十年十一月にありました。

講師は、沖縄国際大学総合文化学部教授の上原静氏です。

首里城京の内の一三九二年「高よそうり殿」の高麗瓦について、次のことを学びました。

1、京の内の高麗瓦が「高よそうり殿」周辺から多量に出土した。

2、京の内の高麗瓦と浦添グスクの高麗瓦は、同じものである。多和田真淳氏はこれを、「瓦寄せ」という。

3、京の内の高麗瓦について、中山における中核的グスクが血縁関係で結びついている。

「琉球古瓦の研究・上原静著」に「屋根瓦使用圏は、いわゆる中山という地域を限定している点でも大きな特質で、先述の歴史的考証でみた中山における中核的グスクが、血縁関係で結びついている点でも矛盾しない展開となっている。」と述べています。

中山における中核的グスクとして、グスク時代の瓦葺きの勝連グスク・浦添グスク・首里城の三つのグスクをあげています。

三つのグスクが、中山王察度と、どんな血縁関係にあるか。浦添間切じゃな村の察度は、二代勝連按司の姫と十七歳で黄金宮で結婚します。

浦添按司から一三五〇年に中山王となり、浦添グスクに上る。「浦

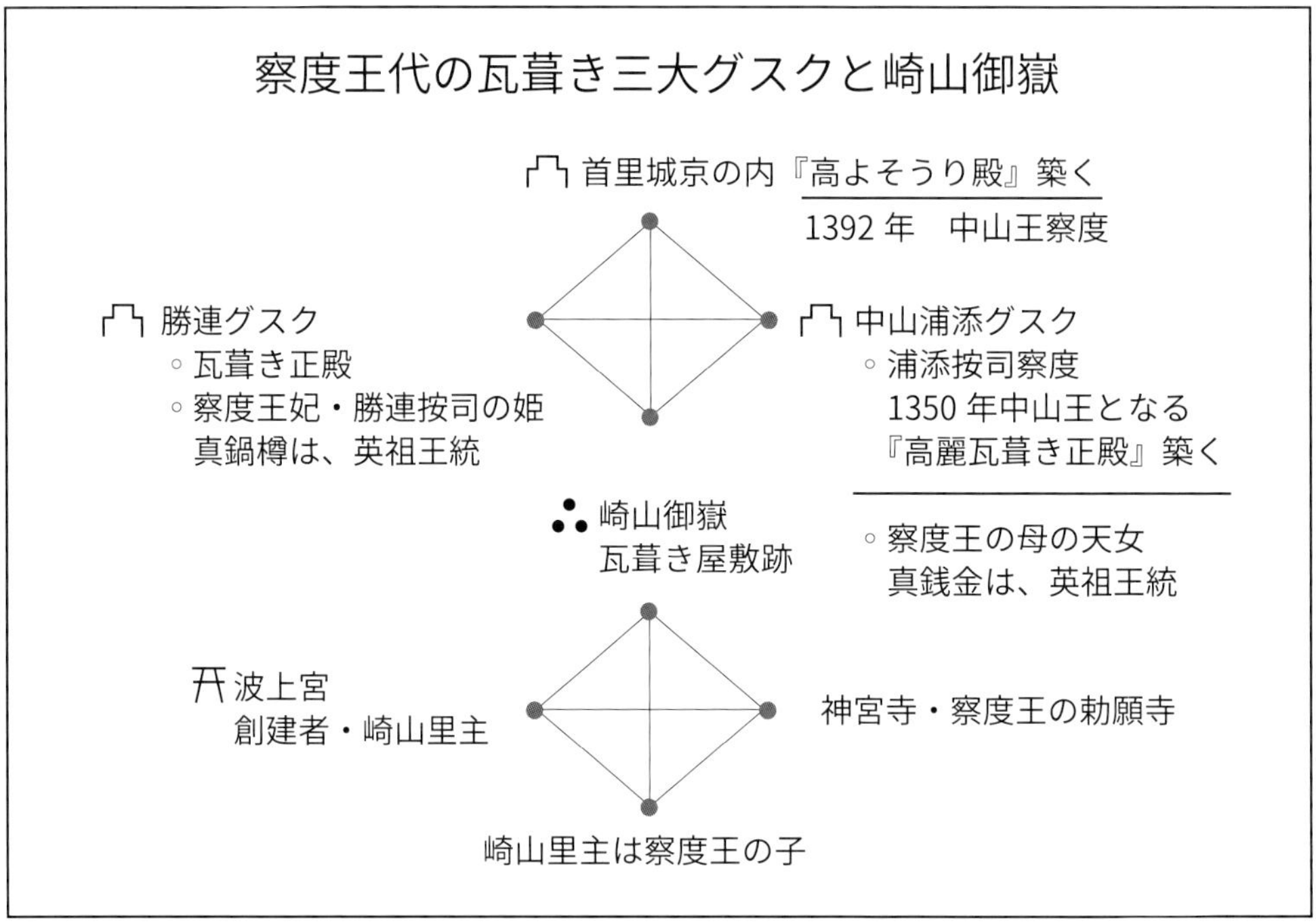

添城跡」（浦添市教育委員会）によると「察度王統・大規模グスクとなる。高麗系瓦葺きの建物が建てられる。察度王統の王宮と考えられる。」とある。

更に、中山王察度は、首里城へと上る。

中国は、元代のモンゴル帝国の私貿易の泉州の華僑から明代漢民族の公貿易・朝貢・進貢に変わる。明の洪武帝は、海禁政策をとる。一三七二年中山王察度の初の進貢は、浮島那覇港である。一三九二年、首里城京の内に「高よそうり殿」築く。更に進貢貿易のために閩人三十六姓を洪武帝より賜わる。

一四〇四年、武寧王初の冊封を受けた。

一四〇六年武寧王は巴志に滅ぼされた。

3　崎山御嶽は察度王の子の崎山里主の屋敷跡

1、崎山里主の母は、辻村の開祖。察度王の妻。
察度王妃は、勝連按司の姫・子は武寧王。

2、崎山御嶽は、瓦葺きの建物である。
o古瓦が出土した。察度王代の瓦葺き建物は、勝連グスク・浦添グスク・首里城と崎山里主の瓦葺きの四ヶ所である。

3、崎山御嶽は、高台・グスクにあり、波上宮一帯が一望できる。
波上宮の創建者は、崎山里主である。o波上神宮寺は、護国寺で

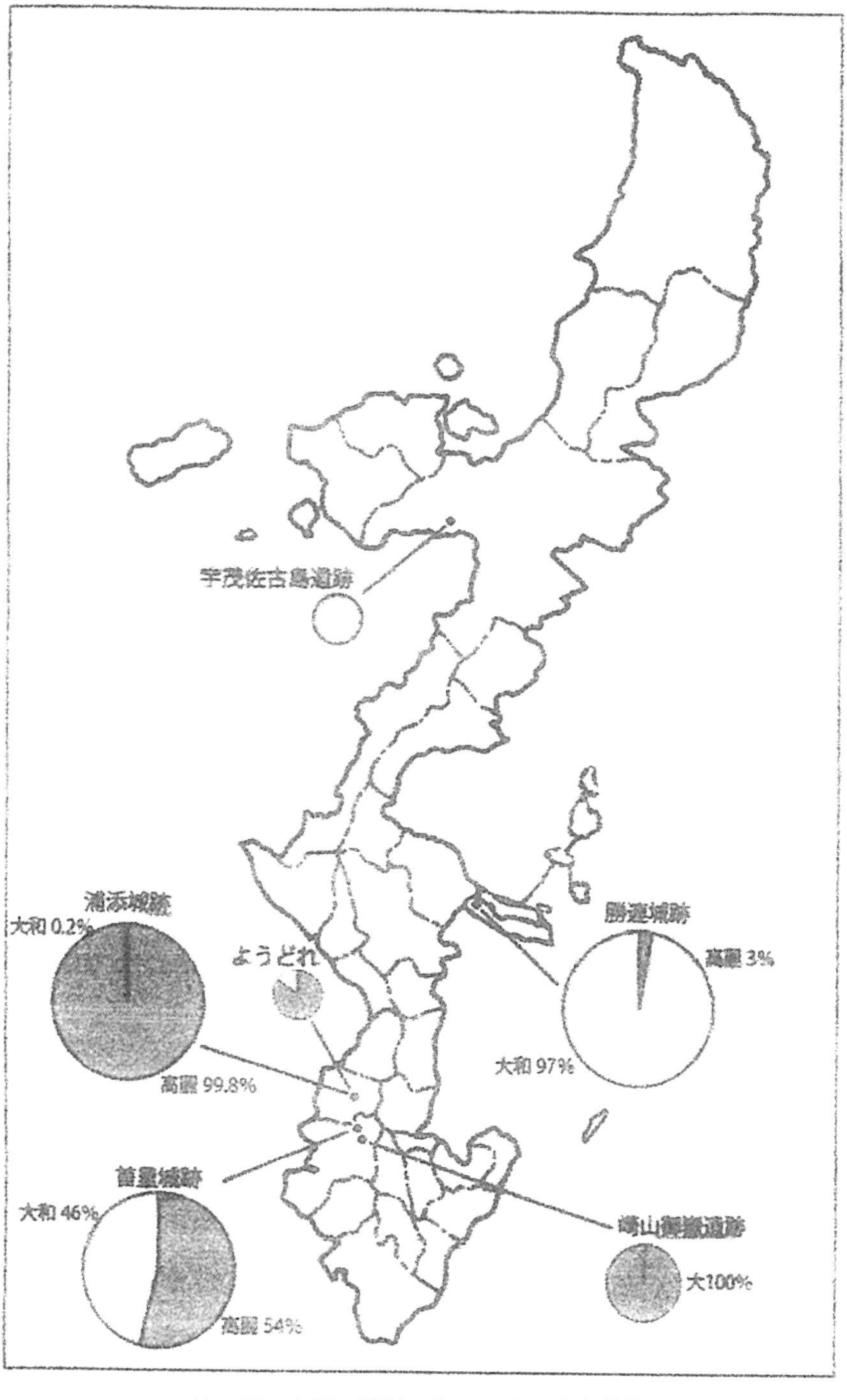

第５図　主要６遺跡における古瓦出土状況

出典『琉球古瓦の研究』上原靜著　榕樹書林

青花龍文高足杯（14 世紀後半・元末期）

出典：特別企画展　首里城京の内－貿易陶磁器からみた大交易時代　2001 年　沖縄県立埋蔵文化財センター所蔵

ある。護国寺は、察度王の勅願寺。国王が即位すると参拝した。

4　京の内「倉庫跡」の陶磁器にみる察度王

京の内「倉庫跡」の陶磁器の出土については、次のように記されている。

「十四世紀後半になると中山国王の察度が中国・明に朝貢し冊封を受けることによって、更に膨大な数と種類の青磁碗が首里城に運ばれ消費されていくようになります。」（編集・発行　沖縄県立埋蔵文化財センター『首里城京の内展　土でつくられた緑の宝石「小型青磁」』）平成二十一年（二〇〇九年）

中国の明の皇帝洪武帝は、海禁政策をとり一三七二年揚戴を遣わし、中山王察度へ進貢を勧めた。これに応えて、弟の泰期を遣わし初の進貢貿易をした。

朝貢・進貢によりお碗などの小型青磁が大量に運ばれている。

首里城京の内関連年表をみると察度王統の項に、世界に数点しかない逸品を見ることができる。青磁吉祥字文壺《きっしょうじもんつぼ》（お酒）・中国産紅釉水注《こうゆうすいちゅう》・青花八宝文大合子《おおごうす》・青磁牡丹唐草文瓶・青花龍文高足杯など。

首里城京の内関連年表

中国	南宋	元		明		
琉球	舜天王統	英祖王統	察度王統	第一尚氏		第二尚氏
日本	鎌倉時代		南北朝時代	室町時代		

1200　1300　1400　1500

京の内の遺物

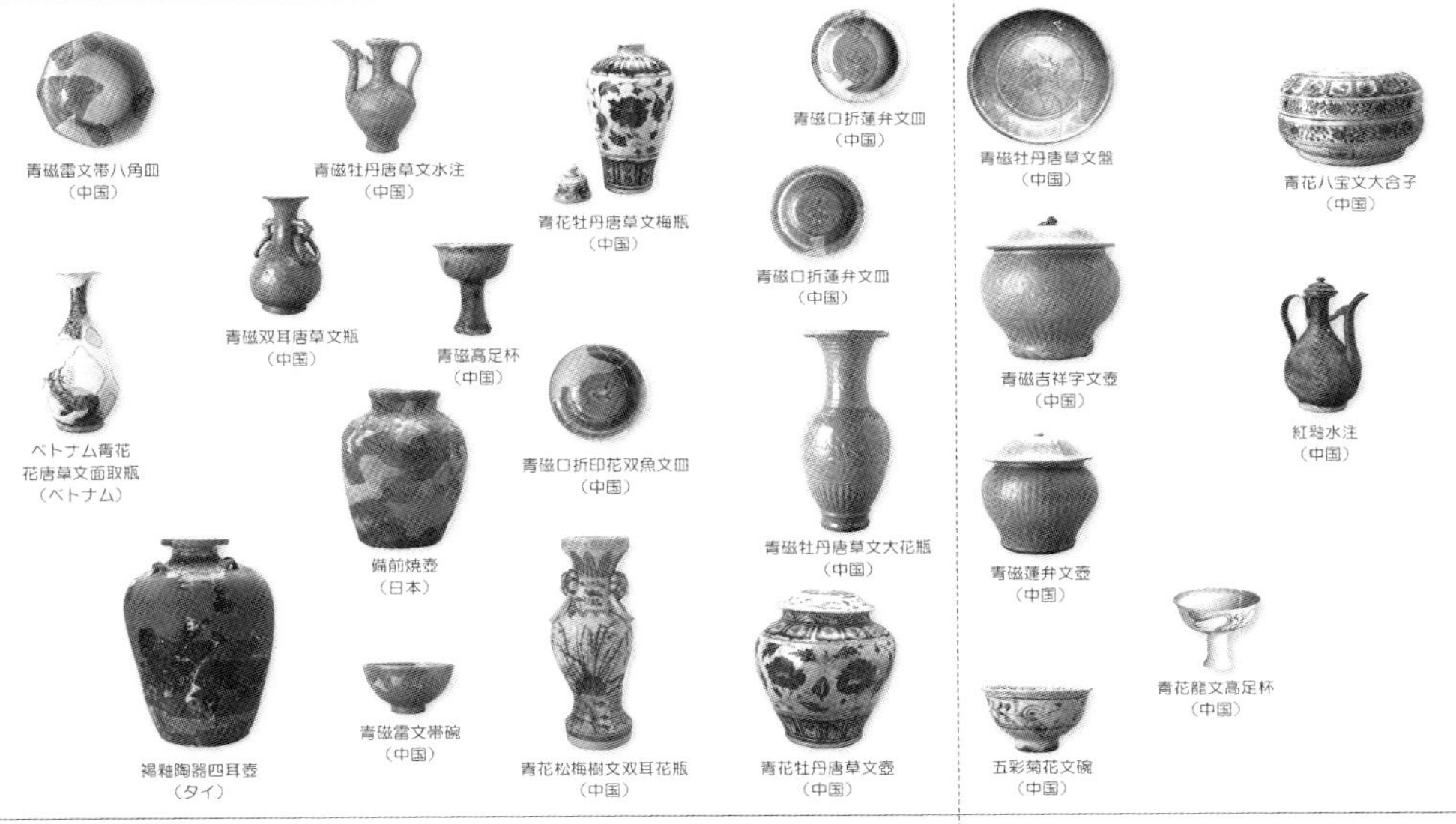

中国・沖縄の主な流れ

- 六〇七　隋《ずい》の煬帝《ようだい》、朱寛《しゅかん》を琉球に派遣
- —南宋《なんそう》から元《げん》にかけて陶磁器の輸出がめざましくなる—
- —中国江西省《こうせいしょう》・景徳鎮《けいとくちん》の台頭《たいとう》—
- —この頃、景徳鎮で青花《せいか》（染付《そめつけ》）磁器《じき》が完成する—
- —この頃、景徳鎮で五彩色絵《ごさいいろえ》が創作される—
- 一三五〇　察度《さっと》、浦添按司《うらそえあじ》から中山王《ちゅうざんおう》となり首里へ
- 一三六八　明《みん》が興《おこ》る
- 一三七二　中山王察度、はじめて明《みん》に進貢《しんこう》
- 一三八〇　山南王承察度《さんなんおうしょうさっと》、明に進貢
- 一三八三　山北王怕尼芝《さんほくおうはにじ》、明に進貢
- 一三八五　明の太祖《たいそ》、中山・南山両王に海船贈与
- 一三八九　察度、朝鮮（高麗《こうらい》）と通好する
- 一三九二　閩人《びんじん》三六姓渡来《とらい》、と伝わる
- 一四〇四　冊封使《さっぽうし》、はじめて来琉《らいりゅう》
- シャム（タイ）船渡来し交易
- 一四〇六　尚巴志《しょうはし》、武寧王《ぶねいおう》を討ち父・思紹《ししょう》を王にたてる
- 〈察度王統滅亡《さっとおうとうめつぼう》、第一尚氏興《だいいちしょうしおこ》る〉
- 一四一六　尚巴志、山北王攀安知《さんほくおうはんあんち》を討つ
- 一四二〇　尚思紹《しょうししょう》、シャムに使を遣《つか》わす
- 一四二一　パレンバン（インドネシア）との交渉はじまる
- 一四二七　龍潭《りゅうたん》を掘り安国山《あんこくざん》を築く
- 一四二九　尚巴志、三山統一《さんざんとういつ》
- 一四五三　志魯《しろ》・布里《ふり》の乱が起こり、首里城炎上
- —五彩の手法が中国・民窯《みんよう》で盛んになる—
- 一四五四　尚泰久《しょうたいきゅう》の即位
- 一四五六　冊封使《さっぽうし》の李秉彝《りへいい》ら来琉
- 一四五八　万国津梁《ばんこくしんりょう》の鐘《かね》鋳造
- 一四五九　首里城京の内倉庫が炎上
- 一四六三　マラッカへ使者を派遣
- 一四七〇　金丸《かなまる》（尚円《しょうえん》）即位
- 〈第二尚氏王統始まる〉
- 一四七七　首里城歓会門《かんかいもん》、久慶門《きゅうけいもん》の創建
- 一四九〇　パタニ（タイ）と始めて交易
- —この頃から、沖縄に入ってくる陶磁器が減少し始める—
- 一五〇一　玉陵《たまうどぅん》を築く
- 一五〇八　首里城北殿の創建
- 一五二九　首里城守礼門の創建
- 一五七〇　南方貿易《なんぽうぼうえき》の記録途絶える

出典　沖縄県埋蔵文化財センター所蔵

三、王国初の進貢は浮島那覇港

察度王と泰期の関連系図

じゃな村又吉の娘 ―― 奥間大親 ―― 天女・真銭金・英慈王次女

次男 泰期 ―― 異母兄弟 ―― 長男 察度王

⚓泰期は 1372 年、初の進貢使

1. 読谷山宇座・泰期
2. 国頭奥間カニマン按司泰期
   ◦カニマン・金満は鍛冶屋
3. 小禄カニマン按司泰期
4. 天願按司泰期…奥間ヌン殿内に位牌

1　中山王察度は初の進貢万国津梁王国の開拓者

中国は、元代モンゴル帝国の私的貿易の泉州の華僑から、明代に漢民族の公的貿易・朝貢・進貢へと変わる時代である。琉球王国は、グスク時代・三山時代の十四世紀である。

中国の明の洪武帝は、海禁政策をとり、行人揚戴を、中山王察度に遣わし、朝貢を勧めた。これに応えて、中山王察度は、一三七二年、異母弟泰期を初の進貢使にした。

琉球王国・万国津梁の開拓者は、「琉球国中山王察度」である。

三山時代・一三八三年には、北山王怕尼芝《はにし》・中山王察度・南山王承察度と三山ともに進貢をしている。中山王察度は、「琉球国」の国名を賜わる。王号「琉球国中山王察度」を琉球王国で初めて、明の洪武帝より賜わる。

一三八七年に、中山王察度は、南蛮貿易を始め、シャム（タイ）の胡椒・蘇木などを手に入れ、中国への進貢品とし、日本・朝鮮との「中継ぎ貿易」をし、琉球王国の万国津梁の基礎を築いた。

一三八九年に中山王察度は、倭寇から朝鮮人を引き取り、送り返した。初期倭寇の頃。

◎察度王の時代は元から明の朝貢・進貢へ変わる時代。
久米村の成り立ちと中山王察度

明の洪武帝

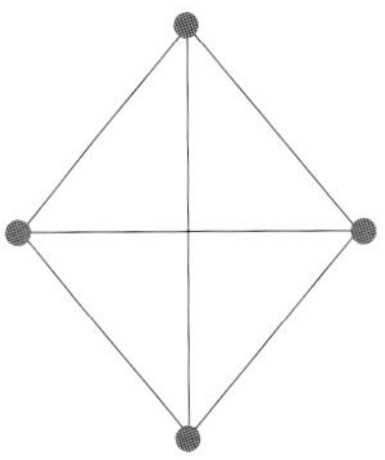

「先久米村」
・1371 年　海禁政策をとる
↧1372 年　初の進貢
・元代の泉州華僑
　程復らの力による
・程復は察度王に 40 年間通事
　などで仕えた
・英祖王の元から泉州との交易
　は泉州華僑が担い手となる

「久米村」
1392 年
・中山王察度
　進貢貿易のために閩人
　三十六姓を賜る。久米
　村に移住

↧琉球国中山王察度

一三九二年に中山王察度は、閩人三十六姓を進貢貿易のために、明の洪武帝より賜わり、久米村に移住させた。琉球王国の大貿易時代の進貢貿易の組織づくりの基礎を築いた。

一四〇四年武寧王は、初の冊封を受けた。

2　一三七二年初の進貢は、泉州華僑程復《ていふく》等の力による

察度王に四十余年も仕えた程復の力がある。

程復について、嘉手納宗徳氏（『沖縄大百科事典』）は、「程復・生没年未詳・国相。中国の饒州《じょうしゅう》出身。尚思紹王の表文《ひょうぶん》に〈察度を輔《たす》くること四十余年〉とあるのをみると、進貢以前から在留していたと考えられる。寨官で、通事を兼ねて進貢に尽力、一三九二年（洪武二五）には察度王の申請で、大祖洪武帝から冠帯を加えられ、さらに、九四年には千戸を充てられた。察度・武寧・思紹三代に仕え、年齢も八十一歳になっていたので、思紹の申請で国相《こくしょう》兼左長史にのぼり、まもなく官を辞し故郷饒州へ帰った。」と述べている。

尚思紹は、程復の後に王茂を申請。一四一一年永楽帝により王茂は、国相兼右長史となる。

o程復の推定年齢。誕生は、一三三〇年。中山王察度一三五〇年に程復は二〇歳。一三七二年の初の進貢の時は、程復は四二歳。一三九五年察度王死去の時に程復は六五歳。

「くにんだなかみち」の龍像

初の進貢には、泉州の華僑の程復等の力がある。

3　一三七二年初の進貢・浮島那覇港は、いつ頃から始まったか

英祖王は、泊港に泊御殿を建て、奄美大島諸島の貢物を大島倉に収めた。

中山王察度の、中国の明への進貢品の硫黄は、硫黄鳥島から泊港へ運ばれて来たものである。

泊港に隣接する浮島那覇港は、大型船が出港できる天然の良港である。

察度王代の一三五〇年代・十四世紀中頃からは、「浮島」には、若狭町村に日本人商人・職人や元代の泉州の華僑が居住し始めた。

4　浮島那覇港渡地村と察度王

十四世紀中頃、一三五〇年頃から、浮島那覇港は、海外貿易を始める。

「那覇港渡地《わたんじ》村跡の現場説明会」二〇〇七年六月。那覇市教育委員会・生涯学習課文化財課。

「渡地村一帯は、十四世紀中頃から十九世紀まで、硫黄城として、硫黄を保管した所であり、…大量の中国産・本土産陶磁器の出土か

察度王の浮島三村と渡地村

◎若狭町村・日本人町・螺鈿漆器の町

⛩波上宮
・熊野権現
・創建者、崎山里主

卍神宮寺護国寺
・創建、薩摩国坊之津、一乗院頼重上人
・察度王の勅願寺 1368 年

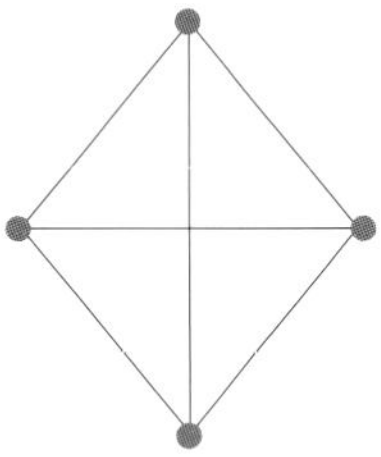

◎辻村・冊封使一行が出入りした辻村
・辻村開祖
察度王の妻
崎山里主の母

◎久米村
・1350 ～ 1372 年泉州の華僑
・1392 年閩人三十六姓
久米村に移住

⚓渡地村・浮島・那覇港・14 世紀中頃から
国際貿易港・唐、南蛮と貿易

ら「村跡」というより、市場的な場が想起されます。」と資料に記されている。十四世紀以後の青磁器〈おわん〉やタイ産土器などが展示されていた。

唐船口《とうせんぐち》とは、進貢船が入港。出港する川口である。唐船口は、水深が二〇～三〇メートル。幅が一キロメートルある

浮島渡地村の北側には、唐船小堀《グムイ》があり、唐船小堀は、進貢船を修理した所である。

5　浮島那覇港、若狭町村・久米村・辻村

浮島那覇港は、古い時代には、「なはどまり」と呼ばれた。浮島港町三村の若狭町村・久米村・辻村は、海に囲まれた浮島であった。出島的な浮島には、外国の商人たちや僧侶が居住し始めた。

察度王代の一三五〇年代から、日本人商人・職人が若狭町村に、泉州の華僑たちが、先久米村に居住し始めた。

辻村は、冊封使一行の遊興の村である。

「なはどまり」の浮島那覇港は、元代の私的貿易の泉州華僑から、明代の公的貿易の朝貢、進貢貿易へと変わる時代である。

三山時代も三山統一へ動く時代である。

⑴若狭町村は、螺鈿漆器の町・波上宮・護国寺がある

①若狭町村は、螺鈿漆器の町

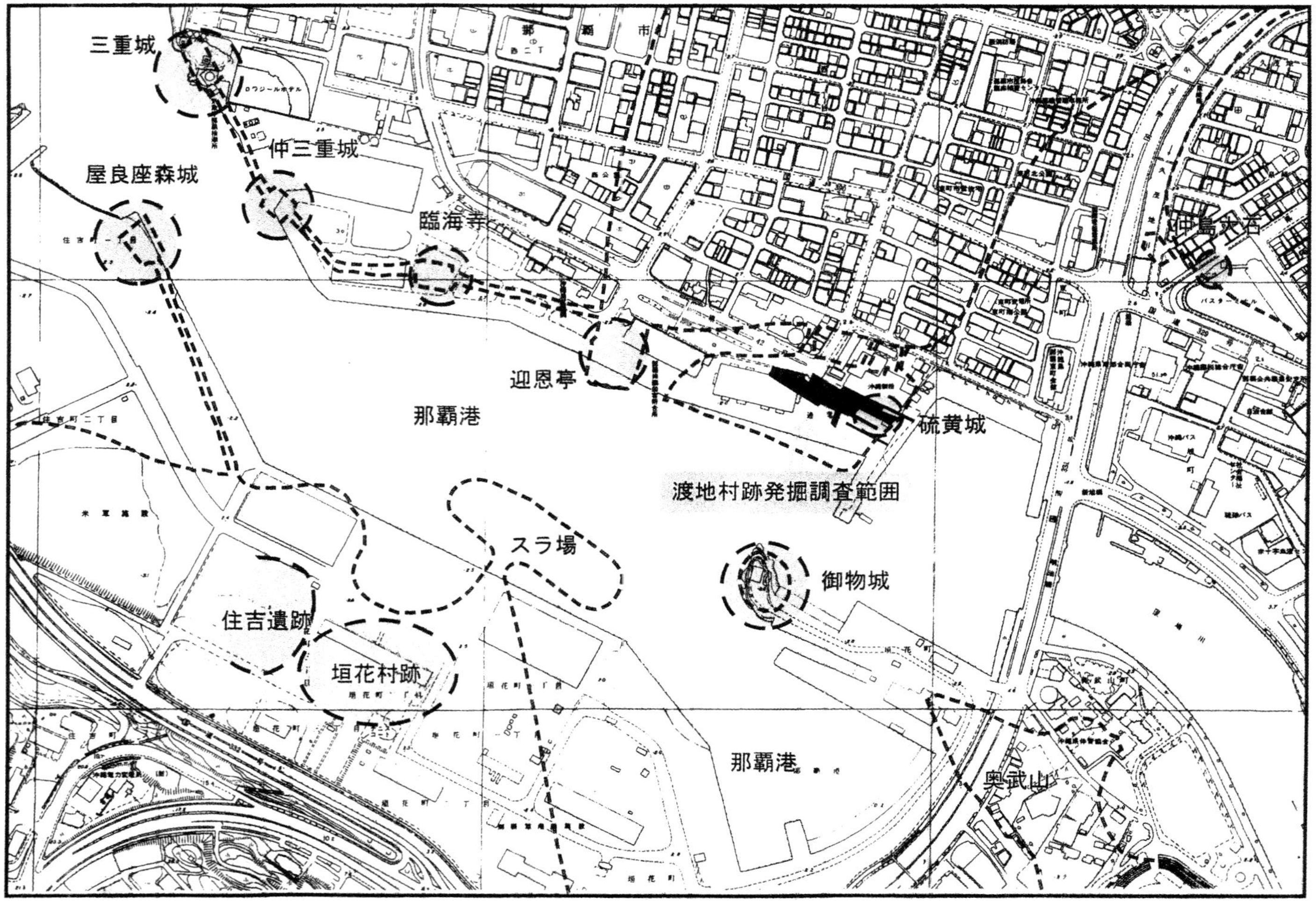

第2図　発掘調査の位置と周辺の遺跡（概略図）------破線は明治初頭頃の海岸線　(S≒1/6,000)

那覇市市民文化部文化財課文化財グループ所蔵

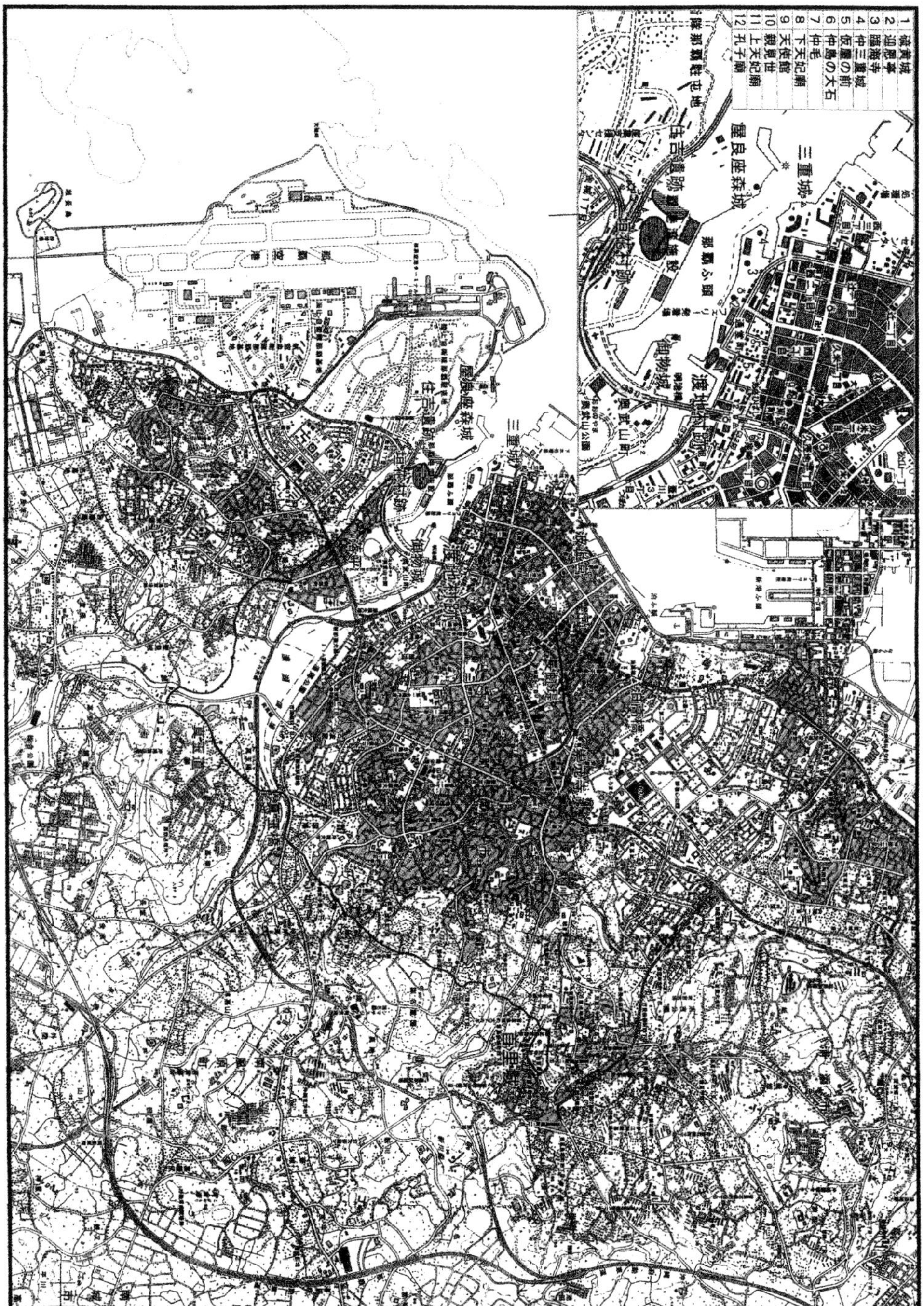

第1図　那覇市の位置と渡地村跡・周辺の史跡の位置　那覇市市民文化部文化財課文化財グループ所蔵（S≒1/50,000）

察度王代(1350～1395)の浮島那覇港マップ

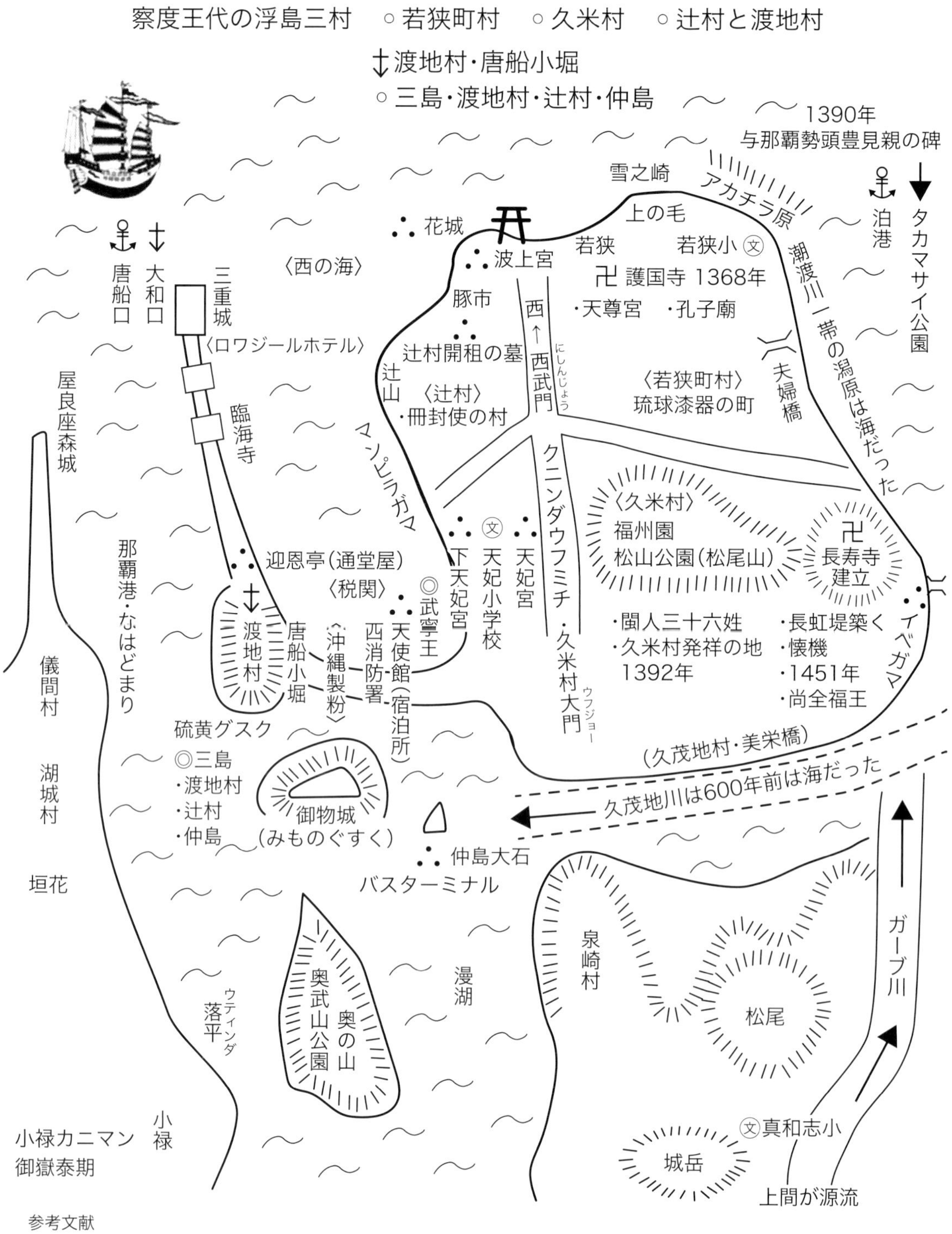

参考文献
・那覇今昔の焦点　編集沖縄文化出版株式会社　昭和46年
・沖縄大百科事典　発行 沖縄タイムス社　・南島風土記 東恩納寛惇　・那覇市歴史地図(明治初年の那覇)嘉手納宗徳 作

平安座島・西グスクのご神体・夜光貝　◦御嶽グスク
〈平安座貝塚〉（多和田真淳）出土・青磁器・鉄製刀子《とうす》
◦出典「沖縄大百科事典

若狭町について、「若狭には市場があってワカサマチ（若狭市）と呼ばれた。発祥は古く、泊を貿易港とした察度王代（一三五〇～一三九五）にすでに市場があったのではないかと考えられる。」（角川地名辞典17沖縄県）とある。

渡地村の十四世紀後半の中国産・日本産の陶磁器に見られるように、若狭町にも市場があった。若狭町村の地名は、福井県若狭ぬりとの関係が考えられる。福井県越前の若狭町の鳥浜貝塚からは、縄文時代の漆器が出土した。

日本から、浮島若狭町村に、何を求めて来たか。南海の黄金である夜光貝である。

室町時代、浦添按司察度は、黄金宮の黄金・夜光貝と大和の鉄とを交換し、琉球王国で初めて鉄を手に入れた。鉄の農具が始まる。

奈良の正倉院の螺鈿紫檀五弦琵琶に見られるように唐代には、螺鈿製品が盛んになる。

平安時代の平泉中尊寺金色堂の螺鈿には、琉球産の夜光貝が使われている。

琉球の夜光貝は、黒潮産で最も美しい輝きをかもし、重宝された。日本や中国の需要が高く、琉球の交易品となった。

察度王の進貢品には、螺殻・夜光貝がある。

琉球漆器の歴史について、伊差川新氏（「沖縄大百科事典」）は、

琉球八社　◦「波上宮」　◦御鎮座地で花城《はなぐすく》とも呼んだ

「察度王と明との国交樹立（一三七二年）以後、十四世紀から十五世紀前半頃にかけて急速に交流が深まり、高度の中国漆器技法が伝えられ、これを範とすることによって発展してきたものであろう。」と述べる。

琉球王府では、螺鈿がもっとも重視され、貝摺奉行が一六一二年尚寧王の頃に置かれた。

螺鈿が中国皇帝や将軍への献上品となる。

若狭町村について『南島風土記』（東恩納寛惇著）は、「琉球国旧記によると造梳《ぞうそ》・轆轤《ろくろ》・造墨《ぞうぼく》等の諸職いづれも此地に於て業を始めたようで、特に轆轤は後世までも若狭職人の専業となっている。」と記す。轆轤に、日本隅州国分の人の話がある。

若狭町村は、琉球漆器・螺鈿漆器の特産地の町として広く知られている。

②波上宮の創建者は、察度王の長男崎山里主

崎山里主は、父は察度王。母は察度王の妻・辻村開祖。察度王王妃は、勝連按司の姫。

波上宮の創建者は、崎山里主である。

波上宮の御鎮座伝説に「往昔、南風原に崎山の里主なる者があって、毎日釣りをしていたが、ある日、彼は海浜で不思議な〃ものを言う石〃を得た。以後、彼はこの石に祈って豊漁を得ることが出来た。この石は、光を放つ霊石で大層大切にしていた。

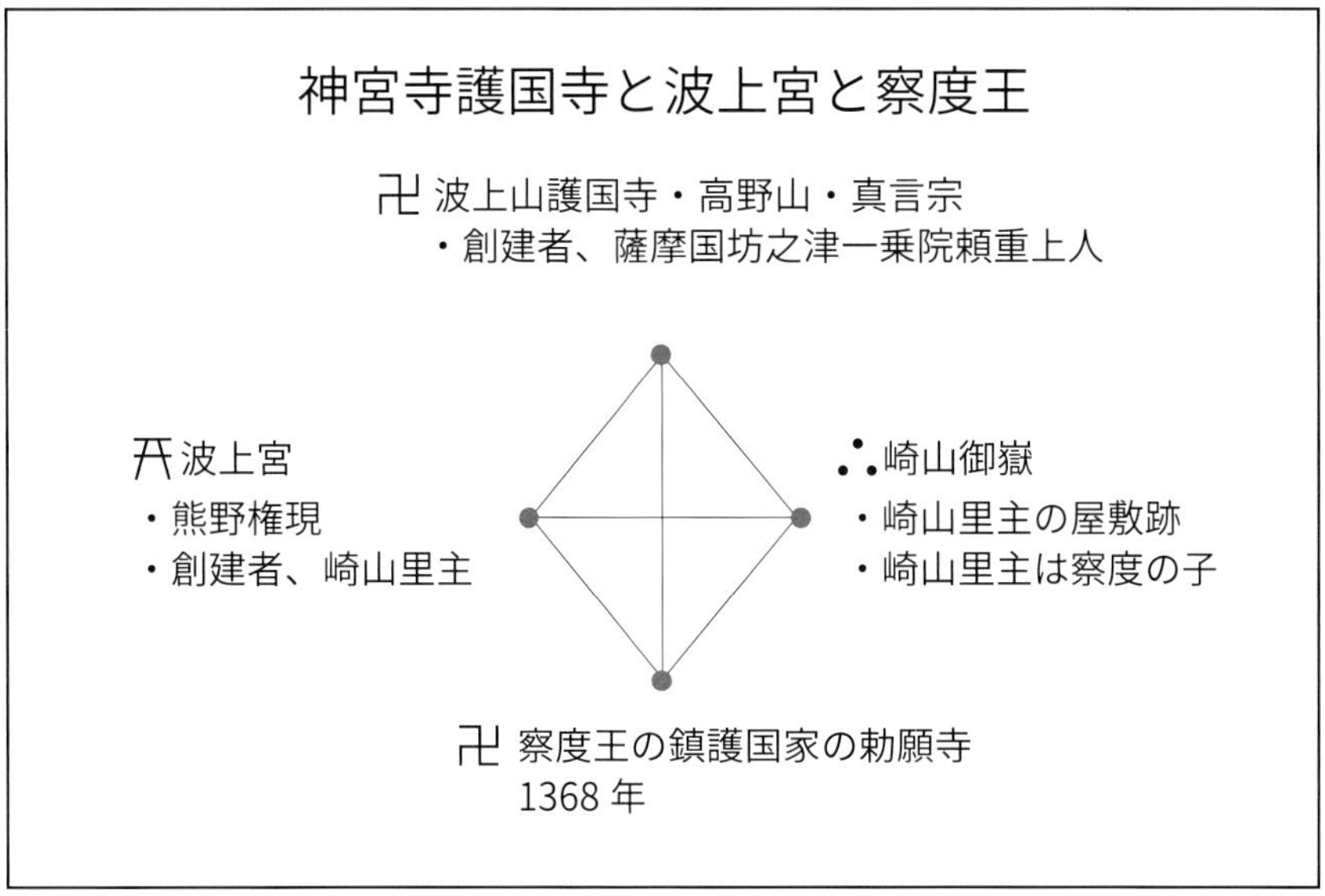

このことを知った諸神《もろかみ》がこの霊石を奪わんとしたが里主は逃れて波上山（現在の波上宮御鎮座地で花城とも呼んだ）に至った時に神託（神のお告げ）があった。即ち、『吾は熊野権現也この地に社を建てまつれ、然らば国家を鎮護すべし』と。そこで里主はこのことを王府に奏上し、王府は社殿を建てて篤く祀った。」と云う。

「以来、中国・南方・朝鮮・大和との交易基地であった那覇港の出船入船は、波上宮の神殿を望み、出船は航海安全を祈り、入船は航海無事の感謝を捧げたという。」と記される。

波上宮は、琉球八社の「当国第一の神社」と崇拝された。波上宮は若狭町村にある。

「一三六八年に頼重法印《らいじゅうほういん》が当宮の別当寺として『護国寺』を建て王の祈願所とする。」（出典・沖縄総鎮守旧官幣小社波上宮略記）

「中山世鑑」に察度は、成長しても農耕しないで、朝夕魚釣りをしていたとある。崎山里主も毎日魚釣りをしていた。親子とも、釣好きである。

首里の崎山御嶽は、崎山里主の瓦葺きの建物跡であった。瓦葺きは、察度王と関連する。

③護国寺は察度王のお寺

波上山護国寺は、薩摩国坊之津一乗院頼重上人により、創建されたという。

久米至聖廟・久米孔子廊

大成殿

「球陽」によると、一三八四年（察度王三五）に頼重上人は入滅しました。

護国寺は、波上宮の神宮寺である。

護国寺は、真言宗のお寺である。

護国寺の創建は、一三六八年（察度王七年）。

護国寺は、察度国王の鎮護《ちんご》国家の勅願寺。

お寺は学問・文化・政治・外交の中心地。

尚泰久の「万国津梁の鐘」は、「首里城正殿の鐘」とも呼ばれます。銘文は渓隠。

禅僧介隠は、尚泰久王の時代に来島しています。尚泰久王は、各地に寺を建て、梵鐘を掛けさせました。尚真王の時、一四九四年に介隠は円覚寺を開山しました。介隠は、尚泰・尚徳・尚円・尚宣威・尚真の五代にわたり、仏教を広めました。禅僧は外交も務めた。

◎琉球八社とお寺・真言宗の仏寺

①波上宮と護国寺②沖宮《おきぐう》と臨海寺③普天満宮と普天満山神宮寺④識名宮と神応寺《じんおうじ》⑤末吉宮と旧万寿寺《まんじゅじ》・遍照寺《へんしょうじ》⑥安里八幡宮と神徳寺《じんとくじ》⑦天久宮と聖現寺《せいげんじ》⑧金武宮と金武観音寺

(2) 閩人三十六姓の久米村と中山王察度

久米村は、元代のモンゴル帝国の私的貿易・泉州の華僑から、明代に漢民族の公的貿易・朝貢へ変わる時代の村です。

辻町の御嶽・辻開祖の墓

中国の明の洪武帝は、海禁政策をとり、一三七二年に中山王察度へ揚戴を遣わしました。これに応えて、初の進貢をしました。一三九二年に中山王察度は、進貢貿易のために福州の閩人三十六姓を洪武帝より賜わりました。

久米村の発祥の地は、那覇市松山公園です。久米村人は、自らを唐栄《とうえい》と呼びました。

浮島には一三七二年以前から華僑が居住していました。程復は、察度王に四十年仕え、通事をし、進貢貿易に貢献しています。更に程復は、尚思紹の国相を務めています。

久米村の仕事は、まずは、進貢船の仕事です。○夥長《かちょう》（火長）は船長○総管は事務長○舵工《だこう》は航海士○頭椗《とうてい》はいかりの係

次に久米村・唐栄の官職です。進貢貿易・冊封の仕事です。

○久米村総役。進貢・冊封に関する事務。久米村の監督。○長史《ちょうし》は、久米村総役を補佐役。○通事は通訳。○漢字筆者は外交文書作成。

◎久米村文化は、沖縄伝統のルーツとなる。三絃が三線となり三味線となる。

◎唐手に学び、空手道の伝統文化を築く。

○旧暦の大統暦《たいとうれき》を察度王は洪武帝より賜る。

○ウビナリー（水撫り）・若水・ウチカビ（紙銭）

察度王と崎山里主の母と子との関連系図

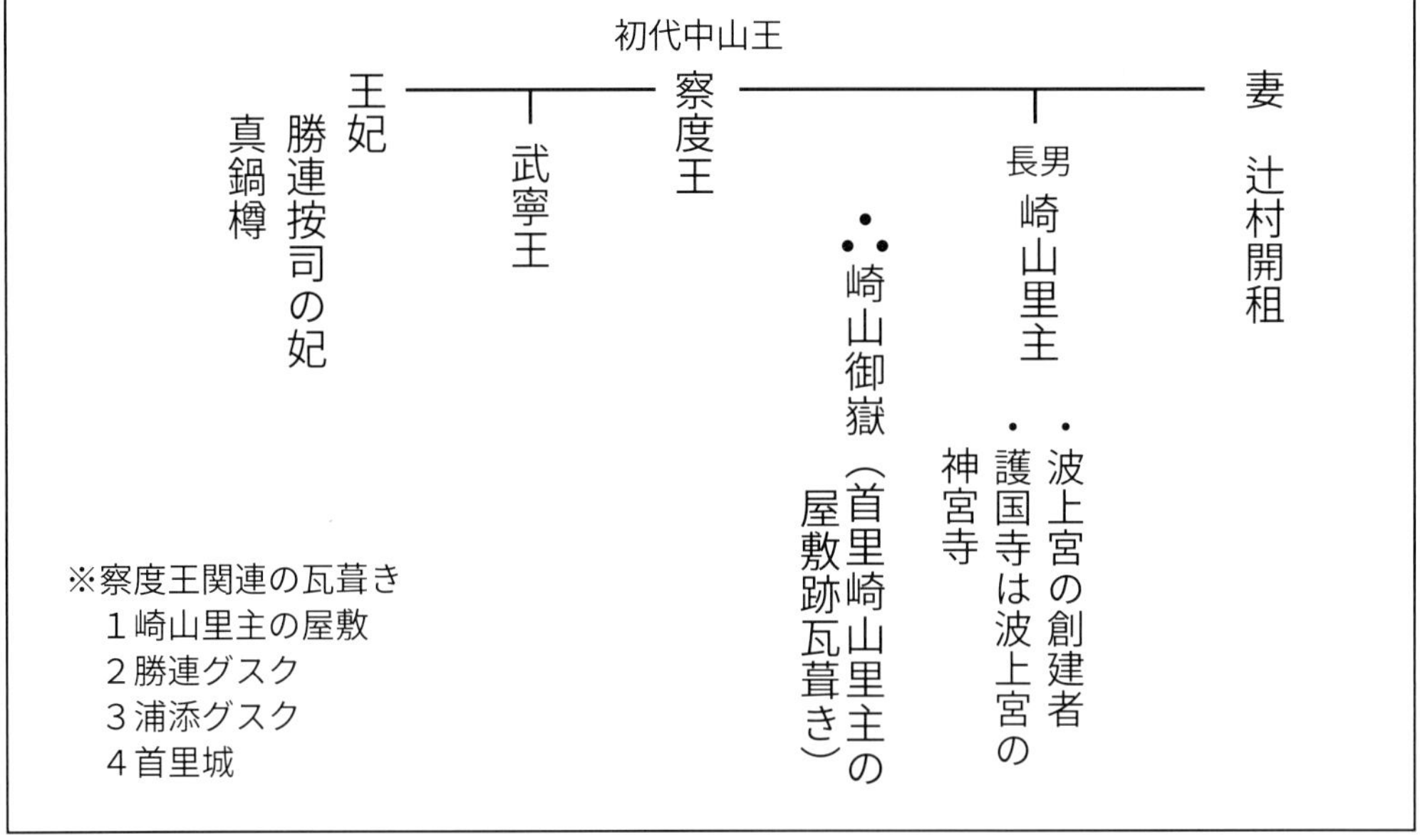

(3) 辻村の開祖は察度王の妻

o辻村の開祖は、察度王の妻。察度王王妃は、勝連按司の姫・真鍋樽。崎山里主の母は辻村開祖で、父は察度王。

辻村は、冊封使一行数百人が数ヶ月も滞在した場所です。辻蔵は琉球王府の官庫です。

冊封使来琉の時、野菜・豚・山羊などの食糧を貯蔵し、冊封使一行の毎日の食料の準備をしました。

現在の辻町は、一六七二年摂政・羽地朝秀が、辻・仲島の私娼を集めて、王府公認の公娼遊郭をつくらせた町です。それは、冊封使や薩摩武士から一般女子を守るためでした。

辻町は、アンマー（女性）たちの自治組織でした。辻は祈りと祭りで支えられました。

ジュリは、歌・三線・踊り・空手舞の芸を身につけ、お客様をもてなしました。

旧二十日正月には、ジュリ馬祭りが行なわれています。

「恋しあかつらの波に裾（袖）ぬらち通ひたる昔忘れぐれしゃ」

（尚灝王・第二尚氏十七代王）

尚灝王が、小禄王子の時代に辻通いを思い出して詠んだ琉歌です。

平成三十年七月には、「ウナイみやらびの里辻町創建三五〇年祭」が、辻の御嶽で催されました。

四、初の王号「琉球国中山王察度」

1 『王号』とは、琉球国統治の称号。『明実録』

中山王察度は、一三八三年明の洪武帝より鍍金銀印を賜わった。

また、中山王察度は、一三八三年に、王号『琉球国中山王察度』を琉球国で初めて賜わりました。王号・初代『琉球国中山王察度』。

巴志は、一四〇六年に中山王武寧を首里城で滅ぼしました。一四〇六年に父苗代大親を中山王思紹にしました。一四〇七年永楽帝は、冊封使を遣わし、武寧王を諭祭《ゆさい》して、『琉球国中山王思紹』を冊封しました。一四三〇年に三山統一した巴志は、明の皇帝に報告をしたので中山王に尚姓を賜る。王の世子『琉球国中山王尚巴志』として、冊封を受けました。以来、琉球王国の国王は『中山王』と呼ばれました。中国の明・清は『首里王府』のことを『中山王府』と呼んでいます。尚敬王の冊封副使・徐葆光の『中山第一』の碑が首里城に見られます。

程復
・江西省饒州《じょうしゅう》の出身
・景徳鎮窯《けいとくちんよう》で知られる。饒窯《じょうよう》
・中国皇帝の窯
・察度を輔《たす》くること40年
・寨官で通事を兼ねて進貢に尽力
・察度、武寧、尚思紹三代に仕える
・81歳で帰郷

2 国王を補佐する国相《こくしょう》、亜蘭匏《あらんぽう》・程復《ていふく》・王茂《おうも》・懐機《かいき》

国相は、明の皇帝から授かりました。国王を補佐する役割である。

王相《おうしょう》とも言う。外交の事に従事しました。主として中国の帰化人が

琉球国中山王察度の進貢貿易組織

琉球国中山王察度

○進貢使＝王弟や寨官　　泰期
○国相　外交に従事　初代亜蘭匏、武寧王冠を請うて初の冊封を受ける
○久米村総役＝進貢貿易冊封などの総責任者
○長史＝総役を補佐する役　※首里王府鎖之側

進貢船の仕事
１火長＝船長
２総管＝事務長
３財附＝荷物の計算係

進貢貿易・冊封などの仕事
１紫金大夫（親方）・謝恩使、慶賀使
２正議大夫＝進貢船の副使

あてられました。

初代の国相は、中山王察度の国相・亜蘭匏です。武寧王は、亜蘭匏に冠を請うて、初の冊封を受けました。

尚思紹の国相は、程復と王茂です。程復は通事をし、察度王に四十年間、武寧王にも仕えました。尚巴志の国相は懐機です。懐機は、安国山に花木を植え、龍潭を掘り、尚金福王代には、長虹提を築いています。

察度王から尚金福までは、中国の明の国相を置いています。

尚真王代には、首里王府の摂政・三司官の制度が確立しています。

3　中山王察度の進貢貿易組織

◎琉球国中山王は初代察度王

o進貢使には、王弟・寨官（按司）の初代泰期。

◎国相は、外交のことに従事する。

o初代国相亜蘭匏。武寧王は、冠を請うて、初の冊封を受けた。

◎久米村総役・進貢貿易・冊封の責任者。

久米村の公務をつかさどる役。

◎長史《ちょうし》・総役を補佐する役。

※久米村総役と長史は『首里王府の「鎖之側」』が管する。

①進貢貿易・冊封などの仕事は次のとおりです

☆琉球国中山王察度の五大業績

1、鉄を初めに手に入れた国王。
　☆ 1338 年、鉄の農具の革命者・浦添按司察度。
2、首里城の創建者。京の内「高よさうり殿」1392 年。
　☆ 14 世紀後半の青花龍文高足杯など出土・京の内。
3、琉球王国の万国津梁の開拓者。
　・1372 年中国の明と初の進貢貿易。
4、閩人三十六姓が久米村に移住。
　☆ 1392 年久米村は、自らを「唐栄」と呼ぶ。
5、沖縄の伝統文化。空手のルーツは唐手。三線のルーツは三弦。

ア、紫金大夫《しきんたいふ》（親方）・謝恩使・慶賀使・旅役
イ、正議大夫《せいぎたいふ》・進貢船の副使
ウ、外交文書の作成・漢字筆者
エ、都通事《とつうじ》・北京大通事・通訳

②進貢船の仕事
ア、①火長《かちょう》は船長②総管は事務長③水梢《すいしょう》は船員④財附《さいふ》は貨物の計算係

4　中山王察度の五大業績

(1)琉球王国、初の鉄の農具を作る。

察度王は、琉球王国で初めて、鉄を手に入れた国王です。稲作地帯の識名村の稲刈には、貝包丁より鉄のカマが必要でした。察度は、自分の黄金・夜光貝と鉄とを交換し、鉄の農具を作りました。鉄の農具で生産を高め、浦添按司となり、中山王となった察度王です。

更に、進貢貿易で、多量の鉄の釜が入り、使用後には鉄の農具を作りました。また、尚巴志も自分の刀と交換して、鉄を手に入れました。

(2)中山王察度は、万国津梁王国の開拓者

一三七二年中国の明の洪武帝は、海禁政策をとり、行人揚載を中山王察度に遣わしました。これに応えて、察度王は、異母弟の泰期を派遣しました。時代は三山時代です。

読谷山宇座の泰期像　読谷村残波岬

三山時代は、元代のモンゴル帝国の私的貿易・華僑から、明代漢民族の公的貿易・朝貢へと変わった時代です。

初の進貢が、琉球王国の万国津梁の開拓となります。更に、中山王察度は、中国・日本・南蛮と「中継ぎ貿易」をし、琉球王国の大貿易時代の基礎を築いています。

足利義満の日明貿易は、一四〇四年です。

(3) 進貢を担った閩人三十六姓の久米村

琉球国中山王察度は、一三九二年進貢貿易のために閩人三十六姓を明の皇帝洪武帝より賜わります。

閩人三十六姓は、浮島松尾山・今の松山公園の地を発祥の地として、帰化しました。

久米村は、自らを「唐栄」と呼びました。

久米村は、久米村総役と長史を責任者としました。外交文書の作成・通訳も務めました。

また、進貢船の仕事には、①火長《かちょう》・船長②総管・事務長③水梢《すいしょう》・船員④財附《さいふ》・荷物の計算係。

更に、久米村文化の三絃と唐手があります。三弦は三線となり、冊封の宴、組踊として、沖縄の伝統文化になります。日本では三味線。

唐手に学び、手をもとに空手道となり、沖縄が空手の発祥の地となる。

∴首里城発祥の地・京の内・首里森御嶽

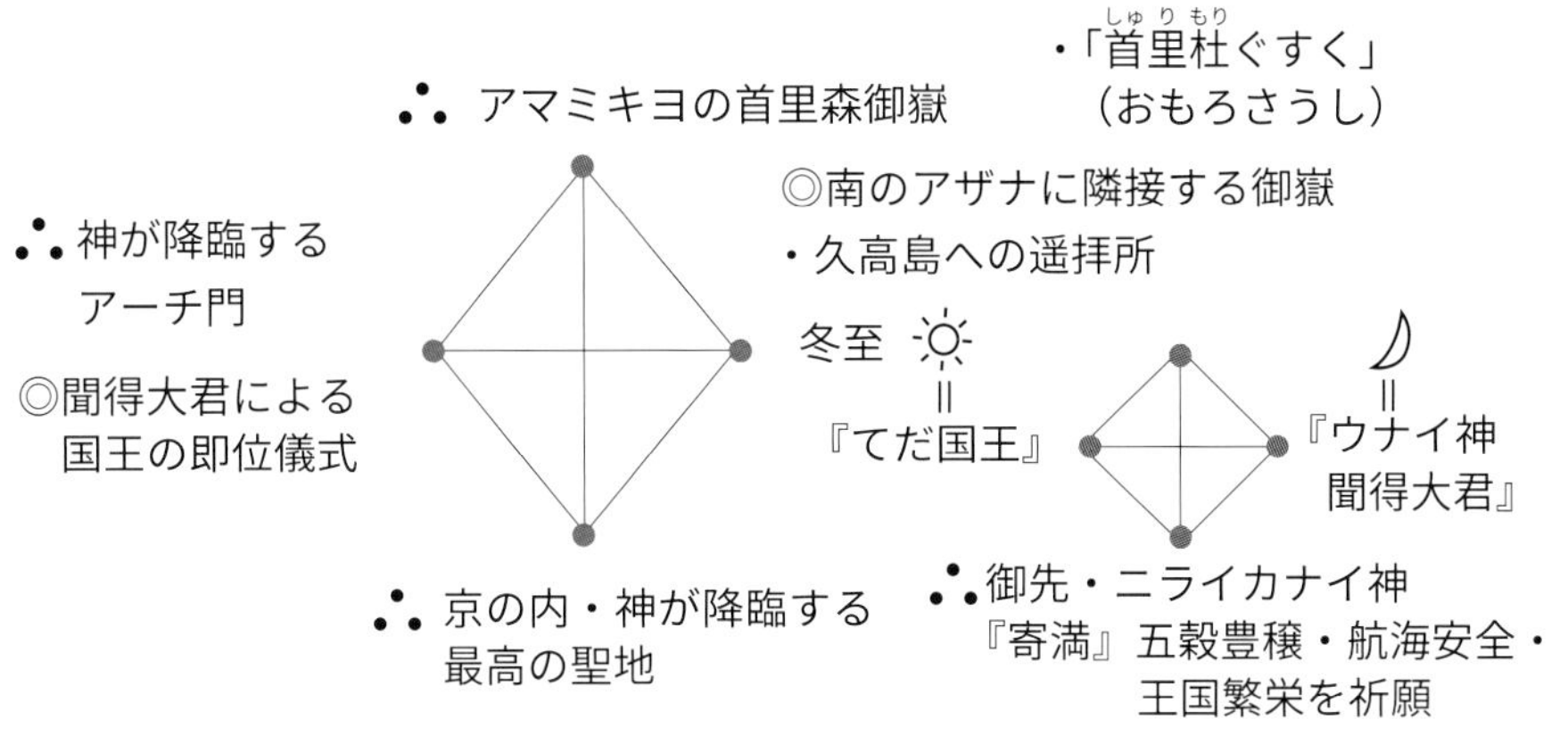

(4)首里城の創建者「高よそうり殿」を築く

一三九二年に、中山王察度は、首里城発祥の地京の内・首里森御嶽に、『高よそうり殿』を築き、遊覧をしました。『中山世鑑』

首里森御嶽は、京の内・南アザナ・物見台の側にあります。

首里森御嶽は、神が降臨する首里城の聖地です。『首里森グスク』とも呼ばれます。聞得大君による国王の任命儀式も行われた聖地です。京の内には、真玉森御嶽・京の内三御嶽もあります。

南のアザナからは、ニライカナイの久高島が見え、拝むことができます。

京の内・首里森御嶽は、斎場御嶽と共に首里城最高の聖地です。

(5)初の国子監留学生を送り、琉球王国の人材育成を行う

国子監とは、中国の最高学府。貴族の子弟の学校。察度王は、中国の国子監へ、一三九二年に初めて留学生を進貢船で送りました。

留学生は、小学（漢字の読み書き）論語を学ぶ。中国語がアジアの公用語です。

五、察度王の三不思議

「君《キミ》が前《メー》」の墓
・大里按司妃の墓
・君が前は天女の真銭金
・察度の母
糸満市糸満ロータリー近く
(伊敷賢著「琉球王国の真実」

「カニマン御嶽《ウタキ》」
・カニマンは鍛冶屋
昔の偉人を祀ったお墓
・奥間鍛冶屋と関わる
墓と伝わる
・島添大里グスク

1　羽衣伝説の天女とは、だれのことか

森の川で水浴びをした天女とは、だれのことでしょうか。天女については、天人女房説・朝鮮の女性説等がある。

「天女とは、英祖王統三代英慈王の次女真銭金。天女は、南山の大里按司と再婚。承察度が誕生。」（伊敷賢著「琉球王国の真実」）

天女・真銭金は、奥間大親と結婚。一男一女が誕生。男の子は、中山王となる。

察度王王妃は、二代勝連按司の姫・真鍋樽。勝連グスクの初代勝連按司は、英祖王長男大成王の五男。察度王王妃は、英祖王統です。察度王は、母も王妃も英祖王統です。

浦添按司察度が、中山王に即位する時に、西威王の「黄金の瓜種伝説」があります。

四代玉城王の時、久高島の思樽が、人の前で屁をへり、久高島へ帰る。王の子を身ごもっていた。男の子が、十歳で五代西威王になる話。母が実権を握り、政治を乱した。西威王二十一歳で死去。世子を国人は廃して、察度を中山王にしました。玉城王は、酒色に溺れて、政治が乱れました。三山時代の始まりです。

「国頭奥間鍛冶屋《カンジャーヤー》」
・子孫座安家
・察度王、泰期の父奥間大親は奥間鍛冶屋の出身
・金丸は奥間鍛冶屋の世話になった
・「かぎやで風節」の碑がある
・国頭村奥間

「沖縄鍛冶屋発祥の地」の碑
泰期は進貢使の後、奥間で鍛冶屋「国頭奥間金満按司」となる
・国頭村奥間

2　察度王の弟である進貢使宇座の泰期は、金満泰期か

一三七二年に察度王の異母兄弟泰期は、初の進貢に中国の明へ派遣されました。泰期は、天女が去った後に奥間大親と又吉の娘との間に誕生します。察度王とは、異母兄弟です。

泰期は、進貢使として五回も明へ派遣されました。「宇座の泰期思いや／唐商い流行らちへ」（おもろさうし十五巻）泰期は、読谷山宇座の泰期とあります。残波岬には、泰期像があり、商売の神様と言われています。

進貢後の泰期については、『奥間鍛冶屋発祥の地』の碑（国頭村奥間）に「泰期・金満按司は、明から当時貴重な品である陶器や鉄製品を持ち帰り、その製作・修理の知識・技術を身につけて、後に奥間に下って鍛冶屋を始めたとされる。」

奥間には、炭がとれ、鉄や製品を運ぶ港・鏡地があります。奥間金満按司泰期は、小禄金満按司となり、天願按司となり、奥間家を継ぐ。奥間グスクは、アマングスク・マキヨからの奥間ターブックワで、鍛冶屋があったと伝わる。毎年旧十一月七日フーチェ「ふいご祭り」が行われます。

奥間は、奥間大親の出身地です。父は、辺土名里主で、島添大里グスクの築城に関わり、「カニマン御嶽」があります。祖父は、並里按司で、大和から来た鍛冶屋と伝わります。

琉球国中山王陵「浦添ようどれ」
東室（尚寧王陵）と西室（英祖王陵）
・平成元年、浦添グスクとともに国の史跡（浦添城跡）に指定された

察度王、武寧王の位牌
・島添大里グスク・西原ヌル殿内

更に、奥間座安家（屋号東り）には、「かぎやで風節（鍛冶屋手風節）」の原歌の碑があります。金丸が宜名真を追われ、奥間鍛冶屋のお世話になる。尚円王になって、恩返しとして、奥間を国頭按司にした。

3　察度王の墓は、どこにあるか

「察度王の墓は、どこにありますか。手を合わせたい。」と子孫の方が来ます。

墓は、子孫一族が、繁栄を祈る所です。

王権を取ると、まず前王の墓を壊します。子孫が集まる場所だからです。王の身内は、まず、遺骨を取られないように墓を造る。

①分骨した墓。②偽名の墓・王妃墓。③隠した墓。山中のガマ墓。

④名義変更墓・前の人の名義を変更した墓。⑤御殿墓《ウドンバカ》・永遠の家。

◎文献にみる察度王の墓

①首里城・仁君主御主前墓。木曳門の左手の岩穴

・久手堅憲夫著「首里城なりたちから今日まで」

②首里御殿山川村の山川陵（山川玉御殿または西の玉御殿ともいう）。「察度王の墓は、当初首里城下御殿山村（大鈍川村と書かれ、現在は首里山川町になっている）に築かれたが、二代目武寧王の失脚で墓は、察度王四男幸地按司と伊覇按司により、宜野湾間切我如古村の伊覇墓に移された。我如古村の根所屋号新垣《アラカチ》は

我如古大主の墓・武寧王の三男
（宜野湾市我如古十字路）

伊波の墓
（宜野湾市我如古十字路近く）

浦添王子三男の我如古大主の子孫である。後に我如古大主は、我如古グスクを築いたという。察度王の墓跡は山川玉陵《ヤマガータマウドゥン》と呼ばれ、跡地は第二尚氏の金武御殿の墓などになっている」（伊敷賢著「琉球王国の真実」）

③平安座島馬鞍墓・察度王の密葬墓

・奥田良寛春氏「四代真物秘話」（与那城村史・新屋敷幸繁著）

◎察度王の墓と伝わる墓

①浦添ようどれ東室4号大石棺

西室1号大石棺の英祖王に並ぶ東室4号大石棺が察度王と伝わる

②首里城東アザナ北城壁堀込墓・浦添ようどれ型

③小禄墓・浦添ようどれ型『上具志川・石川家は、大山の根屋でもあり、同市嘉数の小禄墓を祖先の墓としている。』

④宜野湾市我如古「我如古大主之墓」の碑。

・察度王の子孫・新垣門中。

「我如古グスク遺跡」グスクには、我如古大主の祠がある。

我如古大主は、武寧王の三男といわれる。

◎察度王の墓を明らかにしていきたい。

第二章　天女の子察度王伝説

絵・宇良永子

沖縄県指定名勝「宜野湾市森の川」・察度の生誕の地

1　天女の子察度誕生・「天女伝説」「中山世鑑」「球陽」

奥間大親《おくまうふや》は、ひとりぐらしで畑仕事をしてくらしていました。

奥間大親は、貧しくて嫁をもらえなかったということです。

ある日、畑仕事の帰りに森の川で手足を洗おうと、いつもの川に行きます。

すると、今までに見たこともない美しい女の人が水浴びをしています。

「この世の人とは、思えない美しい人だな！　きっと天女にちがいない。」と奥間大親はつぶやきます。

近くの木の枝には、うすい七色の絹のきれいな着物がかけられています。

さっそく、奥間大親は、この美しい着物を近くの自分の家へ持って行き、米の蔵へしまいます。

そして、また、そっと森の川へ足を運びます。

しばらくして、美しい女の人は、自分の着物がないことに気づきます。

「あの羽衣《はごろも》がないと自分は、天にもどることができない。」と大泣きをします。

「羽衣は、自分が必ず見つけてやるから心配しないでいいよ。」

「かならず羽衣を見つけてあげるから。」

「天女羽衣像」・森川公園羽衣広場　山田真山画伯原画　昭和 59 年３月建立

奥間家・察度の生家

「羽衣を見つけるまで、近くの自分の家に自分の着物があるから、それをつけたらいいよ。」と話します。

月日がたつうちに天女と奥間大親は、親しくなりました。

そして、ひとりの女の子とひとりの男の子が誕生します。

この男の子は、察度《さっと》と呼ばれます。

時は、一三二一年でした。鎌倉時代の末ごろでした。

察度は、浦添間切り謝名村・奥間家に誕生しました。奥間家は、森の川の向かいとなりです。

2　天女は、羽衣を見つける。伝説の舞台は真志喜森川原

ある日、姉さんが、弟の子守をしながら歌っています。

「母の飛《と》び衣《ころも》は、六つの柱の蔵にあるよ。舞衣《まいころも》は、八つの柱の蔵にあるよ。」

それを聞いた天女は、

「羽衣は、蔵の中にあったんだね。」とさっそくさがします。

「あっ、あった。羽衣が、あったよ。」

天女は、羽衣を取り出して、それを着けて天へ舞います。

子どもたちは、

「おかあさん、行かないで。」と何度も声をかけます。

しかし、天女はどうしても、天へ帰りたくなります。

森川公園展望台からは、
牧港一帯・残波岬が一望
できる絶景

勝連半島にそびえ立つ
世界遺産「勝連城」

○察度は唐名
○じゃなもひは察度王のこと
○神号は大真物

わかれおしそうに、なんども回りながら飛んでいたが、ついに天へ舞っていきました。

この天女が降りた泉を人々は「森の川」と呼んでいます。

3　海の大好きな少年察度・『じゃなもひ』（おもろさうし）

察度は、畑仕事をやりません。なまけものと言われました。当時の人々は、畑仕事をやらない察度をなまけものと言います。

でも察度は、じゃなの海・北谷や読谷へ続く海を歩くのが大好きです。

「じゃなもひ」と呼ばれる察度は、「じゃな」と言われる大謝名・真志喜・大山の海の幸の多いサンゴ礁で魚やタコをとったと言われます。

「じゃな」は察度にとって「ふるさとの海」です。

「じゃな」で察度は、牧港に向かう大きな帆の船を見て考えます。

「この大きな船は、どこから来たのだろう。」

「何をつんでいる船かな。」

「自分もこの船で外の国へ行ってみたいな。」

「じゃな」は、察度少年の海外への夢をふくらませたことでしょう。

「海は、母なるふるさと。」「海は世界への道」

察度の黄金《くがに》とは何のことでしょうか？

※万葉集
「しろがねも黄金《くがね》も玉も何せむに」

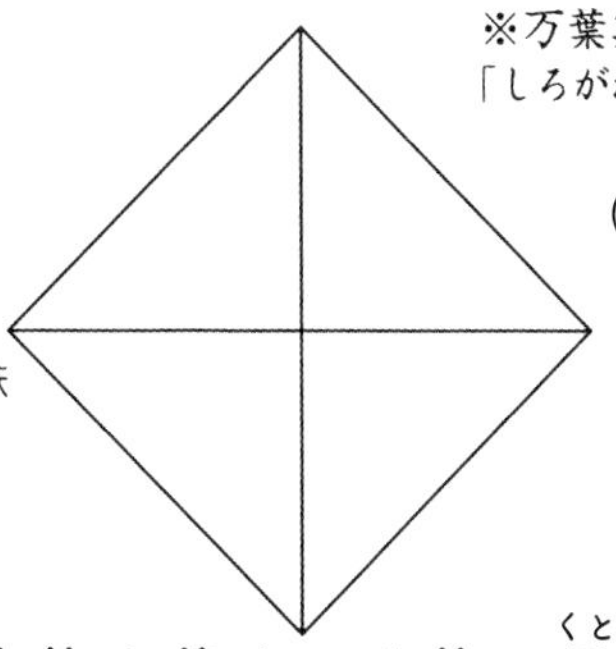

①金
○金・銀・銅・鉄
○ダイヤモンド

②金銀に値する宝物
1. 夜光貝・宝貝・真珠
2. 黄金の稲穂
3. 硫黄（火薬の原料）

③地域の宝物や偉人・人物・言葉《くとぅば》・太陽《てぃだ》
○カー（湧水）・ムイ（森）・ウタキ

※おもろさうし「第十五ー謝名《ちゃな》の子《し》は根《ねい》し遣《や》り　堂《どう》の子《し》　銀《なむぢゃ》　金《こがね》　持《も》ち満《み》ちゑる…」
堂の子は久米島堂村の人。
校注者：外間守善・西郷信綱『おもろさうし』日本思想大系　岩波書店　1976年
○久米島の北部宇江城は、金銀が出たという。

※ジパング（黄金の国・日本）と察度の黄金との関係

4　勝連按司《かつれんあじ》の姫に結婚を申し込む・姫は英祖王統で美貌

ある日、青年たちが、話をしています。

「勝連按司の姫が、むこえらびをしている。多くの按司たちが、結婚を申し込むがことわられている。」

その話を聞いた察度は、さっと勝連城へ行きます。

勝連城の門へ入ろうとすると門番たちが
「このこじきめ、何をしに来た。」

とからかいます。

「わたしは、勝連按司の姫が、むこになる人をさがしていると聞いて来たのだ。」

「おまえみたいなこじきをむこにするはずがない。さあ、さっさと帰れ！　帰れ！」とつっかえします。

「いや、按司の姫に会うまでは、帰らない。」

大きな声でいいはります。

そのことに気づいた姫に、門番たちが言います。

「こいつが姫に結婚を申し込みに来ています。」

「まあ、どんな人かわからないので、入れなさい。」

と姫真鍋樽《まなべだる》は言います。

察度は、両親の前に出ます。

「こんなこじきみたいな人と結婚するつもりですか。」と、両親は

今の「黄金宮」・黄金森グスク・察度のグスク・御嶽跡

言います。

姫《ひめ》真《ま》鍋樽《なべだる》は、

「この人は、身なりは、みすぼらしい姿をしていますが、王様になる光がさしている方です。この人の妻になります」と言います。

両親は、占いが王妃と出ており、かしこい娘のいうことだからと察度をむこにすることにします。

察度は勝連按司の姫と結婚します。

一三三七年。察度が十七歳の時でした。

日本は、室町時代の初めのころです。

5　察度は黄金宮《くがになー》をたてる。中山王となり浦添城《グスク》へ上《のぼ》る

察度は、姫を妻にします。姫の両親は、貧しい察度のところへ行く娘をあわれに思います。

ところが、察度のかまどを妻がよく見ると黄金でつくられています。

「これは黄金《くがに》と言って宝物だよ。」

と妻は察度に教えます。

「こんなものだったら自分の畑にごろごろあるよ。」

と、察度は言います。妻が畑に行ってみるとほんとに黄金がいっぱいあります。父の勝連按司の使いの者と共に二人は、黄金を拾って貯えます。

うらおそい中山「浦添グスク」から牧港一帯を一望する［国指定史跡］

そこに、黄金を手もとに「黄金宮」（楼閣《ろうかく》）をたてます。黄金宮（楼閣）は、黄金森グスクとも呼ばれ、察度の城と伝えられています。

察度は、畑にある黄金と大和（日本）の船で運んできた鉄とを港田原で交換します。

この鉄で察度は、カマなどをつくって農民へ与えました。

また、そのころの牧港の川には、橋がありませんでした。南北を行き来する人たちは、黄金宮の前を通りました。

察度夫婦は、思いやりのある人で、飢えている人には、食べ物を与え、貧しい人には、着物を与えました。

察度は農民や人々にしたわれて、浦添按司になりました。一三三八年。そのころ浦添グスクの西威王は、幼いので、母親がわがままな政治をしました。

そこで国人は、浦添按司察度を、中山王にしました。一三五〇年・六五〇年前の王様です。中山王察度の居城は浦添グスク。

察度王は、一三七二年に中国の明との進貢貿易を始めた初代の「琉球国中山王察度」です。中国から鉄の釜を持って来た王様です。（『宜野湾市史第四巻宜野湾関係資料Ｉ』、宜野湾市教育委員会『ぎのわんの文化財・第七版』、『中山世鑑』、『球陽』、『おもろさうし』『羽衣伝説と察度王』（紙芝居・宜野湾市立博物館提供）などを参考にしました。）

察度の母「天女」とは、だれのことでしょうか？

1. うらおそいのノロ（神女）
2. 浦添グスクの王女
3. 朝鮮の女性（渡来人）
4. 農民の娘
5. その他

・普通の女性ではなく、特別な存在のある女性。

○沖縄の「天女女房」の話型は、沖縄国際大学元遠藤庄治先生の
宜野湾市立博物館講座『宜野湾市の民話』によると、
次の四つの型があるという。

1. 銘苅子型（組踊銘苅子と同一話型）
2. 察度王型（森の川伝説）
3. 七夕由来型（多良間島）
4. 七つ星由来

※南風原宮城ウスクガーはごろも伝説
天女の子孫である伊波子《シー》が大山に御嶽（ウタキ）を建立した。
〔大山御嶽碑・宜野湾市指定史跡〕

宜野湾市我如古に伝わる察度王の系図

天女《てんにょ》（はごろも）　――　奥間《おくま》大親《ウフヤ》

子：長男・察度　長女

勝連按司の姫 真鍋樽《まなべたる》　――　長男・察度

子：武寧

武寧の子：三男　次男　長男

三男 ＝ 我如古大主は我如古グスクを築いた。

○ 我如古グスク　我如古前原《メーバル》あたりまで入り江だった。
○ この地の子孫がカニのごとく繁栄することを願いガニクと名づけた。
○ 築城の時「我如古スンサーミー」を踊る。

※我如古自治会『我如古公民館落成記念誌』（昭和 62 年 7 月 12 日）をもとに作成した。

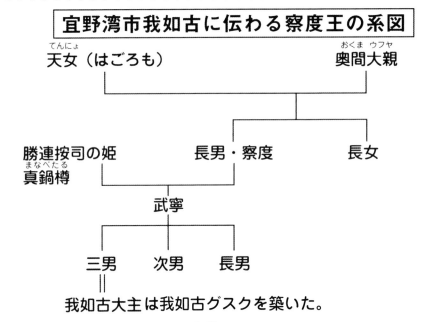

「大謝名メーヌカー」宜野湾市指定史跡
察度の貿易港“港田原”

沖縄県指定名勝「宜野湾市森の川」　察度の生誕の地

「進貢船」中国の（明）と進貢貿易（唐船図・
沖縄県立図書館所蔵）

察度のグスク「黄金宮」・黄金森グスク

ねたての黄金《クガニ》察度王《さっとおう》

作詞・作曲　下地昭榮
採譜・仲本　實

一、奥間大親《おくまウフヤ》　森の川へ行く
美しい天女《てんにょ》　水あびる
七色《なないろ》のにじの　はごろも蔵《くら》へ
奥間大親《おくまウフヤ》　天女とくらす

二、はごろもの子　察度誕生《さっとたんじょう》
子どものころから　海べかける
勝連按司《かつれんあじ》の姫《ひめ》　妻《つま》にめとる
黄金《クガニ》を手もとに　黄金宮《クガニナー》たてる

三、大和《やまと》の鉄と　黄金《クガニ》かえる
カマをつくって　農民《のうみん》へ
力を合わせて　黄金《クガニ》の米つくる
察度はしたわれ　浦添按司《うらそえあじ》となる

四、国人推《くにびとお》して　察度王《さっとおう》になる
明《みん》との貿易《ぼうえき》　さきがける
アジアの国々と　貿易をする
サンシンに空手《からて》　ウチナーパワー

ねたての黄金察度王《クガニさっとおう》

作詞・作曲　下地昭榮
採　　　譜　仲本實

第三章　中山王察度の首里城への道

一、浦添按司察度の居城「黄金宮《クガニナー》」と貿易港「港田原《ナトゥダバル》」

沖縄県指定名勝「森の川」森川公園

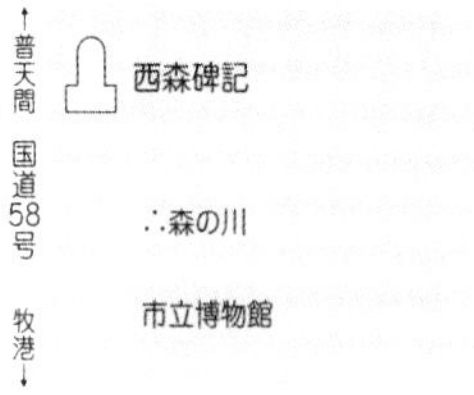

1　浦添按司察度の居城は「黄金宮」

(1) はごろもの子察度の生誕地・名勝「森の川」

①村ガーとしての生活用水とカーのつくり

村ガーの飲み水などの場所は、長方形になっています。奥の円形の場所が、カー拝みをする所です。

②はごろも伝説と察度誕生の地

天女と奥間大親が出会い察度誕生の地です。察度は、勝連按司の姫と結婚し、黄金宮を建てる。察度は鉄のくわをつくり、浦添按司となり、中山王となる。

③中国の明との貿易を始めた察度王

察度王は、一三七二年に明と貿易をし、中国から鉄釜などをたくさん持って来た王様です。琉球の人々にとって、鉄の釜は大切なものでした。

森の川――沖縄県指定名勝
参考文献――宜野湾市教育委員会『ぎのわんの文化財』
宜野湾市立博物館展示――アニメ「天女はごろも伝説と察度」

・カー＝湧き水のでる井戸
・村ガー＝地域の共同井戸

察度ウォーク１
黄金宮コース

察度の貿易港“港田原”と今の宜野湾市

Q 察度はどこで鉄を手に入れたでしょうか。

※察度は、1338 年浦添按司となる。〈中山世鑑〉

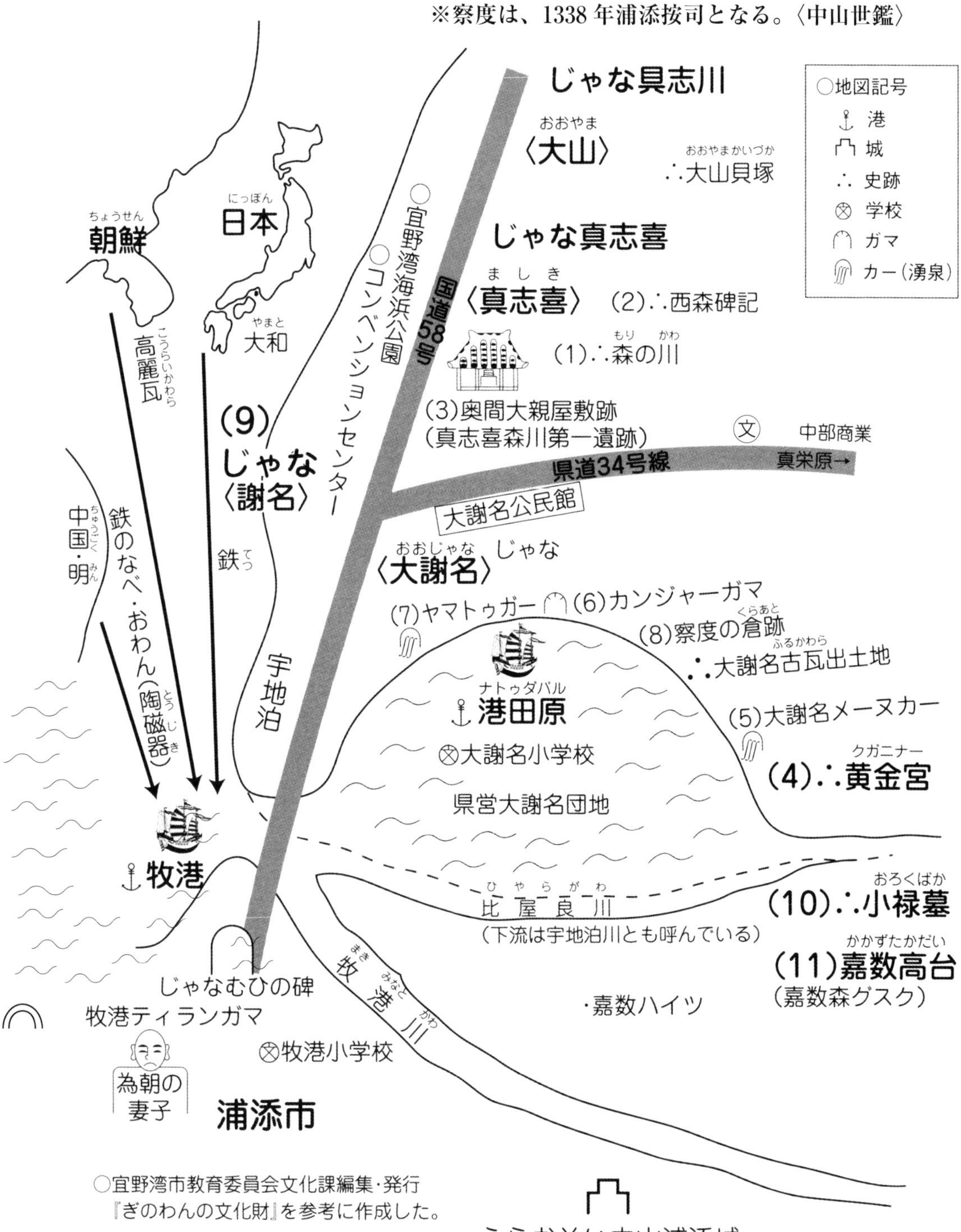

○宜野湾市教育委員会文化課編集・発行
『ぎのわんの文化財』を参考に作成した。

森の川「ウガンヌカタ」西森ウタキとも称する

「西森碑記」中山王察度と伊江家（宜野湾市指定史跡）

五七五――森の川　はごろも伝説の　察度王

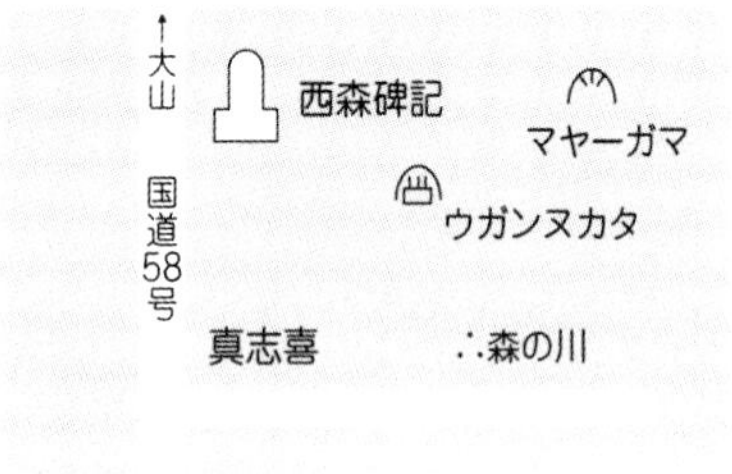

(2) **奥間大親を先祖とする「西森碑記《にしもりひき》」**

①伊江家は察度王の子孫。

碑文には士族伊江家の人々が、自分たちは、はごろも伝説の察度王の子孫であることを記しています。

この石碑には「第二尚氏伊江家が、先祖の徳をしのぶ石碑の前の正門と森の川の石積み工事をしました。一七二五年につくりました」と記しています。（宜野湾市教育委員会『ぎのわんの文化財』「西森碑記」）

②ウガンヌカタは「西森御嶽」（聖地）

西森碑記は、ウガンヌカタ（西森御嶽）の正門の奥にあります。

③マヤーアブにウデナガサワダムシ

ウデナガサワダムシは、真志喜マヤーアブ洞穴から発見されました。琉球列島がアジア大陸と陸続きであることがわかるということです。（『ぎのわんの文化財』第七版）

西森碑記――宜野湾市指定史跡

参考――宜野湾市教育委員会『ぎのわんの文化財』平成19年

五七五――西森碑記　察度王の子孫　士族伊江家

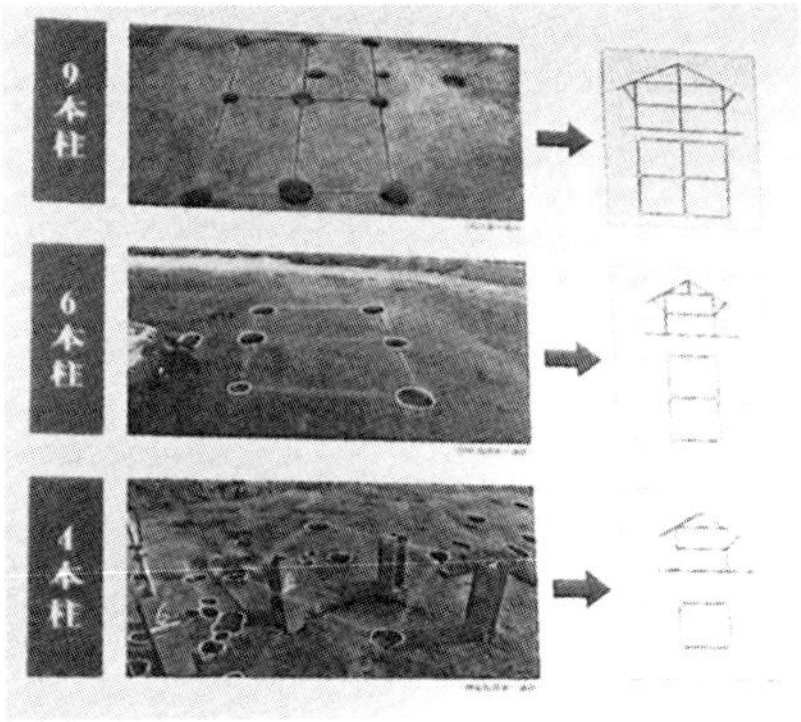

高倉の柱跡（宜野湾市立博物館提供）

「奥間家の多数の柱穴」真志喜第一遺跡全景
（宜野湾市教育委員会文化課提供）

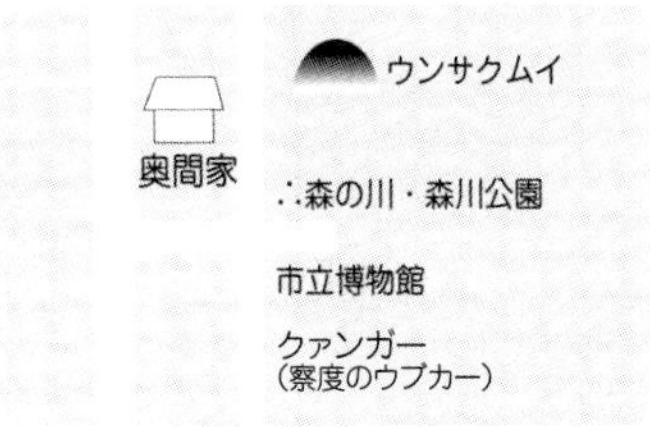

(3) 察度の生家は奥間家

①奥間大親は貧しかったか。

宜野湾市教育委員会文化課が発掘すると、屋敷跡には六本柱・八本柱の倉跡が見つかりました。中国製の陶磁器・鉄製の矢じりや石球が出土しています。また、米・麦・粟が大量に見つかりました。土鍋や牛の骨も出土しています。奥間大親は、大親といわれる地域の有力者であることが分かりました。

②察度王の生家は奥間家

察度王は、浦添間切謝名村森川原で誕生しました。一三二一年の時でした。森の川の入り口近くの佐喜真家が奥間大親の屋敷跡です。察度王の生家です。

奥間大親の屋敷跡――真志喜森川原第一遺跡
参考文献――宜野湾市教育委員会文化課『真志喜森川原遺跡』
宜野湾市立博物館展示物――奥間家の六本柱、八本柱の倉跡（写真）
奥間家の陶磁器や米・麦などの森川原遺跡
五七五――奥間大親　米倉持ちの　有力者

(4) ねたての黄金森グスク「黄金宮」

①黄金宮は察度の楼閣（屋敷跡）

察度は、勝連按司の姫をめとり、黄金のある畑に楼閣・黄金宮をつくりました。察度の居城と伝えられています。

「比屋良川」（宇地泊川）。黄金宮まで大和の船で来たと伝わる

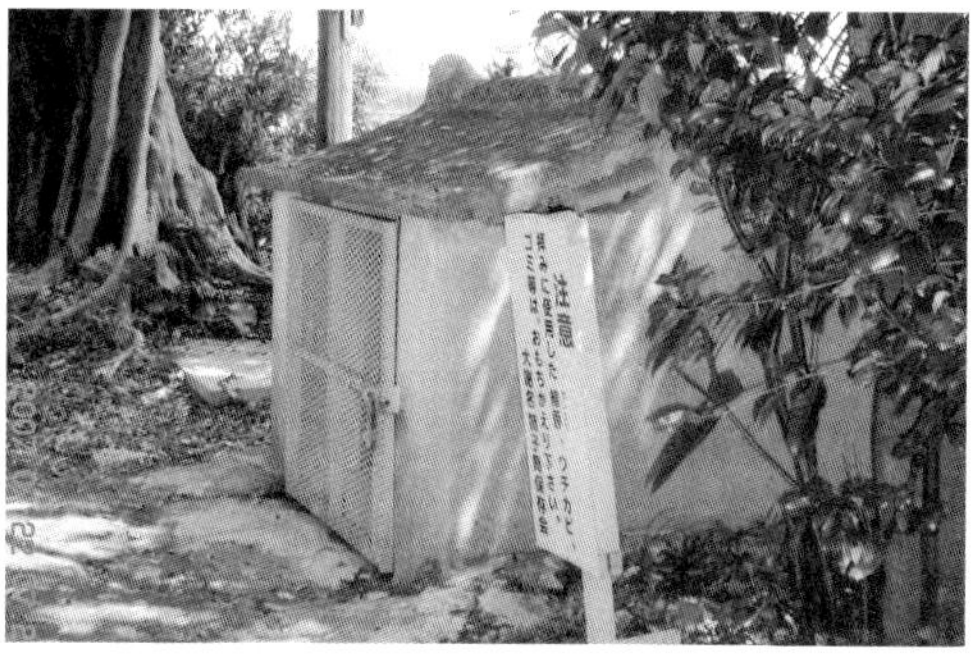

「黄金宮」察度が妻真鍋樽と築いた城

○黄金宮＝「こがねみや」とも呼んでいる。黄金宮の祠の下は洞窟になっていると言われている。往時は黄金宮の崖の下まで、大和の船が来たと伝わっている。

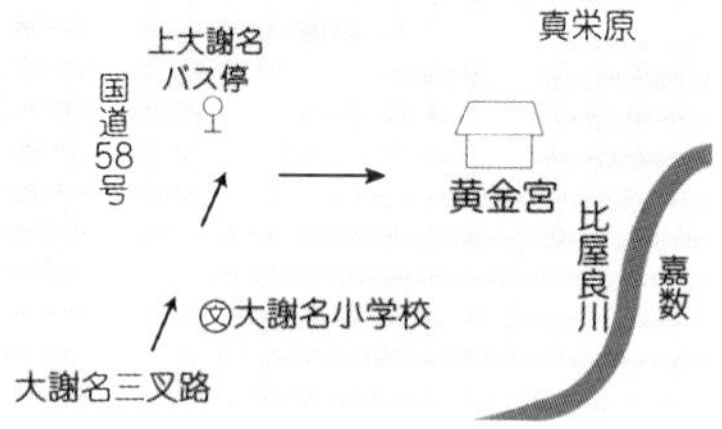

「牧港橋がない察度のころは、黄金宮の前を南北の人々が、ゆききして、比屋良川を渡ったという。察度は餓えた人々には、食を与えた」（『球陽』桑江克英訳注）。察度は「黄金宮」をねたてとして、浦添按司となり、中山王となる。

②黄金宮は大謝名黄金森グスク遺跡

「コガネミヤヨリアゲ森」（『琉球国由来記』）

「多和田・稲村両氏と宜野湾市教委の調査では、海産貝殻が多数に散在し……」（宜野湾市教育委員会『土に埋もれた宜野湾』）

また、「輸入陶磁器・グスク系土器、高麗瓦が採集されている」（沖縄県文化財調査報告書53）

遺跡――大謝名黄金森グスク遺跡

宜野湾市教育委員会――大謝名獅子舞保存の会『黄金庭の由来』の説明板

宜野湾市立博物館展示――「ウタキ」「はごろも伝説と察度」（アニメ）

五七五――黄金宮　察度の居城　中山王に

(5) 察度の女房は勝連按司の姫・真鍋樽

①真鍋樽と察度との出会いで黄金宮を築く

察度は、勝連城の姫が、婿さがしをしていると聞き、プロポーズに行きます。姫は、察度が王になる光がさしていると両親に話して妻になります。妻は、かしこく、畑の石が黄金で宝物であることを知らせ、黄金を手もとに「黄金宮」を築きました。

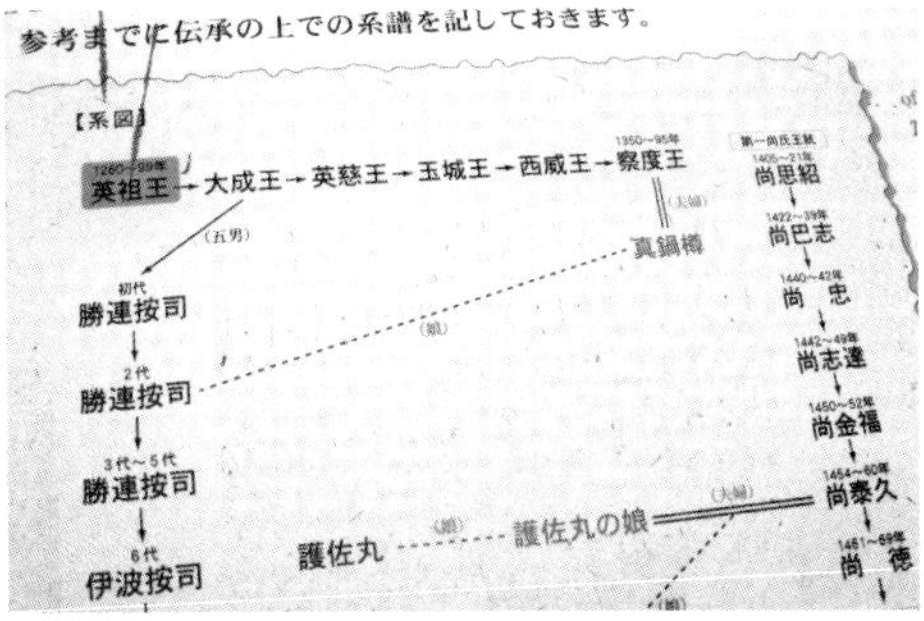

察度王妃真鍋樽の系譜（三の曲輪説明板）
勝連城趾

勝連城趾、二の曲輪殿舎跡・瓦葺き柱跡
（二の曲輪）

一の曲輪城門アーチ石（一の曲輪の説明板）
＊説明板・写真３点共うるま市教育委員会

また、勝連按司も、婿の察度が中山王になるために力になったことでしょう。

②中山浦添城の英祖王と初代勝連按司

勝連城の初代按司は、英祖王の世子である大成王の五男です。二代目の勝連按司の姫が真鍋樽です。察度の妻となります。（「三の曲輪・案内板」より）。察度は、浦添間切謝名村の出身です。勝連城も中山うらおそい英祖王とかかわっています。

③勝連城跡は、世界遺産・瓦葺き三大グスク

勝連城跡からは、大和瓦・高麗瓦などの多量の古瓦・中国陶磁・青磁などが出土。休憩所に展示。「多くのグスクの中で瓦ぶきの建物があるのは、現在のところ勝連城のほかには首里城・浦添城だけです」（一の曲輪の案内板）。

勝連城は、中国・日本・朝鮮・東南アジアなどと貿易して、富を築いたといわれています。京・鎌倉にたとえられます。勝連城は、二〇〇〇年に世界遺産に登録されました。

勝連城跡——世界遺産・国指定史跡

参考文献・碑文——勝連城跡（三の曲輪案内板）「勝連の按司の系譜」（一の曲輪案内板）「瓦ぶきの建物」／沖縄県うるま市教育委員会『勝連城跡』うるま市文化財シリーズ

大謝名村の成り立ちとじゃな村を歩く

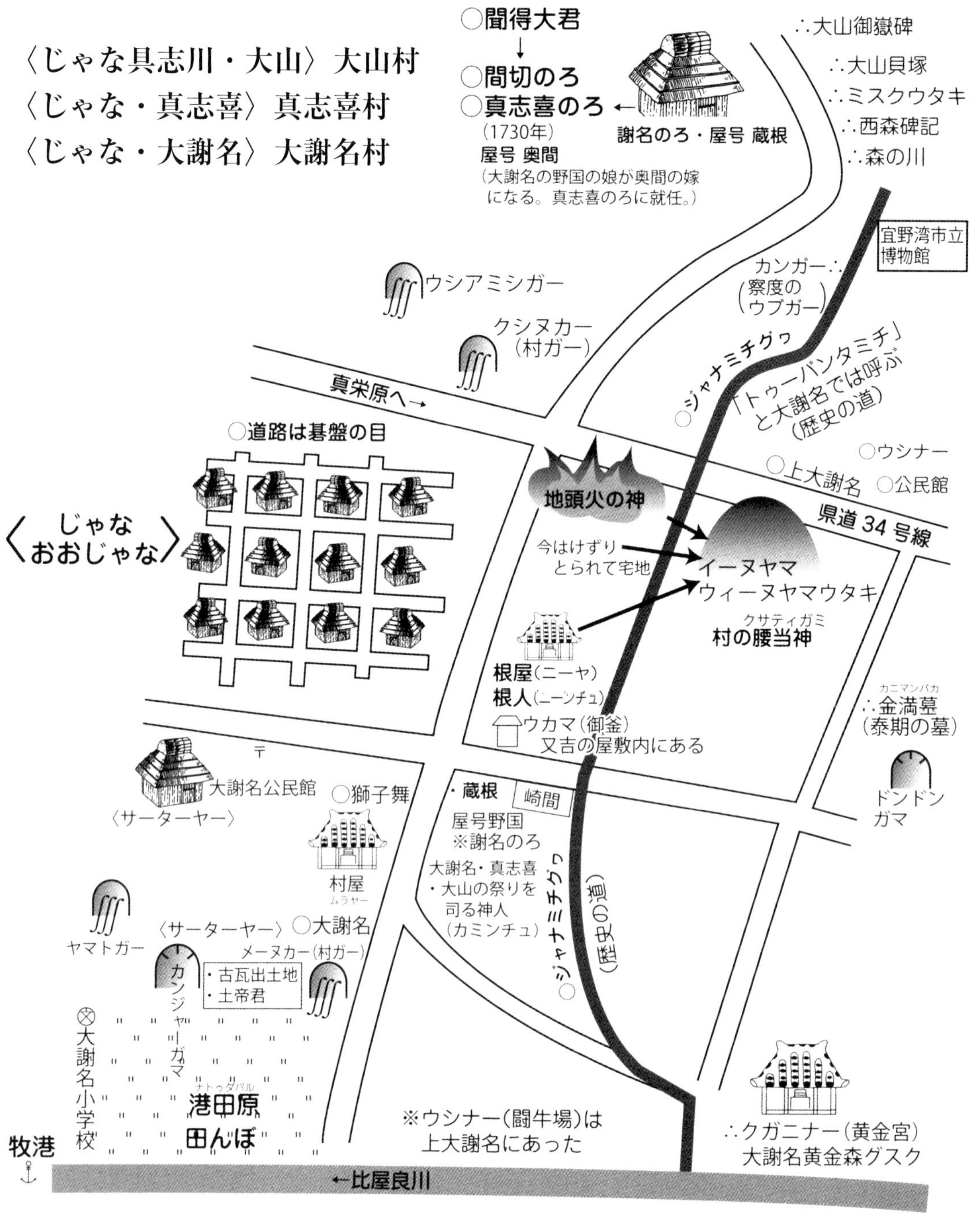

○平成23年度『大謝名事始め』及び第12回「イガルーシマ文化財教室」(主催:宜野湾市教育委員会文化課)
○仲松弥秀著『神と村』
などを参考に作成しました。

じゃなもひ・察度の「首里城への道」を歩く

―中頭方西海道を歩く―

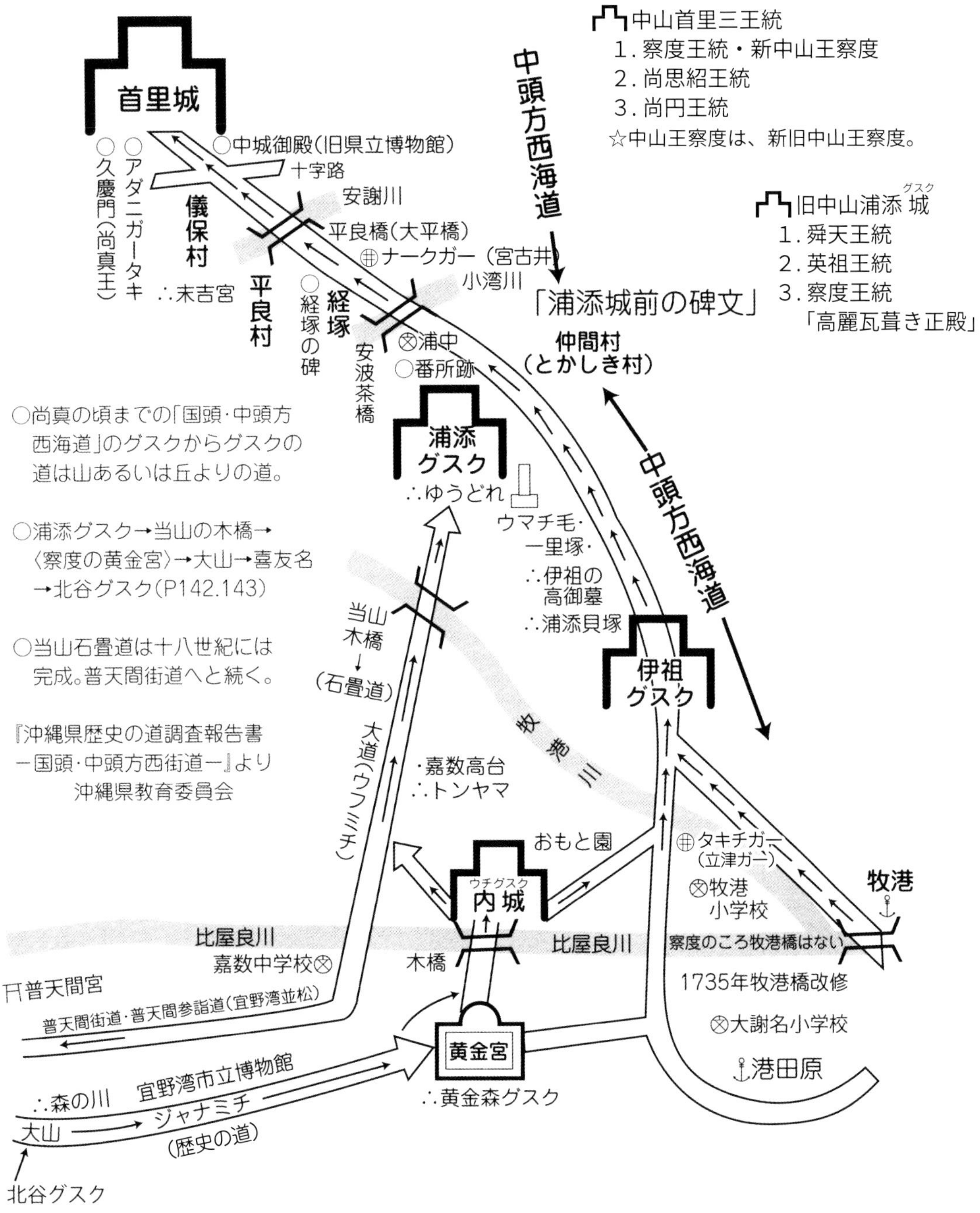

○沖縄県教育委員会『沖縄県歴史の道調査報告書―国頭・中頭方西街道(Ⅰ)―』
○浦添市教育委員会『市指定史跡　中頭方西街道』
○NPOうらおそい歴史ガイド友の会『創立10周年記念誌うらおそい(尚寧王の道)』　平成24年

以上を参考に作成した。

大謝名メーヌカーへの石畳道・坂道（カービラ）

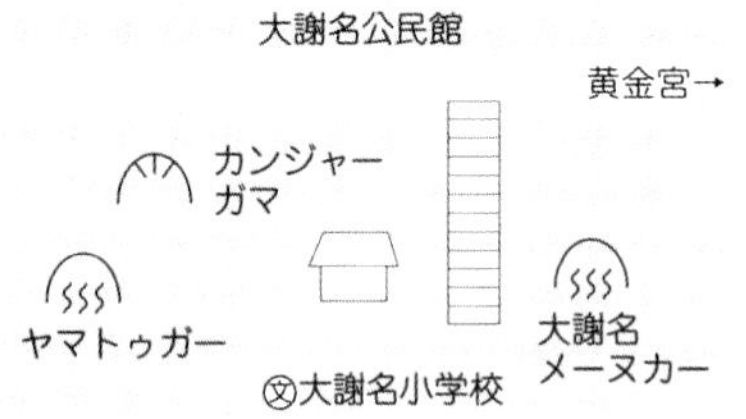

2　察度の貿易港「港田原」

(1) 察度の貿易港と「大謝名メーヌカー」

①村ガーとしての「大謝名メーヌカー」

村ガーには、命の泉・飲み水などの生活用水があり、産カーでカー拝みをする。

②大謝名小学校一帯は、海だった

その証拠は、何ですか。大謝名メーヌカーには、タニコケモドキという海辺の海藻が今も生きています。

③察度の貿易港は「港田原」

港田原には、大和や中国の船が、ひんぱんに出入りしたと伝えられています。察度は、黄金と大和の鉄を交換し、くわをつくり、農民に与えたと伝えられています。

④港田原にある察度文化財

港田原のまわりには、大謝名メーヌカー一帯にヤマトゥガーやカンジャーガマ・察度の倉跡などがあります。

大謝名メーヌカー――宜野湾市指定史跡／宜野湾市教育委員会「大謝名メーヌカー」

参考文献――宜野湾市教育委員会『ぎのわんの文化財』（第七版）平成十九年

五七五――〝大謝名メーヌカー　タニコケモドキの港田原〟

○ 1372 年、察度王が中国・明から鉄器をもってくる。鉄の農具が広まった。
○泰期の墓といわれる「金満墓」が宜野湾市大謝名東原古墓群にある。
○旧 11 月 7 日はフーチェー。「ふいご祭り」「かじまやのまつり」
○金満・鍛冶屋は泰期が営んだという。
○「かぎやで風節」の碑・国頭村奥間と尚円王・金丸。かじまやの手風（ふいご）にちなむ。
○「奥間鍛冶屋発祥の地の碑」、察度の弟泰期と奥間大親についても記されています。

大謝名カンジャーガマ岩陰遺跡　※かべにほら穴跡（宜野湾市教育委員会文化課提供）

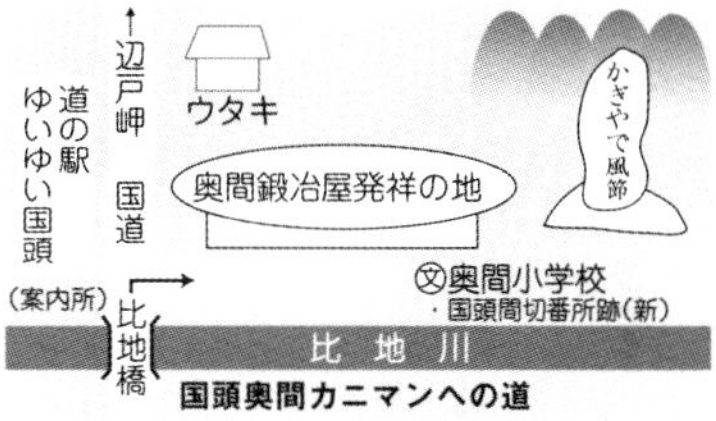

国頭奥間カニマンへの道

(2)
察度の「大謝名カンジャーガマ」

①大謝名カンジャーガマはどこですか

　カンジャーとは鍛冶のこと。ガマとは洞窟・ほらあなのこと。洞窟に鍛冶屋をつくりました。金満は、鍛冶屋。

　カンジャーガマは、大謝名公民館正門前の道路下の壁ぞいの洞窟にあります。

②察度の鉄の農具で米が多くとれる

　察度は、大和（日本）の船で持って来た鉄と黄金を交換して、鍬や鎌などの農具をつくり、農民へ与えました。鉄の農具で米などが多くとれました。

③大謝名カンジャーガマ発掘調査

「十七世紀の遺跡で、首里王府時代の「鍛冶場」が確認された。」

（宜野湾市教育委員会『大謝名カンジャーガマ岩陰遺跡』）

④奥間家は、国頭村の奥間カニマンとの関係が碑にあります

⑤大謝名東原古墓群にある泰期の墓・金満墓

宜野湾市教育委員会文化課『大謝名カンジャーガマ岩陰遺跡』

一九九七年

宜野湾市立博物館展示物——かじやのふいご・鉄のつくり方

五七五——〃カンジャーガマ　鍬をつくって　農民へ〃

「大謝名ヤマトゥガー」　位置は、大謝名小学校裏門のフェンス東側の奥の方。川の地形はあるが、水源は涸れています。大和の船が水をくんだと伝わる。2012 年３月 10 日第２回察度の日文化財めぐり（宜野湾市教育委員会・写真提供）

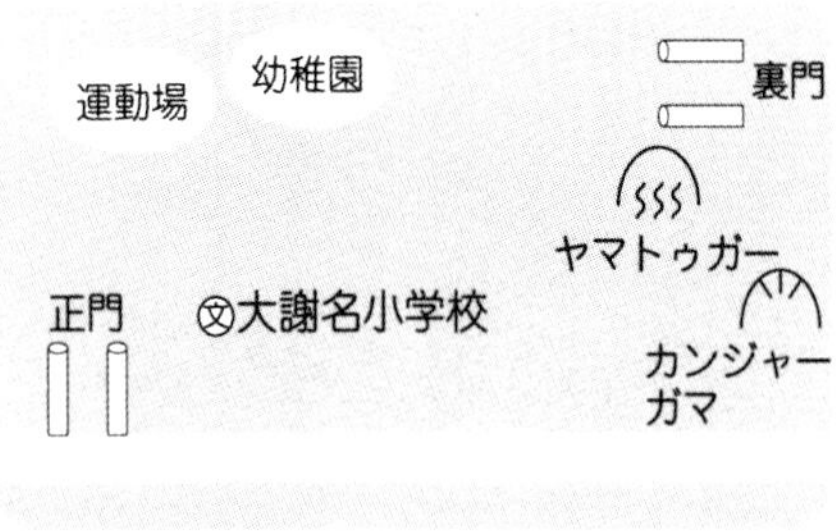

(3) 察度の船着場「大謝名ヤマトゥガー」

①ヤマトゥガーは、どこですか

ヤマトゥとは、大和であり、日本のことです。

カーとは、湧き水のことです。井戸のこともカーといいます。

ヤマトゥガーは、今の宜野湾市立大謝名小学校裏門東側にあるくぼみです。現在のカーの湧き水は、涸れています。

フニクンジャー石（船をつないだ石）があったということです。

②大和の船が水を汲みに来た港田原

察度の港田原には、大和の船が、飲み水や洗濯・料理などに使う水を求めて、カー（泉）に来ました。

水は、空気や食べ物とともに、わたしたちにとって大切な命の水です。

大謝名ヤマトゥガー――宜野湾市教育委員会文化課『ぎのわんの文化財』（第七版）平成十九年

五七五――　〃ヤマトゥガー　水を求めて　大和船〃

(4) 察度の倉跡と伝えられる港田原一帯

①察度の倉跡は、どこでしょうか

察度が外国との貿易で得た交易品を納めた倉跡は、察度の貿易港・港田原の一帯にあったと伝えられています。

土帝君のある広場一帯「大謝名同原古瓦出土地」

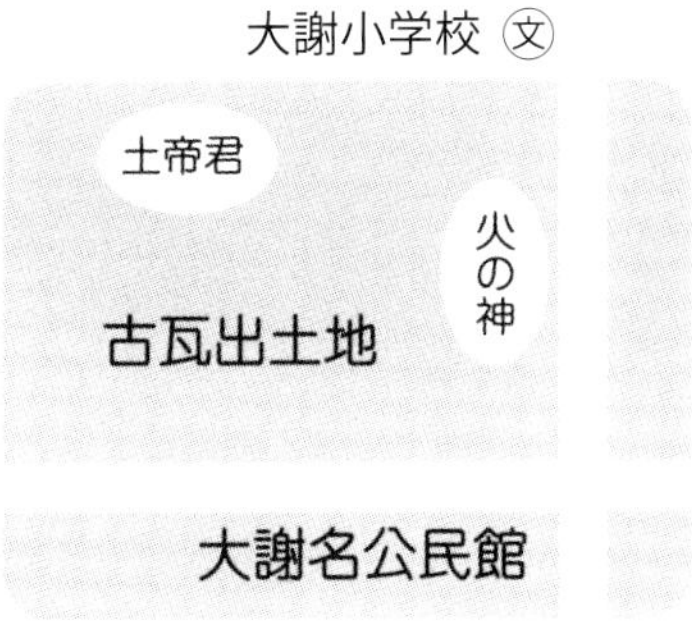

港田原には、カンジャーガマの発見があり、平成八年十月一日に発掘調査が行われました。大和の船が着いたといわれるヤマトゥガー、港田原が海であった生き証拠の淡水紅藻が生息する大謝名メーヌカーがあります。

②土帝君のある広場一帯に高麗瓦等出土。

「大謝名同原古瓦出土地」からは、高麗瓦・大天瓦系の古瓦が出土。（宜野湾市教育委員会文化課『土に埋もれた宜野湾』）

高麗瓦は、察度王と関係があるといわれています。

遺跡――「大謝名同原古瓦出土地」（宜野湾市教育委員会文化課『土に埋もれた宜野湾』

五七五――〝察度の倉　察度貿易品の　宝の倉〟

(5)「謝名」は、謝名思《じゃなも》ひ（察度）の稲作地帯

①謝名とは、「察度の里」

謝名とは、宜野湾市の大謝名・真志喜・大山の西海岸一帯をいいます。

この一帯は、洞穴から水が湧き出る泉・カーで水が豊かにあります。水は人々の生活にとって「いのちの水」です。豊かな水は、人々米づくりなどの農作物をつくるのに適しています。謝名は、人々にとって、山の幸・海の幸にも恵まれたところです。大山は稲

大山洞穴のイメージ（宜野湾市立博物館提供）

じゃな一帯の湧き水・大山のアラナキガー

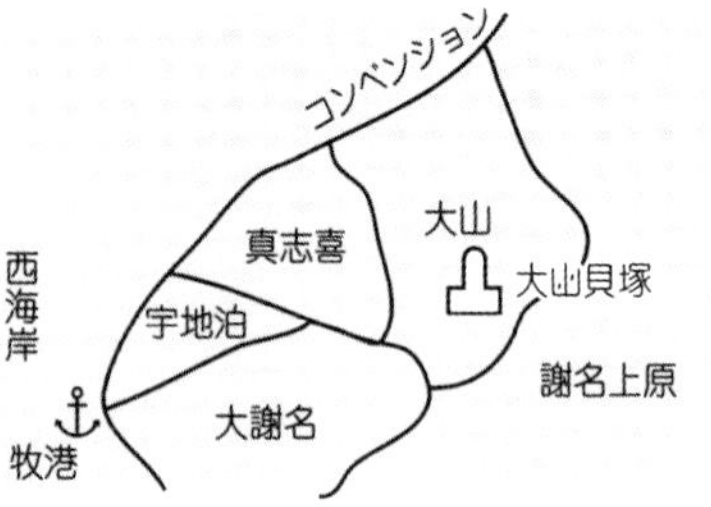

大山貝塚の碑（国指定史跡）

作が、さかんでした。

②「謝名思ひ」とは、察度王のこと。

謝名は、察度が、浦添按司となり、中山王になるのに、大きな力となった地域です。黄金宮の黄金とは、この謝名の豊かさのこととも言われています。察度王は、「謝名思ひ」と呼ばれています。「おもろ」にうたわれています。

③大山洞人が住んだ「じゃな」を歩く

㋐沖縄人のルーツである大山洞人

大山洞人の歯の骨がアメリカの少年によって発見されました。場所は、上り伊佐バス停の右手にある洞窟でした。今は跡形はない。

「鈴木尚博士の研究によれば、その人骨は洪積世（二〇〇万～一万年前）に由来するホモ・サピエンスの化石の可能性が高い。二十歳前後の男性であろうとされる。」（宜野湾市教育委員会文化課『土に埋もれた宜野湾』）

㋑大山村の発祥地・「美底森《ミスクムウイ》ウタキ」と「大山貝塚」

大山ジミーの山手にある美底森ウタキにある大山貝塚は、国指定史跡です。美底森には洞穴があります。「美底森ウタキ」は、大山村の発祥の地といわれています。美底森ウタキは大山の綱引きや旧正の時に自治会長たちが御願をしています。

大山貝塚から出土した土器は、多和田真淳先生によって「大

真志喜安座間原第一遺跡
（あだん公園）

大山式土器
（宜野湾市立博物館提供）

美底森ウタキ（大山村発祥の地）

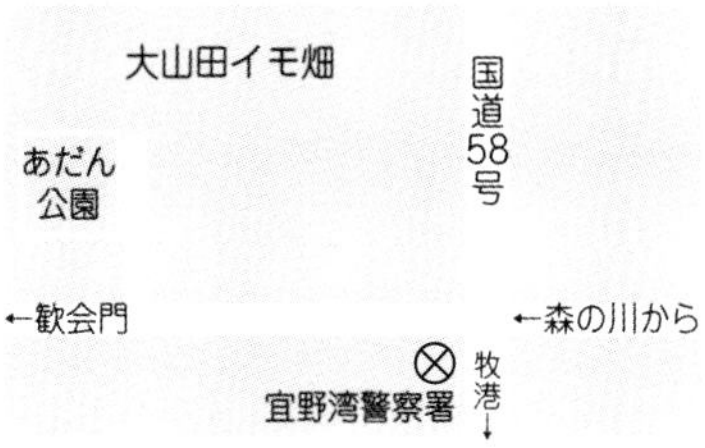

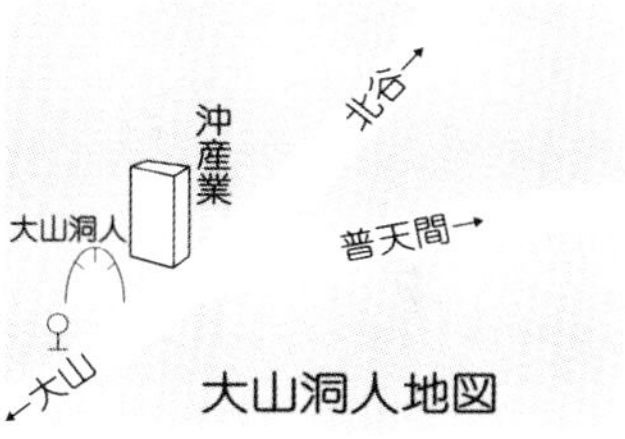

山式土器」と名づけられました。

『沖縄のどの地域でも「大山式土器」が出土すれば、その遺跡は、沖縄編年の貝塚時代前期後半（縄文時代後期・約三〇〇〇～二五〇〇年前）の年代だということになるわけです。』（宜野湾市教育委員会文化課『ぎのわんの文化財』第七版）

㋒「安座間原人《あざまばるじん》」が住んだ真志喜

「真志喜安座間原人第一遺跡」

場所は、あだん公園。大山田いも畑の南側。大山海岸一帯は、水泳ができ、アラナキガーなどの湧き水を浴びたものです。まず、あだん公園の入口の石碑には、安座間原人の顔写真があります。誰の顔に似ているでしょうか。

安座間原人の発掘調査については（宜野湾市教育委員会文化課『土に埋もれた宜野湾』）に報告されています。石碑の説明によると埋葬のしかたなどを知る上で、代表的な遺跡ということです。

あだん公園にある安座間原の砂地に五十体の人骨がほうむられていました。真志喜には、今から三〇〇〇年～二〇〇〇年前に「安座間原人」がくらしていました。

人骨のほとんどが、東向きにほうむられていましたが、一体が北を向いていました。ゴウホラ製の貝輪をつけていた有力者で、九州から来たということです。貝の交通があったと伝えられています。

カー（湧き水）の出るしくみ

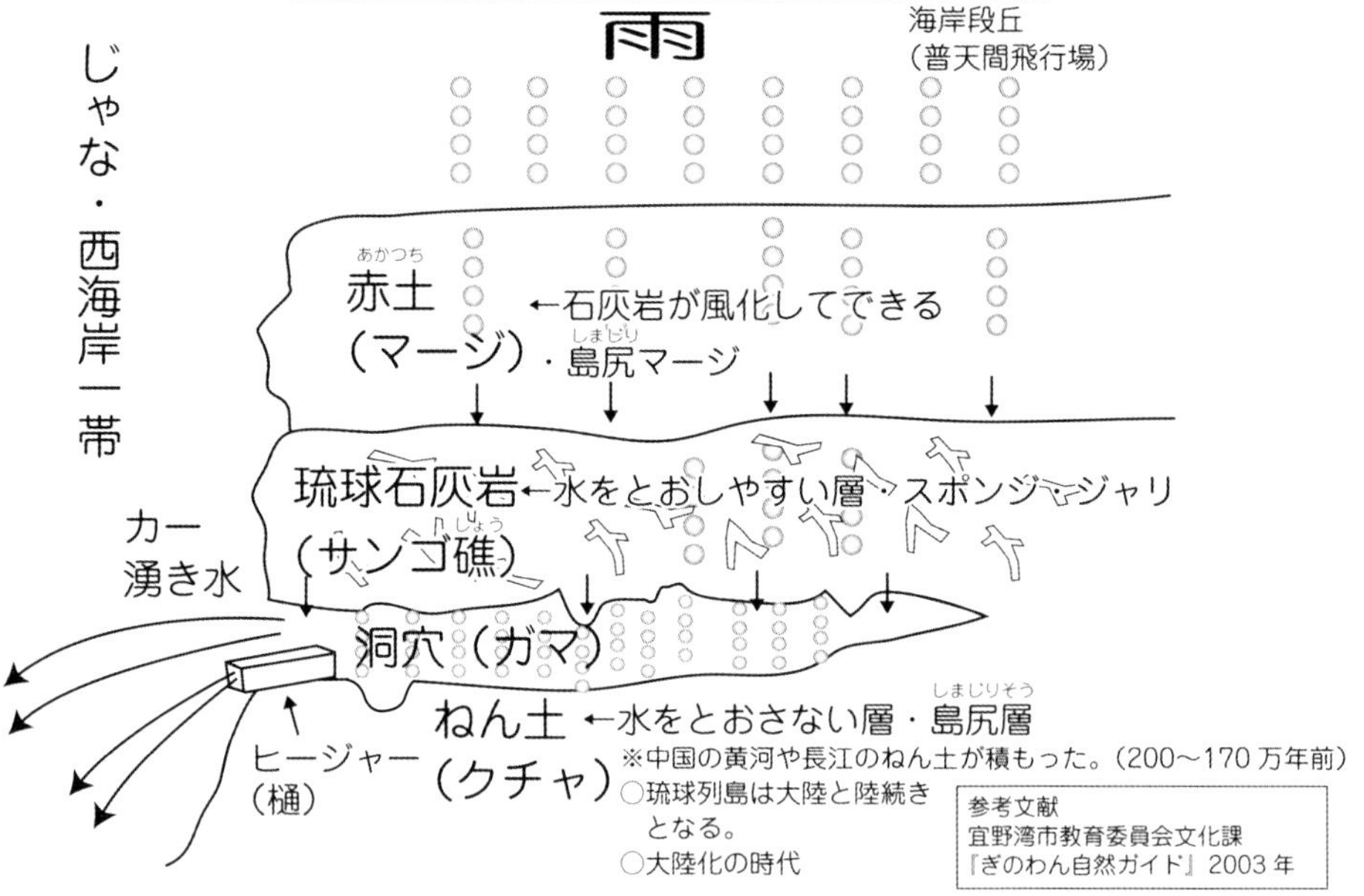

参考文献

『ぎのわん自然ガイド』2003 年

宜野湾市立博物館には、そのようすを模型にして展示してあります。（宜野湾市教育委員会『第五回イガルーシマ宜野湾展・沖縄人のルーツを探る』）には、写真・図解でわかりやすく書いてあります。

④西海岸一帯の（湧き水）が出るしくみ

謝名にある文化財――／大山洞人／大山貝塚（国指定史跡）／真志喜安座間原第一遺跡／森の川（県指定名勝）／大謝名メーヌカーの淡水紅藻（宜野湾市指定天然記念物）／大山マヤーガマ洞穴遺跡（市指定史跡）

参考文献――宜野湾市教育委員会文化課『ぎのわんの文化財』（第六・七版）／宜野湾市教育委員会文化課『土に埋もれた宜野湾』（平成三年）／宜野湾市立博物館展示「大山式土器」「安座間原人の顔（立体像）」

五七五――〝謝名思ひ　謝名の黄金で　中山王に〟

(6) 王様クラスの墓「小禄墓」

①小禄墓は、どこですか。

小禄墓は、比屋良川・嘉数高台側の川べりの断崖の中腹を掘り込んでつくられています。棺のまま入れる墓口です。

②沖縄最古のひらがな文字の小禄墓

中国渡来の閃緑岩に「弘治七年、おろく大やくもい、六月吉日」

小禄墓（沖縄県指定有形文化財）

村　ガ　ー

○村の井戸・湧水《ゆうすい》をカーという
○カーウガミ・水の神様への感謝
1. 村の五穀豊穣を祈願
2. 旧正の若水《わかみず》・産水《うぶみず》・死水《しみず》
3. いのちの水に感謝

※五穀豊穣
1. 米　2. 麦　3. 粟《あわ》　4. 黍《きび》・稗《ひえ》　5. 豆（大豆《だいず》）

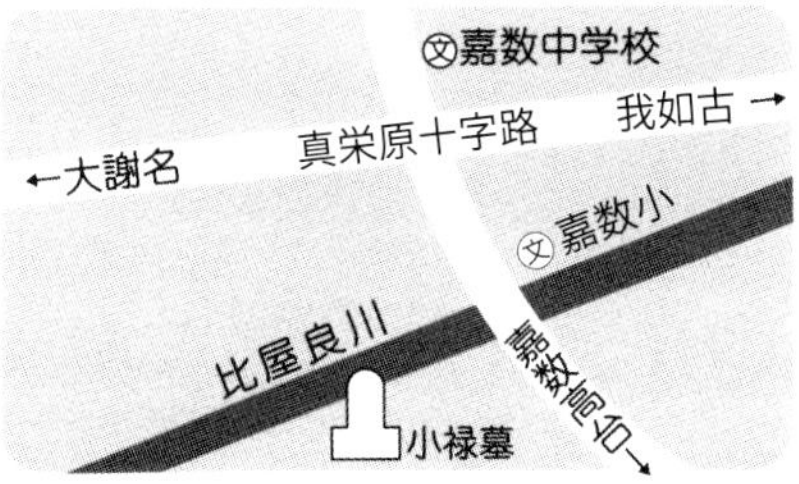

と浮き彫りされた沖縄最古（尚真王、一四九四年没）の平仮名銘文のある蔵骨器が見つかった。

③小禄墓は王様のような人の墓

小禄墓は、中国渡来の閃緑岩という硬い石質の蔵骨器が使われております。「岩陰を利用して石室をつくり、入口に石垣を積んだもので、浦添ヨウドレと構造は全く同一である。」（高良倉吉）（『宜野湾市史第四巻資料編三　宜野湾関係資料Ⅰ』小禄墓石棺の碑文・一四九四年）

小禄墓――沖縄県指定有形文化財・建造物
参考文献――宜野湾市教育委員会文化課『ぎのわんの文化財』（七版）平成二十一年／宜野湾市教育委員会文化課『土に埋もれた宜野湾』平成三年
五七五――〝小禄墓　ひらがな文字　沖縄最古〟

(7)「根立ての杜ぐすく」嘉数高台・ウィーヌマヤ

①「おもろさうし」にみる嘉数

かかすもりぐすく　嘉数杜ぐすく
ねたてもりぐすく　根立て杜ぐすく
……
・ねたては根立て。根本。

小禄墓散策・比屋良川橋・比屋良川公園

嘉数高台・嘉数杜ぐすく

嘉数高台展望台より普天間飛行場を望む

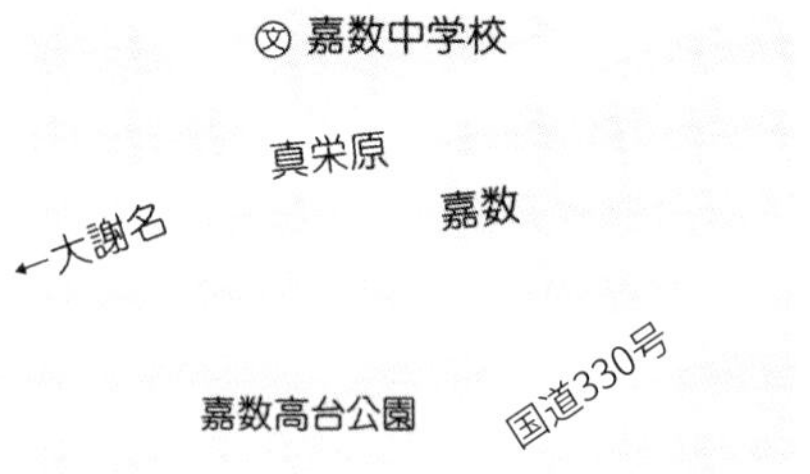

○一かかずすづなりや　嘉数鈴鳴りが
あめそこのこがねみや　天底の黄金庭に
おれほしや　降り欲しく
又　み物すづなりや　見物鈴鳴りが
・すづなりは嘉数村の神女名
・あめそこは拝所・御嶽
・こがねみやは　金庭。琉球国由来記に「コガネミヤヨリアゲ森」という御嶽がある。

「金宮」（『宜野湾市史　第四巻資料編三　宜野湾関係資料Ⅰ』）

②察度ゆかりの地を一望できる沖縄観光名所である。

㋐嘉数高台の崖の下に比屋良川（宇地泊川）が流れている。小禄墓がある。大謝名に黄金宮・大謝名メーヌカー・港田原・カンジャーガマの察度関連文化財がある。

㋑牧港・宜野湾市西海岸一帯
「じゃな」が沖縄コンベンションセンターを目印に見える。西海岸一帯は、湧き水が多い。大山貝塚・森の川など文化財が豊富である。

㋒浦添城が見える。宜野湾市は、察度王のころは、浦添間切であった。一六七一年、宜野湾間切となる。

㋓読谷村宇座の泰期の残波岬が見える。

③激戦地嘉数高地の戦跡

一九四五年四月六日から二週間、日米の攻防戦。肉弾戦法。トーチカ。「嘉数の塔」一九七五年に建立。
五七五〝ねたてもりぐすく　ねたてのまちのルーツ〟

二、中山浦添城は中山王察度の居城浦添城と牧港

1　察度の貿易港〝港田原〟

察度が住んでいた謝名は、今の宜野湾市立大謝名小学校の一帯であり、当時は、牧港の近くで栄えた港でした。ここは察度の貿易港で、港田原と呼ばれたところです。

港田原は、ふくろ状の入江になっていました。大和の船や中国の船がひんぱんに出入りしたと伝えられています。

港田原には、大謝名メーヌカーがあります。メーヌカーには、淡水紅藻といって、海にすむ海藻のタニコケモドキとオオイシソウが生きています。このことから一帯は、昔は海であったことがわかります。

また港田原には、大謝名ヤマトゥガーがあります。大和の船が、飲み水などをくんだことを物語っています。

察度は、黄金と大和（日本）の鉄とを交換しました。その鉄でつくっ

「大謝名メーヌカー」　察度の貿易港“港田原”一帯　（宜野湾市指定史跡）

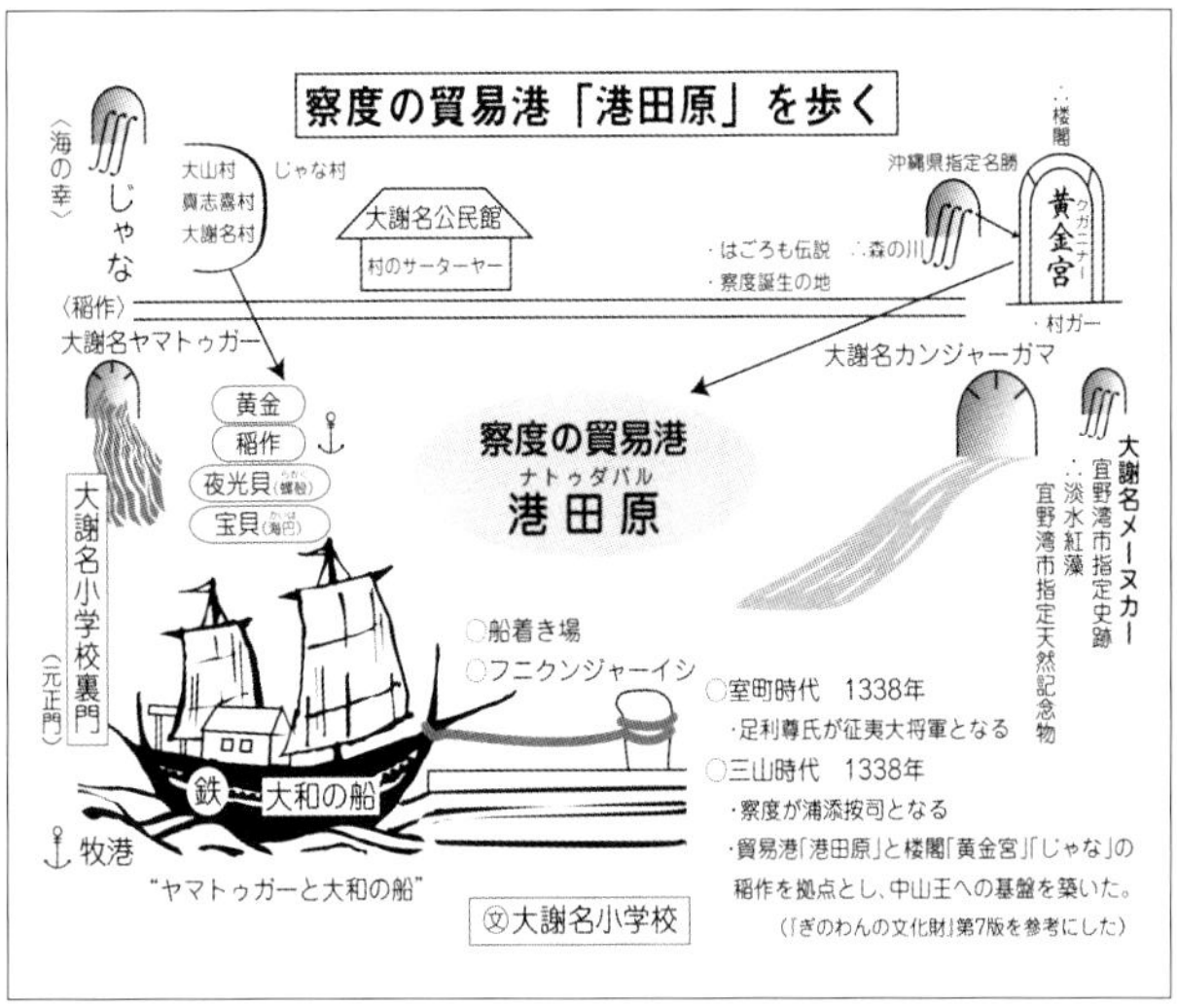

「大謝名カンジャーガマ」17 世紀の遺跡

たヘラやカマなどの農具をつくって、農民へ与えました。農民はこのヘラたカマで農業にはげみました。お米などがよくとれました。

農具をつくった大謝名カンジャーガマは、察度の時代と異なるが、今の大謝名公民館の近くにあります。

また、今の「土帝君」のあるところ一帯は、古瓦出土地で察度の倉跡とも言われています。大和のカマやヘラなどを納めた倉でしょう。

今までより豊かになった農民や人々から察度はしたわれました。そして、人々は察度と浦添按司にしました。察度は、貿易港〝港田原〟で牧港での日本や中国の船との貿易と謝名（大謝名・真志喜・大山）の稲作などの豊かさで浦添按司となり、中山王となる基盤を築きました。

一三三八年、察度が十八歳、「浦添按司察度」となる。

2　浦添按司察度が中山王となる

国人は、十歳で王になった中山王西威の世子（世つぎ）を廃して、浦添按司察度を中山王にしました。西威が幼いので、政治をにぎった母親がわがままで政治を乱したためです。『中山世鑑』

察度が中山王になったのは、一三五〇年、三十歳の時でした。日本は、室町時代の足利尊氏のころです。

中山とは浦添城を中心とする今の浦添市、うるま市・北谷・読谷などの中頭・中部を範囲としていました。浦添とは、浦々をおそう・

「うらおそいの碑」（浦添中学校正門隣）

中山王統・浦添

英祖王統５代 90 年間。
①英祖　②大成　③英慈
④玉城　⑤西威

支配するという意味です。

浦添城は、察度王の前の英祖王が、中山王陵の浦添ようどれ・極楽寺を築いています。察度王は、浦添城を拡張し、整備したと言われています。牧港の貿易で栄えた浦添城からは、中国の青磁や高麗瓦などが出土しています。

牧港には、中国泉州市と浦添市との交流都市の石碑が建立されています。正面には、おもろさうしの「じゃなもひ」が記されています。「謝名思ひ」とは、察度王のことです。碑の左は、中国語の漢文で、右の碑は、次のように記されています。

「ここ浦添には、舜天・英祖・察度の三王統が栄え、古琉球の政治・経済・文化の中心でした。……この碑文は、一三七二年に明の太祖の招諭を受けて琉球史上初めて中国と進貢貿易を行った察度王の偉業を賛美したものだ。………察度王は浦添間切謝名村の……中山王となって王統を開き在位は四六年間に及びました。中国・朝鮮との貿易を開始し、中国へ留学生を派遣して、琉球の経済・文化に大きな功績を残しました。この頃、琉球人が到着する港は泉州でした。……このおもろさうしの碑を……進貢のゆかりの地牧港に建立した。
一九八八年九月二十三日」

浦添は、古琉球の政治・経済・文化の発祥の地です。浦添は古い王都です。

明が琉球国の察度王のころに指定した港は泉州です。泉州には来

おもろさうしと浦添間切《うらそえまぎり》と宜野湾間切《ぎのわんまぎり》の村々と屋取《ヤードゥイ》

○参考文献「おもろさうし」所出地名地図〔南部〕（『角川日本地名大辞典 47 沖縄県』昭和 61 年）
○参考文献「文献にみる宜野湾の村名」（『宜野湾市史 第四巻 資料編三 宜野湾関係資料Ⅰ』）
を参考に作成した。

「牧港テラブのガマ」浦添市指定史跡

「じゃなもひの碑」察度王の進貢船の港・広州との記念碑（牧港）

中山王統・浦添グスク

1　舜天王統３代 73 年間
2　英祖王統５代 90 年間
3　察度王統２代 46 年間

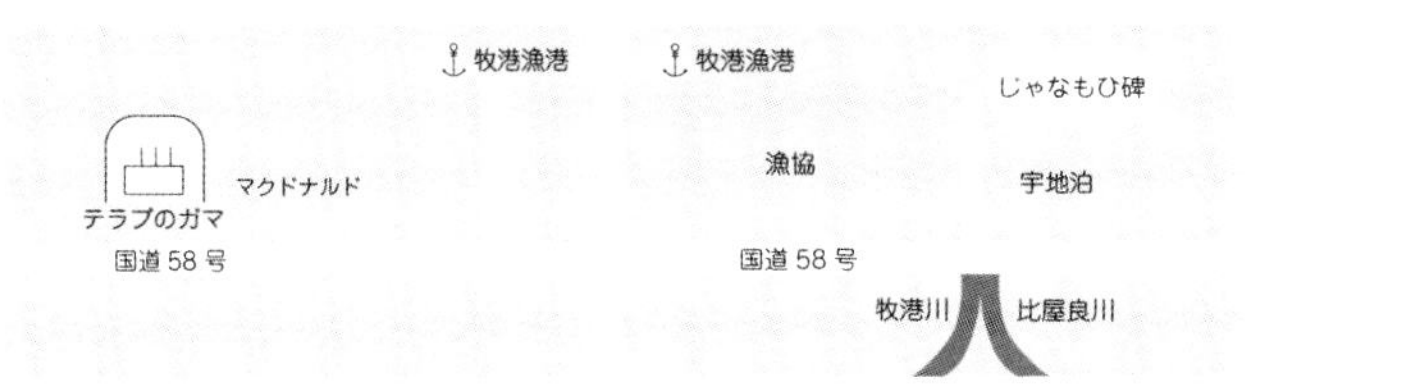

遠駅が設けられました。泉州の港から福州の港・柔遠駅（琉球館）へ移ります。泉州は、宋から元にかけて、中国最大の貿易港として繁栄したということです。

このころ、元のフビライに仕えたマルコ・ポーロは、「東方見聞録」に、日本をジパング・黄金の国とヨーロッパの人々に紹介しました。ヨーロッパの大航海時代のきっかけとなります。

牧港はなぜ待港か。源為朝の妻と子が、牧港テラブのガマ洞穴（沖縄語でティランガマとよばれ、浦添市の指定文化財）で為朝の帰りを待ったという言い伝えがあります。それで、待港・牧港と言われています。源為朝の子・尊敦が舜天となり、琉球で最初の王様と言われます。

3　察度王と中山浦添城・牧港との関係

①「うらおそい」は中山の古い王都

中山浦添城は、古い王都であると言われています。安里進氏によると「浦添城は、英祖王時代から巨大化し高麗瓦葺き正殿が建ち、察度王時代にはのちの首里城や今帰仁グスクに匹敵する巨大グスクになっていた」（安里進著『琉球の王権とグスク』山川出版社）と述べています。察度王時代には、巨大グスクになった。

琉球王国・中山は、察度王の前に英祖あり。察度王の後に、尚巴志あり、尚円あり、尚真あり。

正殿付近で採集された鬼瓦（浦添市教育員会提供）

「癸酉年高麗瓦匠造」銘平瓦（浦添市教育委員会提供）

琉球王国は、一三七二年の察度王の中国の明との進貢貿易が基礎となっています。察度王は、初代の『琉球国中山王察度』として東アジア・東南アジアに登場します。

②牧港は英祖王・察度王の国際貿易港

察度王は、牧港で、中国や日本・朝鮮・東南アジアなどと貿易をさかんにして富を築きました。出土品には、高麗瓦・中国の青磁などがあります。

浦添グスクは、浦添の歴史と文化のシンボルゾーンとなる歴史公園として整備するということです。浦添グスクは、ようどれなど琉球王国の古い王都です。

浦添城跡――国指定史跡一九八九年

参考文献／浦添市教育員会文化課『浦添の歴史散歩』二〇〇一年／『国指定史跡浦添城跡』／安里進『琉球の王権とグスク』・山川出版社二〇〇六年

五七五　〝うらおそい　古い王都の　浦添グスク〟

4　牧港はどうして待港か（為朝伝説）

①「牧港ティランガマ」は、どこですか？

牧港ティランガマは、国道五八号沿い下り牧港漁港へ左折手

ワカリジー（為朝岩）∴拝所「小城嶽」
・ワカリジー側の岩に立つと久高島が見える
・ワカリジーには御嶽がある

当山の石畳道。琉球王府時代、首里から浦添、宜野湾までをつないだ宿道。「中頭方西海道及び普天満参詣道」が平成24年に国指定史跡となった。

前の右側にあります。

②牧港の由来とティランガマ

「ティランガマ」は、待港・牧港の地名の由来とかかわってます。ある日のこと、源為朝は、日本に帰ることとなりました。妻もいっしょにつれて帰ることになりました。

船が出港しました。しばらくすると雨や風が強くなって、船が進ことができません。船長が、女の人や子どもがいっしょだからと言いました。為朝はしかたなく、妻と子どもを降ろして出発しました。妻と子は、ティランガマである洞穴で為朝の帰りを待っていたという話です。それで、待港・牧港と呼ばれるようになったということです。

③舜天王は為朝の子（為朝伝説）

源為朝の子が、舜天王になります。琉球国中山の最初の王です。浦添城の東には、ハナレジーという岩が立っています。為朝岩とも呼ばれているようです。

浦添城は、舜天王統、英祖王統、察度王統と続きます。中山浦添城は「うらおそい」と言われる古い王都です。琉球国の政治・経済・文化の発祥の地です。牧港は、うらおそいの玄関・国際貿易港です。

牧港ティランガマ　浦添市指定史跡

参考文献／浦添市教育員会文化課『浦添の歴史散歩』二〇〇一年

五七五／〝牧港　為朝の妻子　待つ港〟・あめそこは拝所・御嶽

三、中山王察度の居城首里城と那覇港

1　察度王の三山時代・三山統一と世界遺産

察度が中山王となったころの琉球は、三山時代と呼ばれています。三山とは、北山・中山・南山のことです。十二世紀から一四二九年の尚巴志による三山統一までのことで、グスク時代とも呼ばれています。

⑴北山・今帰仁城と世界遺産登録の理由

北山とは、今帰仁城を中心とする今の今帰仁村・名護市などの国頭郡・北部のことです。

山が多いことから「やんばる」ともいいます。

初代の北山王は、怕尼芝《はにし》王です。（一三二二年）怕尼芝は、運天港を拠点にして、中国の明と一三八三年に貿易をしました。

中国製の陶磁器（やきもの）などが出土しています。

今帰仁城は、外郭の石垣が屏風型の曲線でできています。

「今帰仁上り」の時には、今帰仁城内のカラウカー・火の神の祠・テンチジ・アマチジの御嶽などを拝みます。

グスクの御嶽などは、今も人々の心のよりどころとして生か

今帰仁城・正門のつくり

○布積み
○亀甲乱積み

北山王統（山北）

三代85年間
①怕尼芝　②珉　③攀安知

「北山・今帰仁城跡」世界遺産・国指定史跡

「今帰仁城のウタキ」テンチジ・アマチジ

「世界遺産マーク」世界の文化・自然遺産の保護。ユネスコ条約（パリ）

されています。

今帰仁城跡などが、二〇〇〇年十二月二日にユネスコの第二四回世界遺産委員会で登録された主な理由は次のとおりです。

一、「琉球王国のグスク及び関連遺産群」のある琉球諸島は、数世紀にわたり、東南アジア、中国、韓国との経済的・文化的交流の中心地として貢献してきた。

二、琉球王国の文化は、特別の政治目的、経済的環境に於いて進化し、発展してきた。このことは、その文化に比類のない特質をもたらした。

三、琉球の聖域群は、世界の確立された他の宗教と共に、近代化においてもなお損なわれずに残っている自然と祖先崇拝の固有の形態を表す例外的な事例を構成している。

（首里城復元期成会創立三十周年記念誌『甦った首里城』発行平成十五年・創立三十周年記念誌編集委員会）

⑵旧中山・浦添グスク・古い王都

中山の察度王統は、初代が察度王です。

浦添城は、英祖王が、高麗瓦葺き正殿を建てたといわれています。「浦添ようどれ」でも知られています。

①中山「うらおそうい」は古い王都

察度王は、浦添城を更に拡張し、整備したといわれています。

琉球国中山王陵「浦添ようどれ」。東室（尚寧王陵）と西室（英祖王陵）。平成元年、浦添グスクとともに国の史跡（浦添城跡）に指定された

中山王統・浦添グスク

察度王統２代46年間
父　奥間大親
母　天女（はごろも伝説）
①察度　②武寧

察度王の母・天女は、英祖王統・３代英慈王の王女「察度王を産んだ天女は英慈王の次女」伊敷 賢 著「琉球王国の真実」

浦添は、「うらおそい」と言われ、古い王都です。グスクからは、北谷・読谷が一望できます。

「浦添てだこまつり」で英祖王をたたえたまちづくりが進められています。

浦添城跡は、国指定史跡です。（一九八九年）

②読谷山長浜港の泰期と護佐丸。

察度王は、一三七二年、初の進貢に泰期を遣わしました。

読谷の長浜港は、察度王が明へつかわした弟の泰期が出発した港とも伝えられています。

おもろに「おさのたちもいや、たうあきない、はゑらちへ・・」とあります。

おさとは、読谷村字宇座のことで、泰期は宇座出身の大貿易家と言われています。

泰期が東シナ海を指さしているブロンズ像が残波岬に建てられています。

護佐丸の祖先は、中北山今帰仁の按司でしたが、怕尼芝に亡ぼされた。山田按司が山田城を築いた。二代山田按司の子として護佐丸が生まれた。

座喜味城の石は、山田城から運んだと伝えられています。

座喜味城跡は、二〇〇〇年に世界遺産に登録されました。

「読谷まつり」の創作劇「進貢船」で大貿易家泰期をたたえて

琉球国中山王察度と三山時代と三山統一

Q 察度王をとりまく三山時代とはどんな時代か

1、グスク時代　11〜15世紀
2、三山時代　14･15世紀　英祖王統４代玉城王代〜
3、三山統一 1429年 尚巴志「琉球王国が成立」

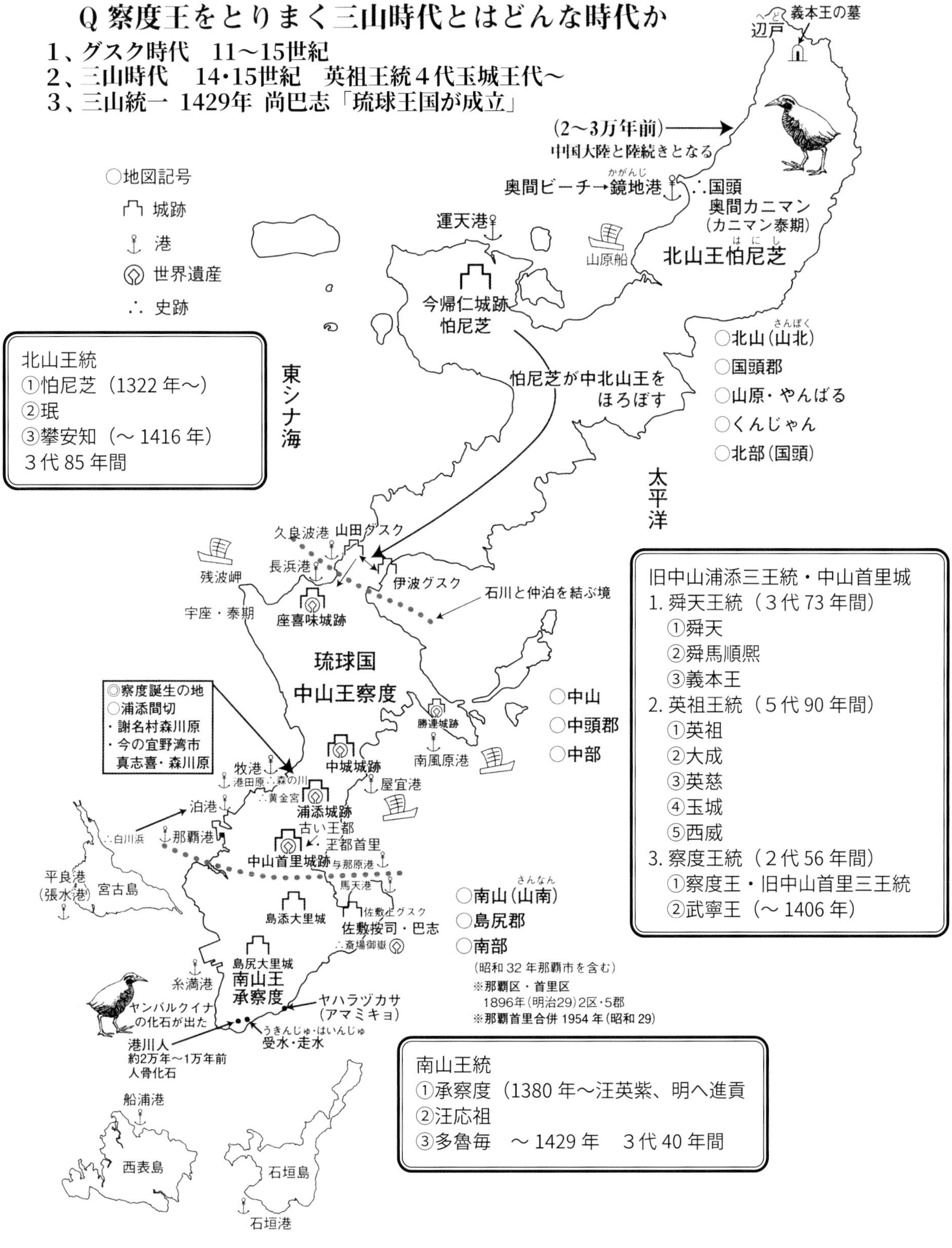

「宇座の泰期」が中国の明へ進貢船で初めて出発

1．グスク時代　○浦添・三王統・尚思紹王統　12 〜 15 世紀
2．三山時代　○王城王代〜察度王代　○ 14 世紀
3．三山統一　○ 1429 年　○三山統一　○琉球王国の成立

います。城野外劇場《グスクやがいげきじょう》としてのまちおこしが進められています。

③勝連城・浦添城・首里城は、瓦葺三大グスク

勝連城にある、「勝連の按司の系譜・三の曲輪の案内板」によると、察度は、二代勝連按司の姫・真鍋樽を妻にめとっています。初代は英祖王五男大成王です。森の川はごろも伝説でみるように、察度は真鍋樽に畑の黄金を知られ、黄金宮（楼閣）を建てています。

勝連城の一の曲輪には、瓦ぶきの建物があったという。案内板に次のようにあります。「多くのグスクの中で瓦葺の建物があったのは、現在のところ勝連城のほかには首里城・浦添城だけです。」（一の曲輪の案内板）察度王は瓦ぶきの建物がある勝連城・浦添城・首里城とかかわっているといわれます。

勝連城は、肝高の阿麻和利の時に、大きな富を築きました。

京や鎌倉に勝連をたとえる「おもろ」があります。巻十六・一一三四「勝連《かつれん》の阿麻和利《あまわり》／玉御柄杓有り居な《たまみしゃくあよ》／京《きや》　鎌倉《かまくら》／此《こ》れど言ちへ　鳴響《とよ》ま」（『おもろさうし　日本思想大系』　岩波書店）

この富を柳田国男は、『海上の道』で「勝連文化」と呼んでいます。

勝連城からは、高麗瓦・大和瓦・中国の青磁などが出土しています。（『勝連町の文化財　第４集』）

勝連城跡は、二〇〇〇年に世界遺産に登録されました。

「座喜味城跡」世界遺産　アーチ門・布積み　国指定史跡（2008 年４月）

「勝連城跡」世界遺産　一の曲輪（くるわ）・瓦葺き建物跡「古瓦」

グスクでの「肝高の阿麻和利」などが催され、うるま市の活性化が進められています。

④阿麻和利を見張る中城城の護佐丸

座喜味城の護佐丸は、一四四〇年、中城城へ移された。尚泰久王は、護佐丸を阿麻和利の見張り役にした。

一四五八年に、護佐丸・阿麻和利の乱が起きました。護佐丸の一家は自害し、幼児の盛親は乳母の手で逃げることができました。阿麻和利は、首里城の鬼大城に討たれました。

㊥中城城跡も、二〇〇〇年に世界遺産に登録されました。グスクでの「わかてだまつり」や「中城文化まつり」などが催され、「とよむ中城」のまちづくりで活気づいています。

中城東太陽橋からは、知念半島・久高島・津堅島から勝連半島まで手にとるように中城湾を一望できます。按司の貿易港である中城湾は、アマミキヨの久高島・斎場御嶽などの東御廻り・佐敷の尚巴志・内間御殿の尚円金丸・察度王と勝連城・阿麻和利・護佐丸の乱などの古琉球の歴史の舞台です。

「光は東方から」と言われるゆえんです。

東太陽橋から歴史の道・中頭方東海道「ハンタ」の中城グスクロードを奥間毛・新垣グスク・ペリーの旗立て岩へと歩きます。

ハンタ道は、アップダウンのけわしい階段の道ですが、青い海と海風を浴びてリフレッシュできます。

按司の貿易港「中城湾」を歩く

①中頭方東海道（ハンタ道）　②東御廻り《アガリウマーイ》→「光は東方《アガリカタ》から」
Q　中城湾には、世界遺産などのどのような文化財があるか
　　察度王とどんな関係があるでしょうか

沖縄の世界遺産（2000年12月）

・東太陽の昇る中城湾は古琉球の歴史舞台である。

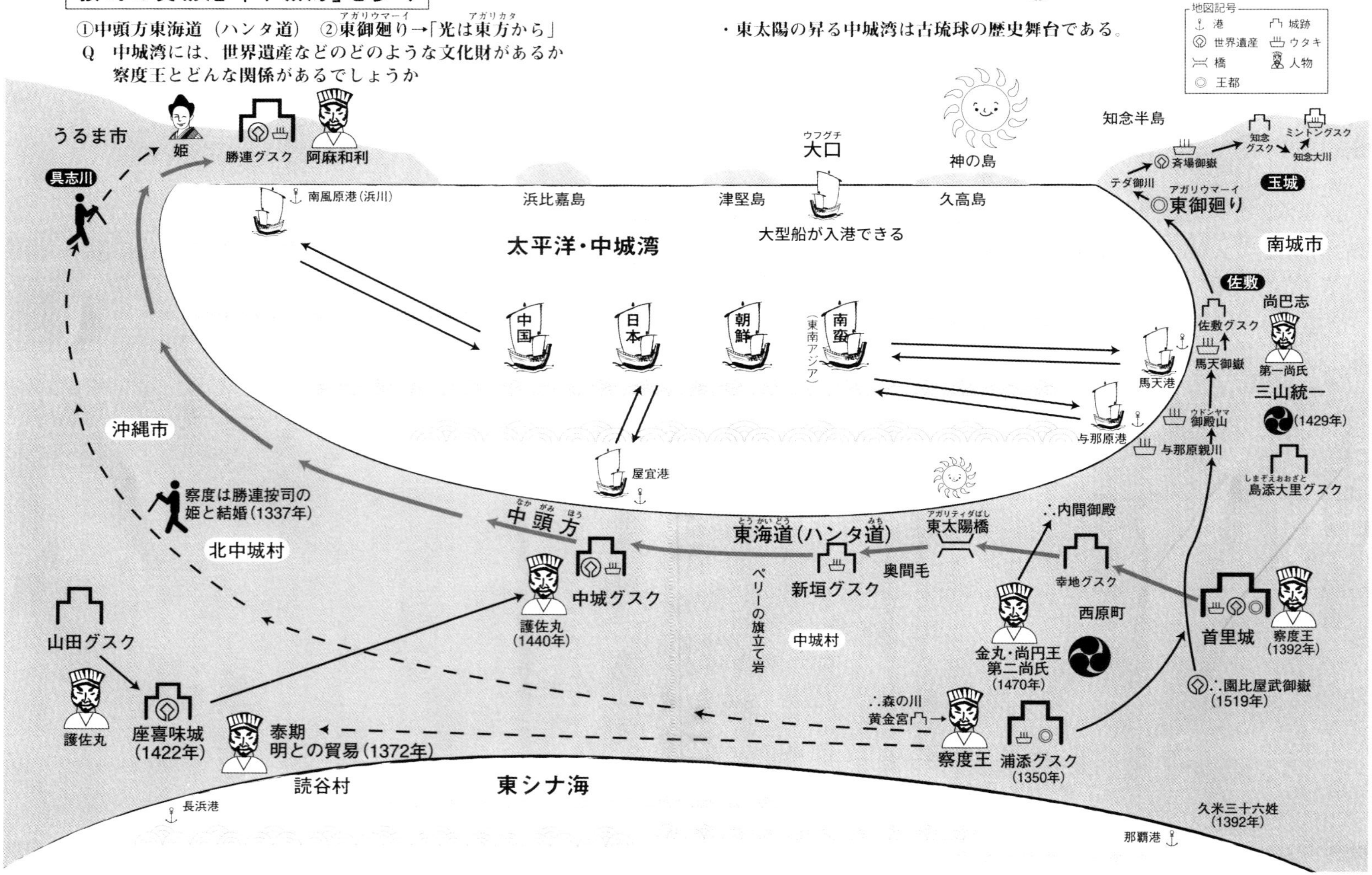

「歴史の道・ハンタ道」。グスクを結ぶ道・交流の道・戦の道。中頭方東海道

世界遺産「中城城跡」正門。正門は歴史の道（ハンタ道）に向かう。布積み

スージグヮー美術館（大城区）。花とみどりの芸術の里

「東太陽橋」〈中城ハンタ道〉。中城湾は按司の貿易港。歴史の舞台

それから、世界遺産の中城城跡へ着きます。「すべての道は首里城に通ずる」と言われています。中城城跡では、御嶽に手を合わす人たちがいます。城は今も生きています。

それから城下の里北中城村大城の道を歩きます。「蝶が舞い小鳥が歌う大城・花と緑の芸術の里」の立看があります。ランの花・シーサーなどのいっぱいあるスージグヮー・アートの里です。大城花咲爺会が自治会・沖縄県立芸術大学などその連携で、芸術の里ぐくりに取り組んでいます。会の人は「地域は自分の庭である」と言っています。「花咲にぃにぃ会」も立ち上げています。

⑶中山・首里城京の内に「高よそうり殿」を築く

中山の首里城は、誰がいつ創ったものでしょう。

察度王という説と尚巴志という説があります。

ここでは、察度王という説をもとに考えてみたいと思います。

この高楼が、最初の首里城とも伝えられています。

京の内には、アマミキヨが国始めの御嶽である首里森御嶽があり、聖なる場所です。

京の内は次のように記されています。「十四世紀後半になると、中山国王の察度が中国・明に朝貢し冊封を受けることによって更に膨大な数と種類の青磁碗が首里城に運ばれ消費されていくようになります」（編集発行　沖縄県立埋蔵文化財センター「首里城京

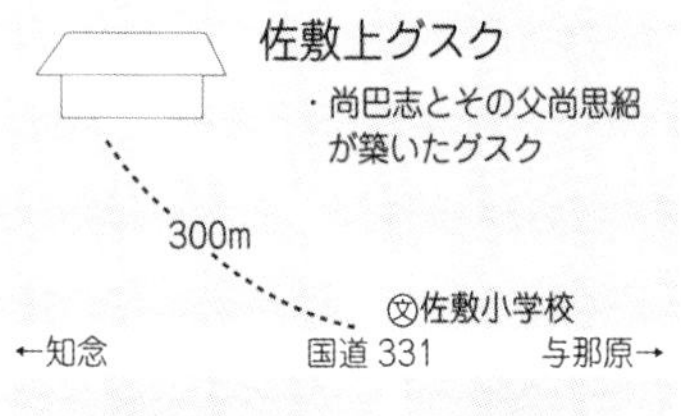

お通し「首里森御嶽」。京の内は首里城発祥の地。国王が城外の寺社に出かけるとき、この御嶽で祈る。※首里城下之御庭の御通しの首里森御嶽

アマミキヨの「首里森御嶽」と南アザナ。南のアザナから久高島が見える

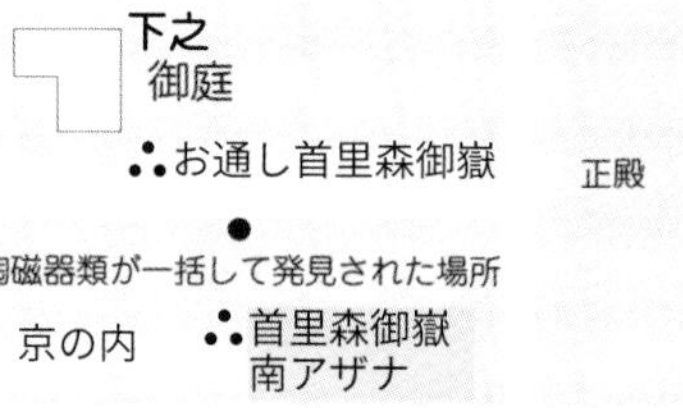

の内出土展　土でつくられた緑の宝石　平成二十一年(二〇〇九年)

さらに察度王は、中国の閩人三十六姓を一三九二年に那覇港の久米村に移住させました。閩とは中国福建省のことです。久米三十六姓は、中国人との通訳や中国への文書づくり、船長などの航海の仕事もしました。

それで中国との進貢貿易がさかんになりました。そのころは、中国語（漢文）が東アジアの公用語です。久米三十六姓は、察度王が中国をはじめ、日本・朝鮮・タイ（シャム）など中継ぎ貿易をする上でも大きな働きをしました。また、察度王は、一三九二年に明の国子監である南京の大学へ琉球国中山の留学生を送っています。

卍そして、察度王のときに、波上山護国寺は、薩摩国坊之津一乗院頼重上人によって創建されたといわれます。察度王の勅願寺です。『球陽』によると「三十五年、僧頼重法師入滅ス。」

お寺があることは、琉球国中山が、仏教文化の国であることを国内外に示すことになります。

また、お寺は、学問・文化・外交情報の中心地です。

首里城を拡張・整備したのは、一四二九年に三山を統一し、名実ともに琉球国王・中山王となった尚巴志です。

尚巴志が首里城を使ったことは、一四二七年に龍潭にある安国山樹華木之碑の記録から、はっきりしていることです。

さらに、尚真王は、首里城正殿に、百浦添欄干之碑などを整

首里城「京の内」跡とは

首里城京の内跡は、正殿《せいでん》、南殿《なんでん》、北殿《ほくでん》、奉神門《ほうしんもん》などの政事（政治）を行う建物が集中する区画の南西地区に位置し、面積は約 5,000 ㎡と考えられています。

「京《きょう》の内《うち》」の「京」は、“ 霊力（セジ、シジ）” と同義語であり、その他にも神が降臨もしくは来訪する岩山や小島（南城市斎場御嶽《せーふぁうたき》の大岩を“ キヨウノハナ ”、また、名護市嘉陽集落の東海上にある小島を“ きょう ”とも称す）等の名称から、首里城「京の内」は、「神が降臨する聖域」と理解されると共に「霊力のある聖域」と解されます。

さらに「京の内」には、絵図や文献などから沖縄の開闢二神《かいびゃくにしん》降臨の御嶽（拝所）とされる、“ 首里森御嶽《しゅりむいうたき》 ”・“ 真玉森御嶽《まだまむいうたき》 ” の二つの御嶽以外に、「京《きょう》の内之《うちの》三御嶽《みうたき》」と称された三つの御嶽が存在したようです。

重要文化財指定を受けた資料は、沖縄県教育委員会が 1994 年から 1997 年にかけて実施した復元整備事業に伴う発掘調査で、京の内北西地点から、火熱を受けた状態で中国陶磁器をはじめとする多くの陶磁器類が一括して発見されたものです。文献などから、倉庫跡（3mX4m）と考えられています。

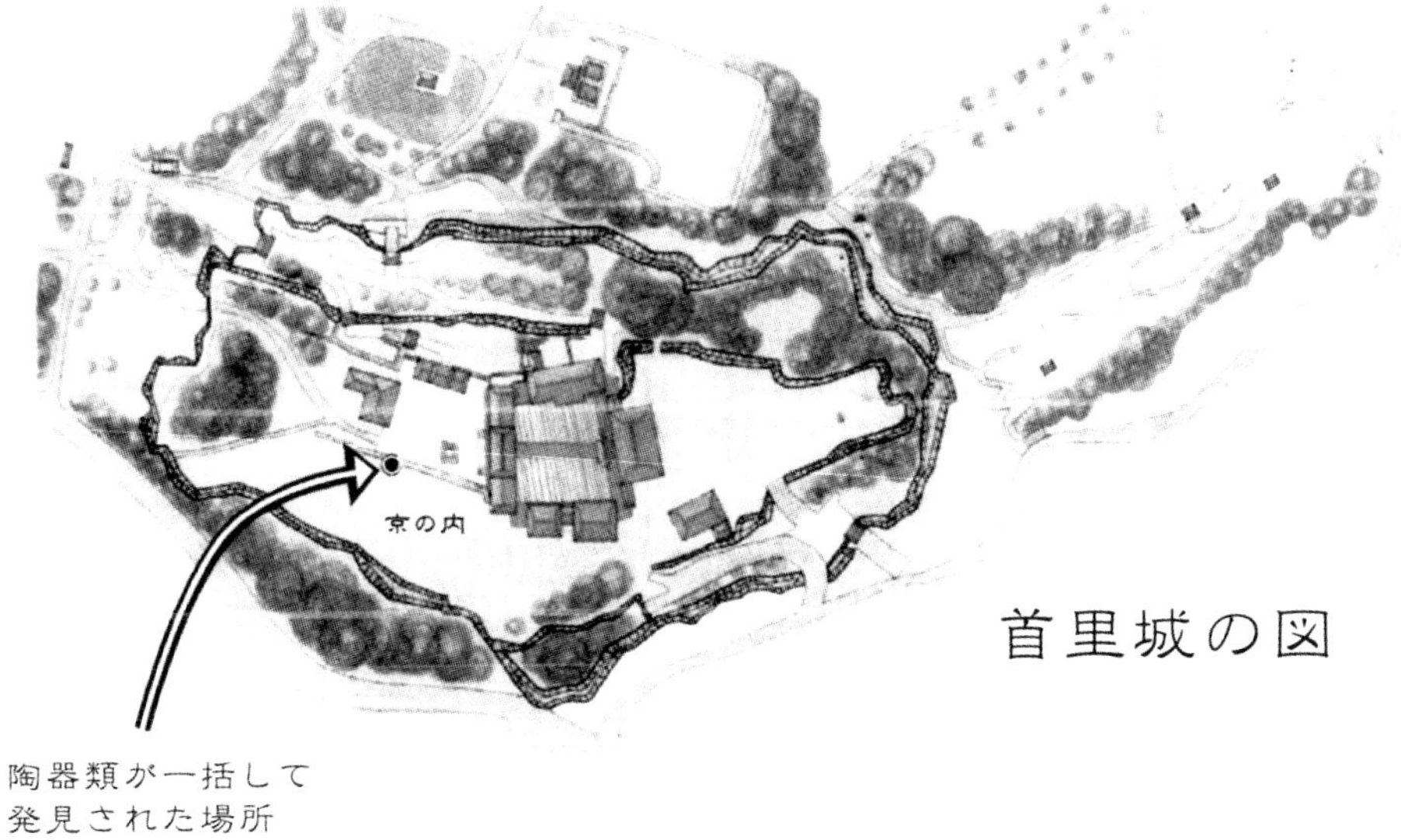

沖縄県立埋蔵文化財センター所蔵の資料
平成20年度首里城京の内跡出土品展
「土でつくられた緑の宝石『小形青磁』」平成21年1月24日(土)～2月8日(日)

「首里城正殿」 正殿を百浦添（ももうらそえ）と呼ぶ。尚真が石竜柱を設けた

世界遺産「園比屋武御嶽石門」 木造板葺きを表す

識名園の六角堂［世界遺産］ 冊封使を迎えた一番座から望む。中国風の六角堂・あずまや（休憩所）

備しました。

○首里城と文化外交王国と世界遺産

首里城祭では、「冊封儀式」の再現や組踊などが催されています。

首里城跡は、二〇〇〇年十二月に世界遺産に登録されました。

次の首里城とかかわりのある三つの世界遺産も二〇〇〇年十二月に登録されました。

園比屋武御嶽《そのひゃんうたき》石門は、国王が城から出かけられる時に安全祈願をするところです。

石門は、八重山竹富島の西塘《にしとう》に尚真王がつくらせた。（一五一九年）

玉陵は、第二尚氏の歴代国王の墓で、尚真王が築きました。父尚円王の遺骨を納めるために築きました。一五〇一年に創建された。

識名園は、冊封使などを迎える名園です。日本の庭園と中国風を取り入れつつ、琉球国庭園をつくる。尚温王が一七九九年に完成しました。

心の字でつくった池で知られる。

⑷南山グスク・島尻大里城

南山とは、南山グスク・島尻大里城を中心とする糸満市・南城市・八重瀬町などの島尻郡・南部を範囲としています。

初代の南山王は、承察度です。

承察度も一三八〇年に明との貿易を始めます。察度王より八

「佐敷上グスク」南城市指定史跡　尚巴志とその父尚思紹が築いたグスク

世界遺産「玉陵」・玉御殿　尚真王が築く。板葺き宮殿をかたちどる

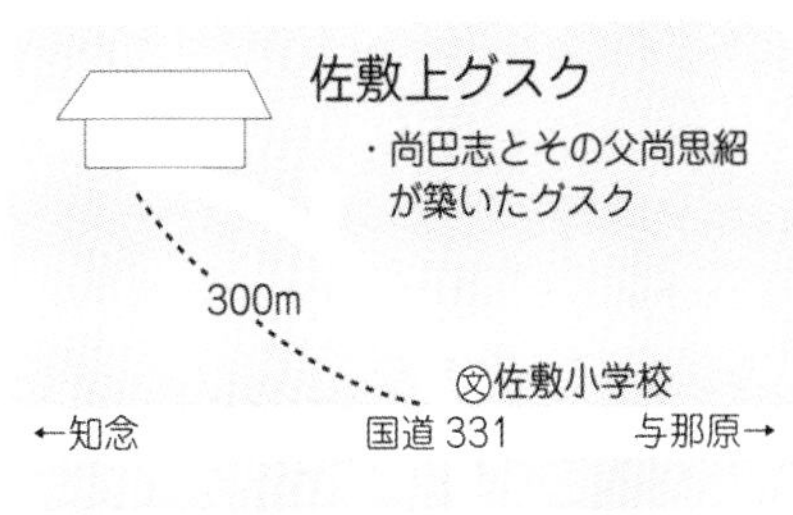

「南山グスク・島尻大里グスク」現在、高嶺小学校が建っているグスク跡

年後に明との貿易をしました。

中国の青磁（おわんなどのやきもの）などが出土しています。

佐敷按司である巴志は、島添大里按司を滅ぼし、中山王の武寧を、北山王の攀安知を、南山の他魯毎をつぎつぎと滅ぼしました。

南山グスク・島尻大里城は、糸満市の指定史跡です。現在の高嶺小学校が建っているグスク跡です。

巴志は、三山を統一し、琉球国王・尚巴志となりました。

①斎場御嶽と第一・第二尚氏

尚巴志は、佐敷の出身で斎場御嶽を大切にした。

第二尚氏の尚円王は、聞得大君という最高の神女に王女月清を任命しました。

聞得大君の即位儀式は、斎場御嶽でなされました。

◎斎場御嶽が二〇〇〇年十二月に世界遺産に登録されました。

斎場御嶽は、琉球の国づくりの神様であるアマミキヨが、国始めの七つの御嶽の一つとしてつくりました。

南城市では、琉球の国づくりの発祥のゆかりの地の利を生かしてまちづくりが進められています。

南城市では、斎場御嶽をはじめとする東御廻りなどで、こころとからだを癒す南城市に取り組んでいます。

◎東御廻りコース（東方　大里・佐敷・知念・玉城）

中山首里三王統

1．察度王統　二代 56 年間
2．尚思紹王統（第一尚氏王統）
　七代 64 年間
3．尚円王統（第二尚氏王統）
　19 代 410 年間
○波上宮　山号は波上山

南山王統

①承察度→＜汪英紫・明へ進貢＞
②汪応祖→③他魯毎　三代 50 年間

斎場御嶽「三庫理」（サングーイ）
世界遺産　金製勾玉など出土

中山首里三王統　琉球王国の基礎・成立・確立

古琉球 ／ 琉球王国前期

察度王統　2 代 56 年間【＊琉球王国の基礎】

1．察度
2．武寧

尚思紹王統　7 代 64 年間【＊琉球王国の成立】

1．尚思紹　2．尚巴志　3．尚忠　4．尚思達
5．尚金福　6．尚泰久　7．尚徳

尚円王統　19 代 410 年間【＊琉球王国の確立】

1．尚円　2．尚宣威　3．尚真　4．尚清
5．尚元　6．尚永

近世琉球 ／ 琉球王国後期

7．尚寧　【＊ 1609 年薩摩侵入】
8．尚豊　9．尚賢　10．尚質　11．尚貞
12．尚益　13．尚敬　14．尚穆　15．尚温
16．尚成　17．尚灝　18．尚育
19．尚泰

◦ 近代沖縄
1879 年　沖縄県・琉球処分・首里城明け渡し

◦ 戦後沖縄
1945 年　アメリカ統治時代
1972 年　日本に復帰

○園比屋武御嶽（那覇市）↓○御殿山（与那原町）↓○親川（与那原町）↓○馬天御嶽↓○佐敷上グスク↓○テダ御川↓○斎場御嶽↓○知念城跡↓○知念ウファカルの拝所↓◎受水・走水（三穂田）↓○ヤハラツカサ↓○浜川御嶽↓○ミントングスク↓○玉城城跡　※久高島は麦の発祥地（南城市教育委員会『南城市文化財ガイドマップ』）

中山王察度のグスクと貿易港の移り変わり

Q 察度のグスクは、どのように移り変っていますか
それはなぜですか。

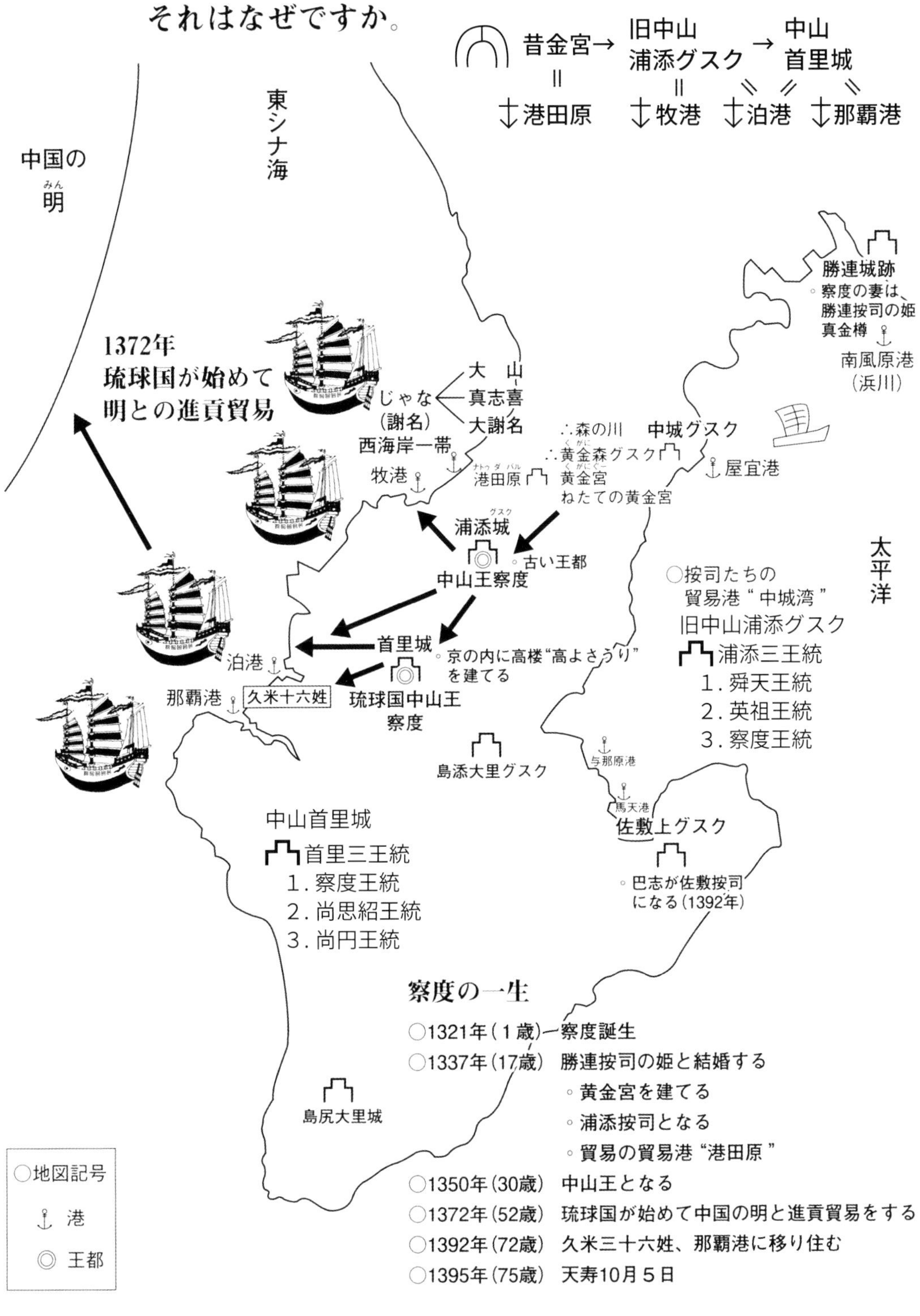
昔金宮→ 旧中山浦添グスク → 中山首里城
港田原
牧港
泊港
那覇港
東シナ海
中国の明《みん》
1372年
琉球国が始めて明との進貢貿易
大　山
じゃな（謝名）
真志喜
大謝名
西海岸一帯
牧港
∴森の川
∴黄金森《くがに》グスク
中城グスク
港田原《ナトゥダバル》
黄金宮《くがにぐー》
ねたての黄金宮
屋宜港
浦添城《グスク》
古い王都
中山王察度
勝連城跡
察度の妻は、勝連按司の姫真金樽
南風原港（浜川）
太平洋
◯按司たちの貿易港“中城湾”
旧中山浦添グスク
浦添三王統
1．舜天王統
2．英祖王統
3．察度王統
首里城
京の内に高楼“高よさうり”を建てる
泊港
那覇港
久米十六姓
琉球国中山王察度
島添大里グスク
与那原港
馬天港
佐敷上グスク
巴志が佐敷按司になる（1392年）
中山首里城
首里三王統
1．察度王統
2．尚思紹王統
3．尚円王統
察度の一生
◯1321年（1歳）─察度誕生
◯1337年（17歳）勝連按司の姫と結婚する
◦黄金宮を建てる
◦浦添按司となる
◦貿易の貿易港“港田原”
◯1350年（30歳）中山王となる
◯1372年（52歳）琉球国が始めて中国の明と進貢貿易をする
◯1392年（72歳）久米三十六姓、那覇港に移り住む
◯1395年（75歳）天寿10月5日
島尻大里城
◯地図記号
港
王都

首里森御嶽と南のアザナ

◦京の内のアーチ門。アーチ門の直下に洞穴がある
◦洞穴は真玉森御嶽
◦洞穴は尚徳王の王妃と王子が隠れた場所

2　察度王、首里城創建者と尚巴志・首里城正殿創建者

(1) 首里城の創建者、中山王察度

① 首里城の創建者、中山王察度

首里城の創建者については、察度王説と尚巴志説があります。

ここでは察度説ということで歩いてみます。

② 察度王は、一三九二年に高楼をつくったと『中山世鑑』などに見られます。この高楼が、最初の首里城と言われています。

この高楼は、首里城の京の内に「高よそうり殿」として建てられ、察度王の居城と伝えられています。

京の内は、次のように記されています。「十四世紀後半になると中山国王の察度が中国・明に朝貢し冊封を受けることによって更に膨大な数と種類の青磁碗が首里城に運ばれ消費されていくようになります。」（編集発行　沖縄県立埋蔵文化財センター「首里城京の内出土展　土でつくられた緑の宝石『小型青磁』）平成

③ 首里城の整備・尚巴志、首里城正殿の創建者

首里城を拡張・整備したのは、一四二九年に三山を統一し、名実ともに琉球王国・中山王となった尚巴志です。

尚巴志が首里城を使ったのは、龍潭にある安国山樹華木之碑に記録としてはっきり残っています。碑は、城西小学校あたりといわれています。

渡地村跡・那覇港・渡地村は硫黄城として、硫黄を保管した場所・沖縄製粉前

京の内洞穴と上宮。京の内の洞穴は「真玉森御嶽」と推定される。尚徳王の王妃と王子が隠れた洞穴

さらに、尚真王は、正殿などを整備しました。正殿に百浦添欄干之銘がある。尚真王が観会門・久慶門をつくる。正殿に石造欄干と龍柱を建てる。北殿を建てる。園比屋武御嶽の石門をつくる。以上、察度王の首里城の創建の道を歩いてみました。

首里城跡——世界遺産／国指定史跡

参考文献——沖縄県教育委員会『首里城跡京の内跡発掘報告書（Ⅰ）』平成十年／那覇市教育委員会生涯学習部文化財課『渡地村跡発掘調査現地説明会』二〇〇七年六月

五七五——〝京の内青磁　察度王の宝物〟

五七五——〝首里城　琉球王国の　シンボル・グスク〟

3　中山王察度の初の進貢は那覇港

(1)「浮島」・那覇港は、察度王の国際貿易港

①「浮島」那覇港渡地村と察度王

察度王が中国の明などと貿易をするためには、広い港の那覇港が必要でした。察度王のころの那覇港は、「浮島」と呼ばれ、島々が集まっているところでした。那覇港は、那覇泊と呼ばれる。

察度王は中国の明や南方のシャム（タイ）・朝鮮・日本などと中継ぎ貿易をして、国際貿易港・那覇港の基盤を築きました。

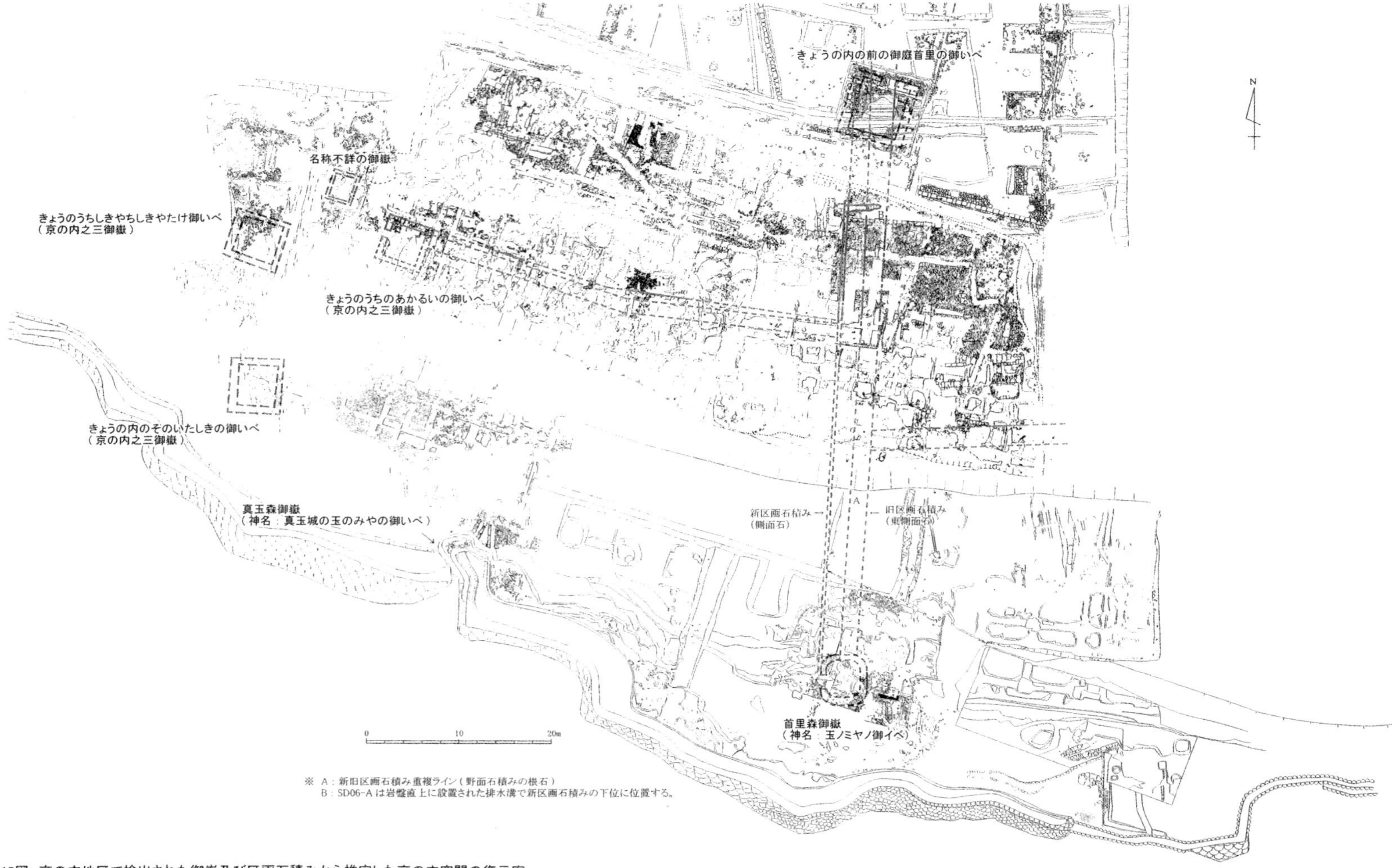

第15図　京の内地区で検出された御嶽及び区画石積みから推定した京の内空間の復元案
（御嶽の名称は、社団法人 日本公園緑地協会作成の平成11年度　首里城京の内地区調査検討会（第1回）
説明資料 平成11年12月10日を参考に修正した）

沖縄県立埋蔵文化財センター所蔵

琉球の対外貿易路と京の内跡出土の陶磁器の流れ

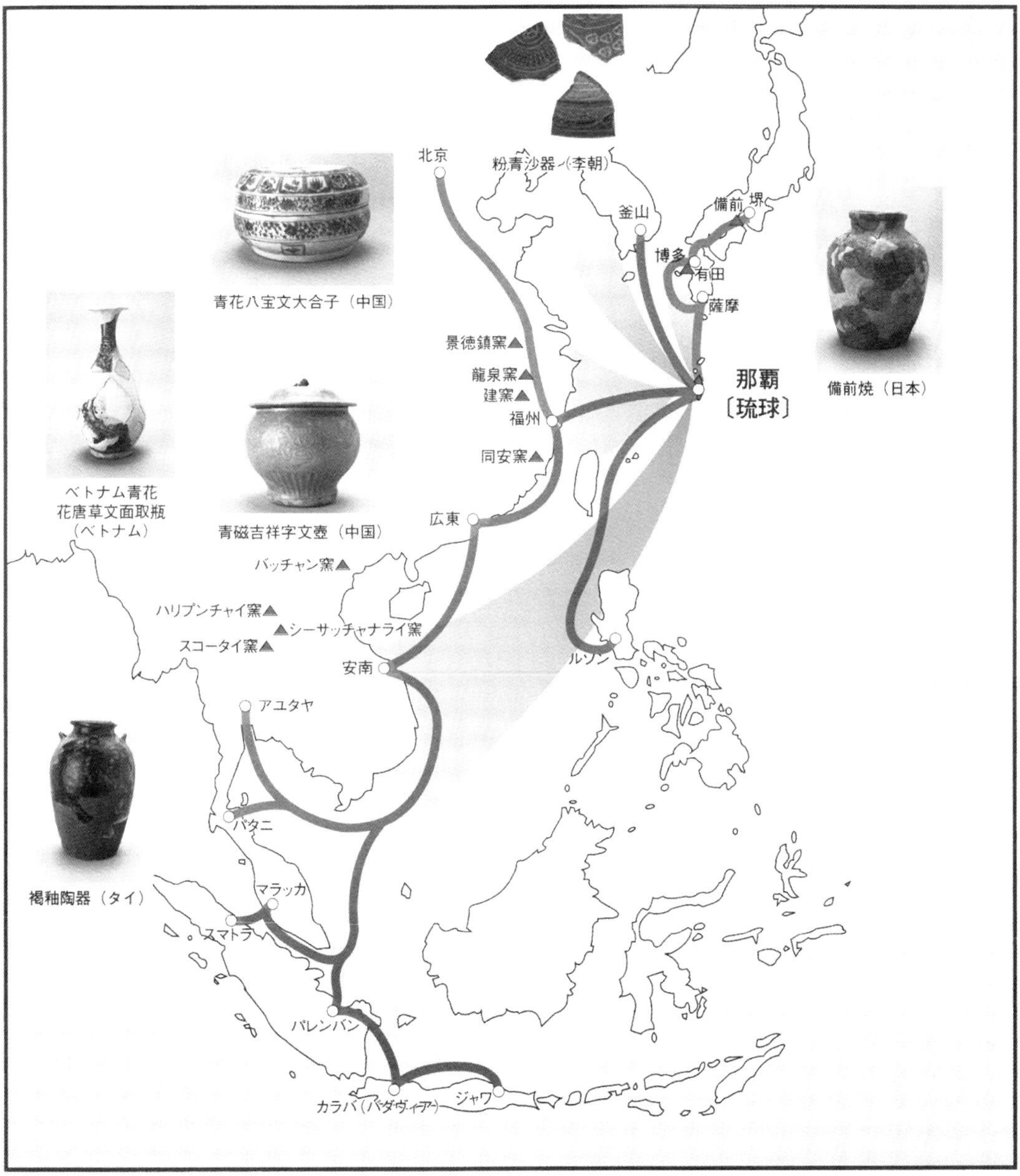

（但し、粉青沙器については、首里城跡下之御庭他での出土）

沖縄県立埋蔵文化財センター　所蔵

旧崇元寺第一門及び石牆（国指定史跡）

長虹提・冊封使の道（那覇市歴史博物館）

二〇〇七年六月に那覇市教育委員会生涯学習部文化財課による「那覇港渡地村跡の現場説明会」がありました。十四世紀中頃以後の中国の青磁器（おわん）やタイ産土器などが展示されていました。

②察度王と久米三十六姓

察度王の時、中国の閩人三十六姓が中国から那覇の久米村に移り住みました。久米三十六姓は、察度王の中国の明との貿易を支え、琉球王国の大航海時代を拓く大きな力となりました。

③初の冊封使を迎えた港・那覇港

武寧王の一四〇四年に、明の皇帝永楽帝は、時中を遣わし、故察度王を諭祭するとともに、武寧を中山王とするために冊封しました。武寧王が天使館を創建した。『球陽』

④「冊封使の道」（地図）を歩く

・迎恩亭は冊封使歓迎の建物。通堂屋《とんどうや》。（今の沖縄製粉工場がある）
・天使館は冊封使一行の宿泊所。
・天妃宮は航海安全の女神である媽祖を祭った宮。上下天妃宮がある。
・諭祭は皇帝が使者を遣わして、国王の死を祭らせること。崇元寺に歴代国王の神位。
・冊封は皇帝が国王として認めること。

参考文献――沖縄県教育庁文化課『沖縄県歴史の道　那覇・首里の道』

久米村出身のリーダーたちと「琉球の五偉人」

○五偉人に蔡温と程順則がいます。
・引用　『琉球の五偉人』　伊波普猷・真境名安興共著
1　琉球の苦境と向象賢・羽地朝秀
2　二文明の調和と蔡温
3　琉球処分と宜湾朝保
4　教育界の偉人　程順則
5　産業界の偉人　儀間眞常

○琉球王国・中山の五大王
1　英祖王…中山・うらおそいグシク・ようどれと古い王都を築く
2　察度王…東アジア・東南アジアとの貿易の開拓者
3　尚巴志…中山・首里城・三山統一・琉球王国の成立
4　尚円・金丸…第二尚氏王朝の誕生
5　尚真王…祭政一致による中央集権確立・百浦添《ももうらそえ》・琉球王国の確立
海外貿易で大交易時代を築く

／嘉手納宗徳『那覇港歴史地図』（明治初年の那覇）／那覇市教育委員会『那覇市の文化財』／沖縄タイムス社『沖縄大百科事典』／東恩納寛惇著『南島風土記』／徐葆光著　原田禹雄訳『中山伝信録』

昭和五十七年

五七五――〝那覇港　世界の玄関　ニライカナイ〟

(2) 久米村は閩人《びんじん》三十六姓の村

①久米三十六姓は中国の閩人

察度王が、中国の明から福建省の閩人三十六姓を那覇の久米村に住まわせました。久米村は、唐栄とも呼んでいます。久米村は、チャイナタウンです。察度王のころの那覇は浮島と呼ばれ、島々からできていました。

久米村は、那覇港の北入口のところにあり、浮島と呼ばれています。

②久米三十六姓の仕事・はたらき

久米三十六姓は、中国の明などとの貿易の仕事である船長などの仕事をしました。

久米三十六姓は、察度王の中国の明との貿易をはじめ、琉球王国の大航海時代を拓く大きな働きをしました。

③久米村出身のリーダーたち

久米村からは、名護親方・程順則や具志頭親方・蔡温などの

「冊封使の道を歩く」

Q 冊封使は、首里城へどこの道を歩いたか。

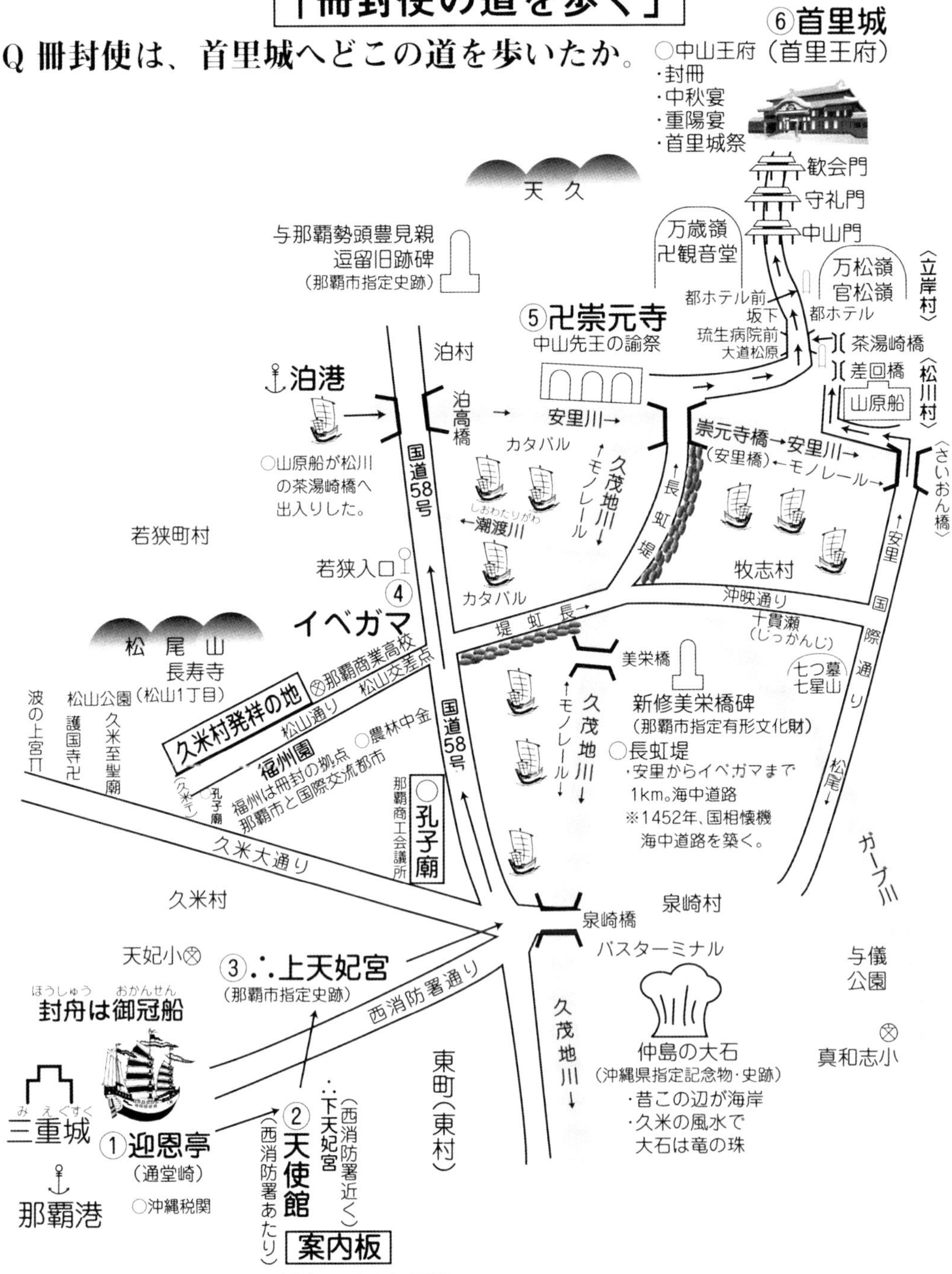

○著作徐葆光・訳注者 原田禹雄『完訳中山伝信録』
○嘉手納宗徳『那覇歴史地図』（明治初年の那覇）
○那覇市教育委員会『那覇市の文化財』
○沖縄県教育庁文化課『沖縄県歴史の道』調査報告書Ⅳ－那覇・首里の道
○沖縄タイムス社『沖縄大百科事典』
○編著「角川日本地名大辞典」編さん委員会『角川日本地名大辞典47沖縄県』
○東恩納寛惇著『南島風土記』
○『首里古地図』　　　　以上を参考にした。

「冊封使の道」を歩く

－観音堂坂下の道「茶湯崎橋《ちゃゆさきばし》」・「指帰橋《さしかえしばし》・差回橋《さしかえしばし》」を歩く－

※「ちゃなざきばし」が正しい呼称
編集沖縄県教育委員会
『沖縄県歴史の道調査報告書Ⅳ』－島尻方諸海道・首里・那覇の道－　1987年

○松川村の茶湯崎橋は首里と那覇を結ぶ橋
徐葆光『中山伝信録』に「差回橋」とある。
○山原船が泊港より出入りした港とある。
○ミヤキジは今帰仁という。山原船が出入りしたところ。木材や山原竹、農作物、海産物、上布などを運んだ。
○松川村は茶湯崎村と呼ばれた。
※ちゃな・じゃな(謝名)は、砂地・海岸・港(泊)　※じゃ・しゃ・さ(砂)・な(広場)　※ちやなは按司
※茶湯は、休憩所といわれる。
○宮古の人々が金城川をさかのぼって謝名平まで海上安全を祈願して川岸の洞くつに魚の形を刻んだという伝承から「魚崎原(イユサチバル)」と地名が残る。
(金城橋案内石板より)

観音堂
↑
首里坂下通り・松川↑大道松原↑崇元寺

観音堂

茶湯崎橋より万松嶺・万歳嶺を望む　万歳嶺(上ミヤキジナハ)〔那覇市歴史博物館提供〕

沖縄都ホテル前

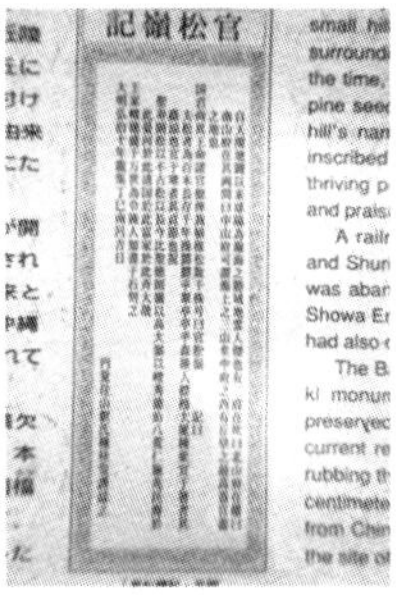

官松嶺(下ミヤキジナハ)
尚真王が松千本を植えさせたという
〔那覇市歴史博物館提供〕

坂下琉生病院前

茶湯崎橋(真嘉比川と旧国道・県道29号線との交差点があった『松川字誌』)　平成22年

指帰橋(差回橋「中山伝信録」)
旧指帰橋の橋名を残すため戦後1957年7月架設された。『松川字誌』　平成22年

明倫堂。　①琉球における学校のはじまり　②久米村の孔子廟跡に建てる　③久米村の子弟の教育。儒教などを教えた。　④程順則が建てた（1718 年）

琉球王国のリーダーが出ました。

程順則は、教育者でもあり、『六諭衍義《りくゆえんぎ》』という本で知られています。

また、蔡温は、政治家として、植林や羽地川改修などに努めました。蔡温は、『中山世譜』という本で歴代の国王のはたらきなどを書いたことで知られています。

④孔子廟と久米三十六姓

久米三十六姓の子孫たちは、「孔子廟」をつくりました。

孔子廟とは、中国の聖人である孔子の霊をまつったところです。孔子の教えが「論語」という本にまとめられて、儒教という学問ができました。

久米の孔子廟は、現在の国道五八号久米入口の那覇商工会議所の隣が一六七六年尚貞王代の建立跡です。

⑤三線・ハーリーと久米三十六姓

久米三十六姓が、中国の三弦を琉球に伝え、今の琉球の三線がつくられたといわれています。

『球陽』によると、ハーリー（爬竜船競漕行事）も久米三十六姓が伝えたとも言われています。ハーリー船には、竜の日を入れると龍船を再生させるといいます。

久米村は、中国の明との貿易などの航海術や通訳・外交文書などとともに、琉球・沖縄の文化の面でも大きな力となっています。

琉球国中山王察度の勅願寺・波之上山護国寺

波上山護国寺

○山号は波上山
山号＝もともと寺院の多くは山にあり、その山の名をもって呼ばれた。（広辞苑）
○坊之津＝遣唐使の出発地

久米村は、察度の貿易を支えた村

参考文献――著者具志堅以徳・国吉有慶『久米村の民俗』発行久米崇聖会／比嘉政夫著『沖縄からアジアが見える』岩波ジュニア新書一九九九年

五七五――〝久米村　中国とのかけ橋　昔も今も〟

(3)波上山《はじょうざん》護国寺とは、察度王の勅願寺

①仏殿に通ずる四角柱の石碑には、次のことが記されています。

・高野山真言宗・波上山護国寺
・頼重上人《らいじゅうしょうにん》が薩摩の国（鹿児島）坊之津一乗院から琉球に渡ってきて開山に至る
・一三六八年琉球国王察度、鎮護国家の勅願寺として創建する
・一九八一年六月十五日建立　第七十三代住職　名幸芳章

察度王ゆかりのお寺

参考文献――洪武十七年（一三八四年）八月二十一日。護国寺開山住職僧。頼重法印入滅。」『中山世譜』※察度在位三十五年／沖縄タイムス社『沖縄大百科事典』中　一九八三年

五七五――〝護国寺　察度の願い　鎮護国家〟

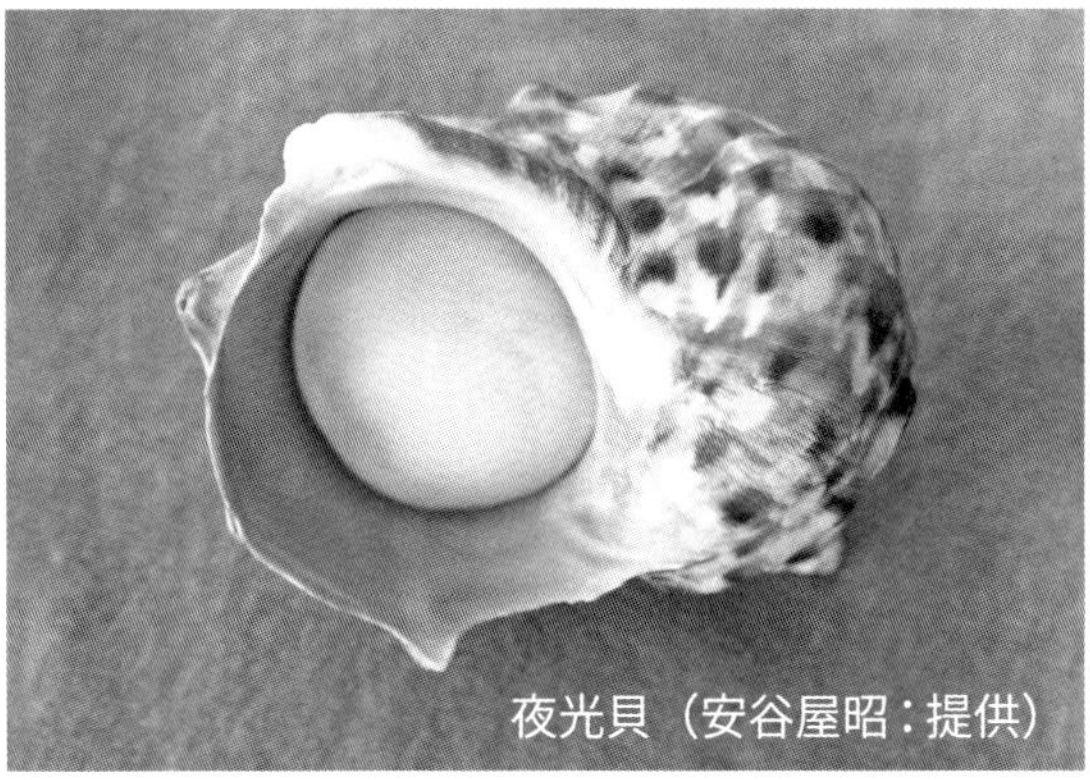

夜光貝（安谷屋昭：提供）

与那覇勢頭豊見親の白川浜出発の碑

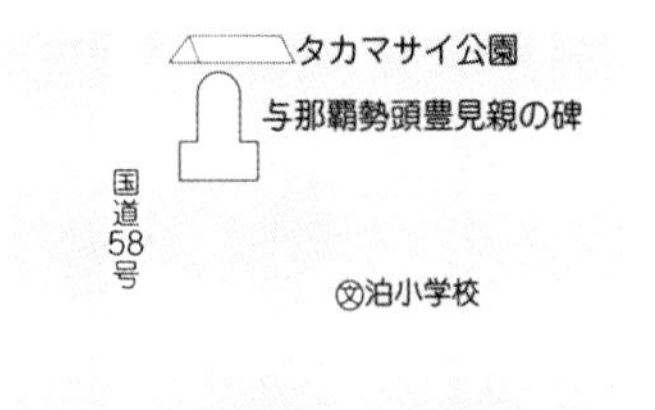

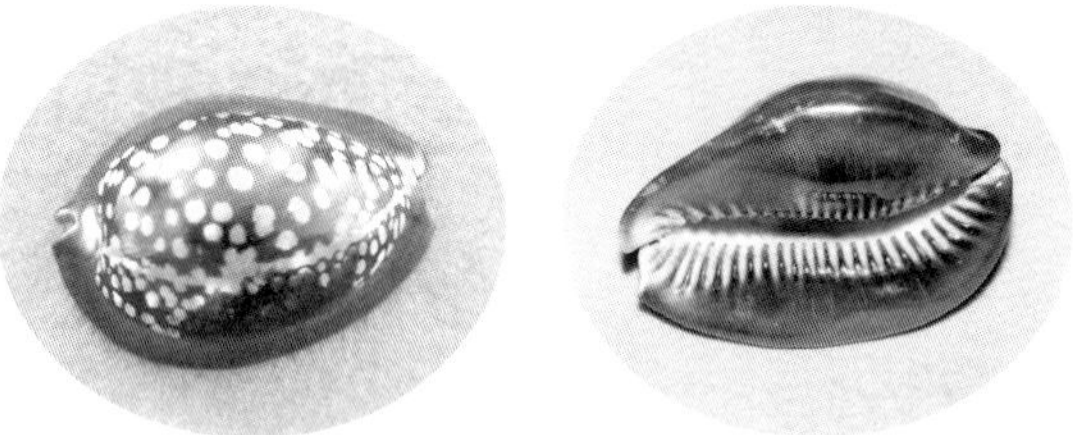

タカラガイ（安谷屋昭：提供）

4．宮古・八重山が入貢する泊港

⑴宮古・八重山が察度王に入貢する。

三山の中でも力のある中山王である察度に宮古の与那覇勢頭《よなはせど》豊見《トゥユミ》親《ヤ》が、一二九〇年初めて入貢しました。

その後、毎年入貢するようになりました。八重山も入貢するようになりました。

まずは、貢物は宮古馬です。察度王に宮古馬を進貢したという。次に、宮古が入貢した貢物はなんだったのでしょうか。

入貢した貢物には、サンゴ礁の多い宮古の特産物である宝貝や夜光貝などが考えられます。また、八重山の夜光貝は、「屋久貝《ヤクゲー》」（『沖縄県史料前近代7　首里王府仕置3』）とあります。

宝貝は、女の人が子どもを産む時に、これをにぎると安産するということで、子安貝《こやすがい》とも言われています。宝貝は、宮古語でスビ貝。子安貝は、黒色で背にまだらもようのハチジョウタカラガイです。古代の中国では、貨へい（お金）にキイロタカラガイなどが使われました。宮古島でとれます。『中山世鑑』によると、察度王の明への貢物には、宝貝のことを「海巴《かいは》」と言っています。

夜光貝は、しっ器（おぼんなど）などの模様に使われています。夜光貝は、方言でヤクゲー・屋久貝とも言います。ヤクゲーとは、屋久島の貝ということです。

夜光貝を、察度王の貢物では、「螺殻《らかく》」と言っています。

琉球国中山王察度に宮古・八重山が入貢する

Q 宮古・八重山は察度王に何を貢物にしたのでしょうか

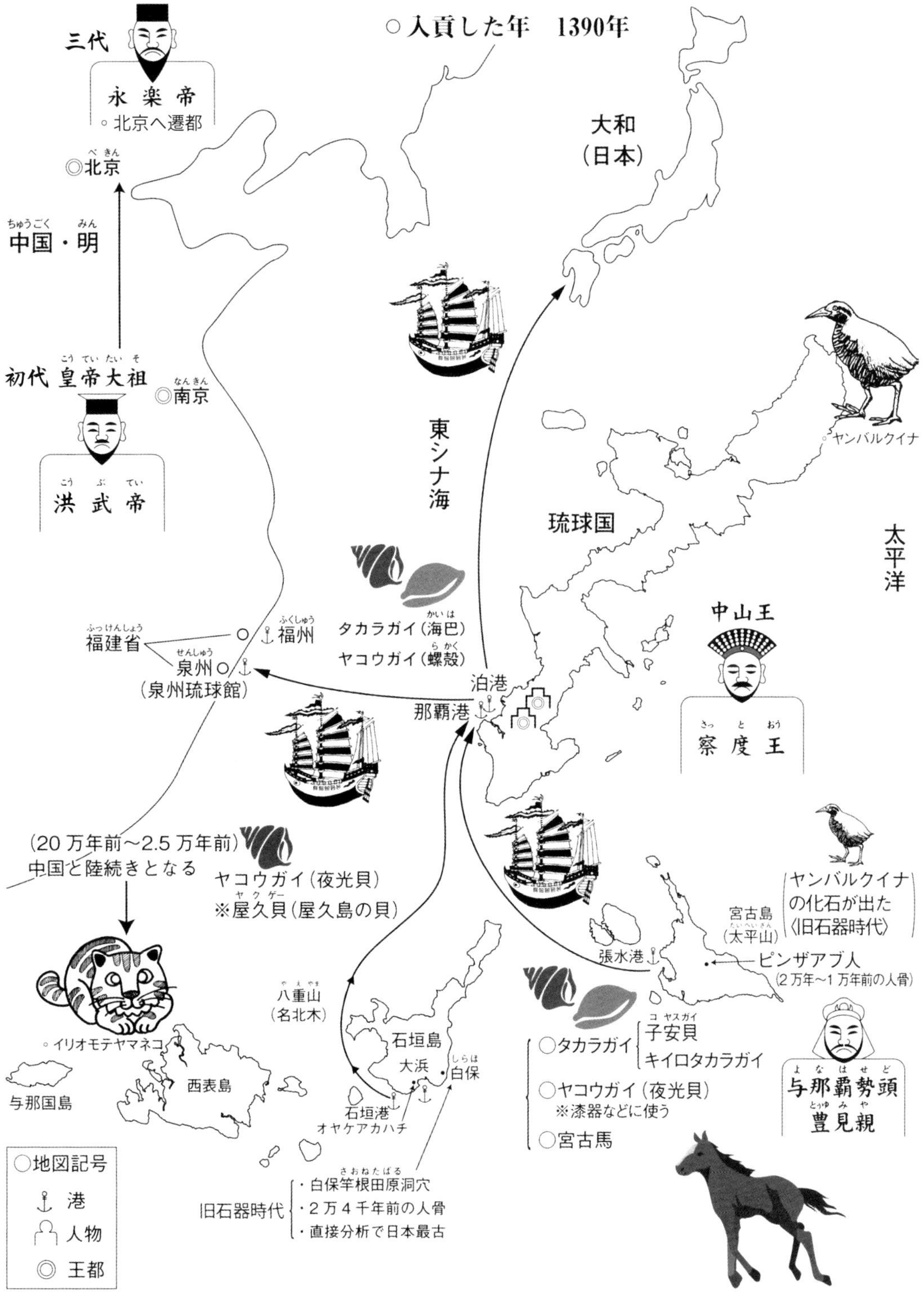

白川浜

与那覇勢頭豊見親の白川浜出発の地の碑

○白川浜　・スサカダーバマ
　　　　　・しらかわはまとも読む
○広瀬御嶽とは、ひろせウタキとも読む
○宮古馬は太平馬とも呼ぶ。在来馬。
○宮古島は太平山とも呼ぶ。

(2) 白川浜から泊港に、与那覇勢頭《よなはせど》豊見親《トゥユミャ》の碑

白川浜は、宮古島市平良字東仲宗根添にある白川湾にある砂浜です。白川浜のどこに与那覇勢頭豊見親の碑があるか、自分の目で見たいと思い、二〇一〇年十月三日に宮古へ行く。

案内役は、宮高八期の同期生の安谷屋昭君と佐久川良一君にお願いいたしました。

砂浜一帯のアダンの中に「與那覇勢頭豊見親沖縄島発見出発の地」の碑を見つけました。

白川浜から平瀬尾神崎《ピッシウガンザキ》の方にある航海安全の広瀬御嶽《ピッシウタキ》へも足を運びました。御嶽のそばに宮古馬といわれる小形の白馬を見つけました。こんな宮古馬が中国の明へもおくられたといいます。

与那覇勢頭豊見親の白川浜の船出について『平良市史第一巻通史』には、「ときは、一三八八年（中山王察度三十九）年の初夏五月。一族の人々とともに廣瀬御嶽にうやうやしく祭壇をこしらえ、神にお祈りをささげて、目的を成就させてくださいますようにと祈念した。

船乗りとしての真佐久に従う若者達とともに出帆した。…そして、日ならずして泊港に安着した。」と述べられています。真佐久は、与那覇勢頭豊見親の童名。諡《おくりな》を恵源という。諡は死後に贈る称号。

(3) 泊のタカマサイ（高真佐利）公園に豊見親の碑

泊に与那覇勢頭豊見親の碑があることは、安谷屋昭君に教えても

諡（おくりな）
人の死後に、その徳をたたえて贈る称号

与那覇勢頭豊見親旧跡碑

タカマサイ公園

らいました。燈台もと暗し。

碑は、泊小学校の北側にある黄金森公園という小高い丘につらなる「タカマサイ公園」に建てられています。なぜ、「タカマサイ公園」か。碑は漢文で書かれています。案内板の説明文内容は、次のようになっています。


与那覇勢頭豊見親逗留《とうりゅう》旧跡碑（案内板説明内容）

□那覇市文化財指定史跡　□指定昭和五一年四月十六日
この碑はもと「タカマサイ」と呼ばれる当地に建てられたものである。

一三九〇年察度王の時に宮古の与那覇勢頭豊見親が帰順入貢し泊御殿に住まわされていた。

ところが、言葉が通じないので、その従者の一人に高真佐利屋という者がいて、毎夜、火立屋（のろし台）に登り、はるかに故郷をのぞみ「あやぐ」をとなえていた。これにより付近の村民、その旧宅の地を高真佐利屋原《たかまさりやばる》とよんだ。

一七六七年、ここに与那覇勢頭豊見親の子孫が、長さ一丈二尺、幅六尺の地を請い求め、子孫拝礼の場所として碑を建立した。この碑は、昔泊の地が諸島を管轄していた頃の記念碑である。なお、現在の碑は、沖縄戦で破損していたものを、一九八七年に復原したものである。

那覇市教育委員会

宮古馬（ヌーマ）足が強い。県指定天然記念物（動物）<安谷屋昭　提供>・宮古馬と察度王の明国への進貢馬について「宮古馬のルーツを探る」長浜幸男『宮古島市博物館紀要 16 号』

以上の説明文内容は、那覇市教育委員会文化財課が刻銘した前文です。

この碑には、一三九〇年に、与那覇勢頭豊見親が、中山王察度に入貢したとあります。

白川浜を一三八八年に船出してから三年かかっています。

同期の佐久川良一君に「与那覇勢頭豊見親逗留舊跡碑復元記念誌」を紹介してもらいました。

島尻勝太郎先生の「豊見親火神文」という記念論文があります。

『宮古島庶民史』（稲村賢敷著）には、「一説に依れば、察度王時代を以って琉球王朝の富強なる時代であったと見る人もある・・・」と記されています。

(4) 八重山が中山王察度に入貢する

一三九〇年、宮古・八重山が初めて中山王察度に入貢する。

八重山の酋長と宮古の与那覇勢頭豊見親とは、どんな関係か。酋長はだれで、どこにいたか。

『球陽・察度王附記』によると、「与那覇勢頭豊見親は、帰国後、八重山の酋長に中山王察度への入貢をすすめます。

八重山の宇武登嶽《おもとだけ》の神は、宮古の平屋地《ひらやち》の神とは、兄弟である。お礼の物を持って行き来している。二人の神は、共に話し合い毎年中山王察度に入貢するようになった。」という。

国指定「フルスト原遺跡《ばるいせき》」・オヤケアカハチの居城
（『石垣市の文化財』より　石垣市教育委員会提供）

○オンは八重山語でウタキ。
・美崎《みさき》オン
・宮鳥《みやとり》オン
○スクはグスク（城）
○フルスト原はオヤケアカハチの居城として勢力を広げた。
○「十三～十五世紀の八重山は、各地に豪族が出て、小高い丘に〝スク〟と呼ばれる城を構え互いに勢力を競っていたといわれます。」
『石垣市の文化財』より

・宇武登嶽とは於茂登岳・大本岳のこと。
・平屋地御嶽は、伊良部島東部の牧山にある。

また、『八重山の歴史』（喜舎場永珣著）の「与那覇勢頭豊見親恵源」には、「後亀山天皇の元中七年（一三九〇）宮古八重山ははじめて中山に朝貢して服属し以て国王の政令をうけて毎年貢物を献ずるようになった。

（注）八重山酋長の氏名が文献に記録もれになったことはいかんである。」と記されています。

一三九〇年代の八重山の酋長名がなぜ記録されていないか調べたい。

その後、波照間島から石垣島の大浜に渡ったオヤケアカハチは、首里王府への貢物を廃止したので、一五〇〇年尚真王の軍勢によって弾圧されたと伝わる。

竹富島の蔵元が石垣島の大川から美崎へ。

一三九〇年代の八重山の酋長は、どのようになっていたか。また、八重山と宮古との関係はどうなっていたか。オンやスクなどとともに調べていきたい。察度王への貢物は、南海の黄金である夜光貝（螺殻）などであったと考えられます。

(5)察度王の硫黄は泊港で

①硫黄は察度王の明への進貢品

泊御殿《とまりウドン》の跡［沖縄県立泊高等学校］
校歌　「球陽《きゅうよう》の古人《いにしえびと》も／外《と》っ国《くに》と文化《ぶんか》交流《こうりゅう》せし／
泊御殿史書《ししょ》にも著《しる》し／我らまた世界の友と…」

○公館
○公倉
・政府の米倉
大漢和辞典より

硫黄は察度王の明への進貢品の中でも重要なものです。中国の明にとっても硫黄は、火薬の原料としても必要なものでした。

硫黄は硫黄鳥島の硫黄で、泊港へと運ばれていました。

一三七六年、李浩《りこう》は、硫黄五千斤を買い、明へ帰る

一三七七年、泰期は硫黄一千斤を進貢する。

②泊港に英祖が泊御殿《とまりウドン》という公館《こうかん》と公倉《こうそう》を建てる。

英祖は、一二六五年に泊御殿という公館と公倉を建てました。

英祖王の泊御殿は、今の泊高校の敷地です。

校歌（作詞下門龍栄）に「球陽の古人も・・・泊御殿史書に著し・・・」とあります。

泊高校の前は沖縄水産高校でした。

『泊誌』には、「英祖王の時に、離島および大島諸島の入貢があって、その貢物を収めるために泊村の今の聖現寺敷地に、泊御殿という公館と公倉を建てて・・・」と記されています。

泊港は英祖王の時から、離島の島々の港であり、今も島々の港町であります。

与那覇勢頭豊見親逗留旧跡碑
那覇市指定文化財・史跡
所在地は上之屋
指定年月日昭和五一年四月十六日

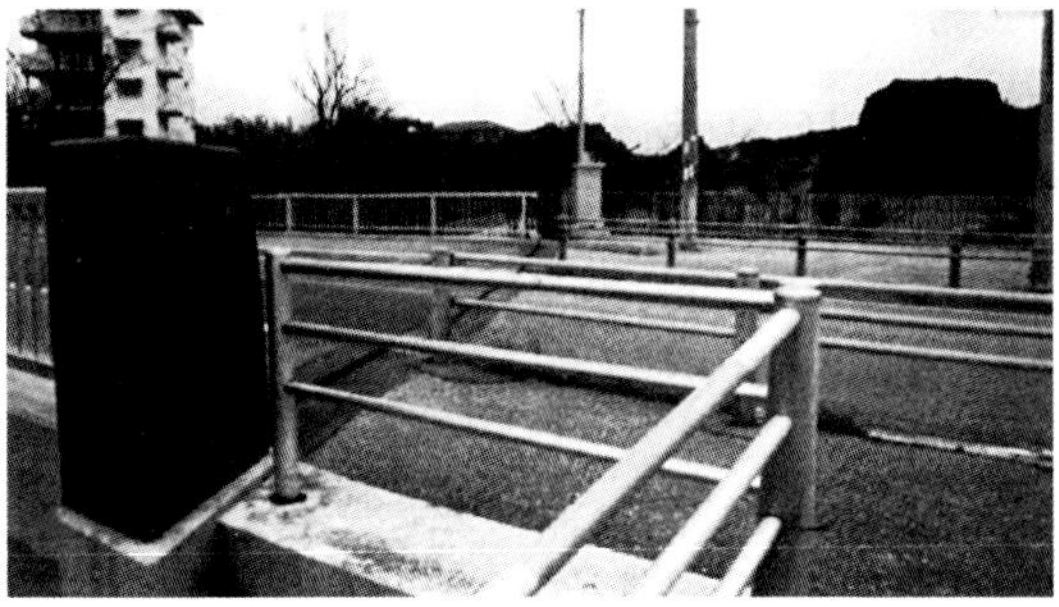

「長浜港」
読谷山宇座の泰期・護佐丸の貿易港（前田真之提供）

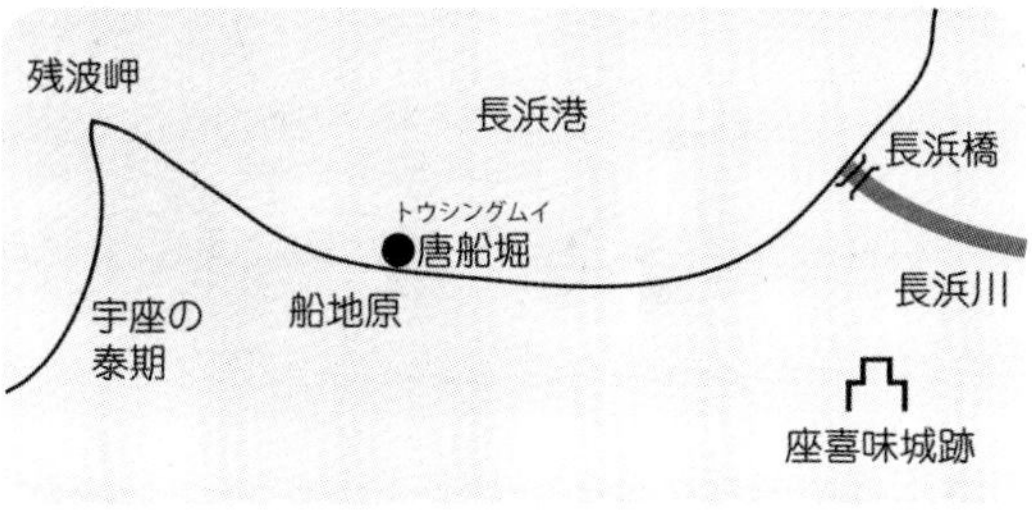

中国の明へ初めの進貢使は
宇座の泰期

参考文献
編集那覇市教育委員会文化課『那覇市の文化財』平成十九年
編集平良市史編さん委員会『平良市史第一巻通史編Ⅰ』一九七九年
著喜舎場永珣『八重山歴史』国書刊行会　一九五四年
著とまり会『泊誌』昭和四十九年
訳注者桑江真英『球陽』全二十二巻附記三巻　一九七一年
編著角川日本地名大辞典編さん委員会『角川日本地名大辞典 17 沖縄県』
　昭和六十一年
発行所沖縄タイムス社『沖縄大百科事典』一九八三年
五七五　“宮古・八重山　南海の黄金　察度王へ”

5. 察度王の異母弟泰期は、初の進貢使

(1)泰期は、察度王の弟として中国へ

泰期は、一三七二年に察度王の弟として、中国の明へ初めて公式の貿易の時に派遣されました。

(2)泰期は、残波岬・読谷宇座の人

泰期は、『おもろさうし』に「宇座の泰期思ひや唐商い流行らちへ」とあります。読谷の宇座出身の大貿易家と言われています。

察度王は、大貿易家である宇座の泰期を弟として派遣しました。残波岬には、泰期が東支那海を指さしているブロンズ像が

建立されています。

(3)貿易港長浜港と泰期と座喜味城

読谷の長浜港は、中国・南蛮などの外国貿易港として地の利を持っていたところです。

護佐丸も山田城から座喜味城を築城しています。座喜味城跡は二〇〇五年世界遺産。

(4)泰期と読谷まつり

読谷村では、読谷まつりの創作劇「進貢船・しんこうせん」で大貿易家泰期をたたえています。

(5)泰期の墓・金満墓

中山王察度の弟の墓とされる金満墓が、宜野湾市大謝名東原古墓群にあります。泰期の墓と伝えられています。金満とは鍛冶屋のこと。泰期は、進貢後に国頭奥間金満按司となる。

◎泰期は中山王察度の弟として明へ派遣

参考文献
読谷村教育委員会『読谷村文化財めぐり』平成十七年
読谷村史編集委員会『読谷村史第三巻資料編2　文献にみる読谷山』昭和六十三年
宜野湾市教育委員会『土に埋もれた宜野湾』平成三年

五七五　〝宇座の泰期　明との貿易　はやらせて〟

○旧十一月七日
フーチェー
「ふいごまつり」
かじゃの祭り
金満・泰期が営んだという。
○宇座グスクの南には、「鍋之甲《ナービナクー》」と書かれたウタキがあります。
『読谷村文化財めぐり』より

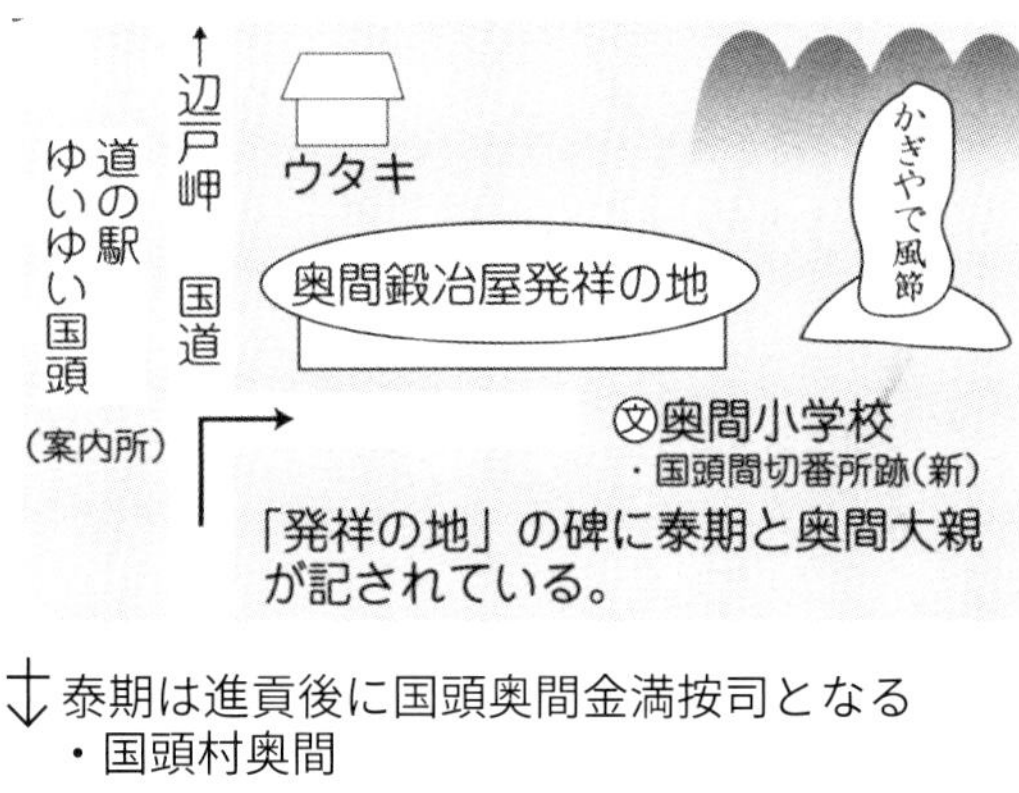

第四章　察度王の業績『琉球王国初の進貢』

1　察度王は、琉球国万国津梁の開拓者

(1)察度王が初めて公的に明と貿易する

琉球国の中山王となった察度は、中国の明と公的に朝貢貿易を始めました。

中国の『明実録《みんじつろく》』という明の時代の歴代皇帝のことを書いた本に記されています。一三七二年、察度王が五十二歳の時です。

中国の明の皇帝太祖・*洪武帝《こうぶてい》は、中山の察度王に、*行人《こうじん》の揚載を遣わして、朝貢するようにすすめました。朝貢とは、中国の皇帝に*貢物を送って、皇帝に誓うことです。皇帝は、貢物に対するお礼として、何倍も多くの品物を与えました。

このような貿易のことを「朝貢貿易」といいます。または、「進貢貿易」ともいいます。

また、*冊封とは、中国の皇帝に貢物をした国王に対して、王冠や王服・大統暦・絹物などをおくり国王として認めるということです。

察度王は、一三七二年、弟の泰期を明へ遣わしました。そして、明の皇帝から一三八三年に中山国王としての鍍金銀印を賜わりました。

明の洪武帝の『琉球国中山王察度』が琉球国の初代の国王です。

察度王が、中国の明へ進貢した品物は、次のようなものでした。

まず、琉球国の特産物である①螺殼《らかく》（夜光貝）②海巴《かいは》（宝貝）③*生熟夏布《せいじゅくかふ》（芭蕉布苧麻《ちょま》の布）④琉球馬（宮古馬のように運搬にべ

・行人＝皇帝の使者のこと
・洪武帝＝朱元璋は貧しい農民の家に生まれ、坊さんになり、皇帝になりました。
・貢物＝みつぎもの
・冊封＝「さくほう」とも読む。琉球国では「さっぽう」と読んでいる。
・生熟夏布＝芭蕉衣（「沖縄大百科事典」）、芭布（「琉球国由来記」）、苧布（「黎明期の海外交通史」東恩納寛惇）

鉄器・鉄の鍋と釜

王暦
・大統暦＝太祖洪武帝の時につくった暦
・幣帛＝贈り物の絹

んり）⑤硫黄（硫黄鳥島のいおうで火薬をつくる。火薬は中国の三大発明の一つ）⑥磨刀石

次に、日本からは、①日本刀②金銀酒海《しゅかい》③擢子扇《てきしせん》④泥金扇《でいきんせん》⑤金銀粉匣《ふんこう》（匣＝はこ）⑥瑪瑙《めのう》

さらに、シャムなどからは、①胡椒②蘇木《そぼく》③象牙④烏木《うぼく》⑤木香《もっこう》⑥速香《そっこう》⑦檀香《だんこう》⑧黄熟香《おうじゅくこう》

以上の進貢物は、察度王が明の皇帝に進貢したと『中山世鑑』（羽地朝秀（向象賢《しょうじょうけん》）著一六五〇年）に記されています。

南海の琉球国の黄金は、夜光貝・宝貝です。

明からは、陶器（おわんやさらなどの焼物）・鉄釜などをたくさん持ってきました。陶器や鉄釜などは、その時の琉球の人々にとって生活に必要なものでした。鉄釜が入る前の人々は、土器の鍋などを使っていました。土の鍋は、もろかったということです。

明の皇帝洪武帝は、一三七四年、中山王察度王が再び進貢使者として弟泰期を遣わしたのに対して、*王暦《おうれき》および*幣帛《へいはく》を賜りました。また、李浩を遣わし、陶器七万と鉄釜一千口をもって、琉球の馬・硫黄を購入しました。

察度王にとって、中国の明との朝貢貿易は大きな利益をもたらしました。このように朝貢貿易での大もうけのことを「唐一倍《トウイチベー》」「唐商《とうあきない》」ともいいます。そして、中山王察度は、一年に一回は、朝貢貿易をすることができました。

察度王の中国・明《みん》との進貢貿易《しんこうぼうえき》

Q 朝貢貿易とは、どんな貿易ですか

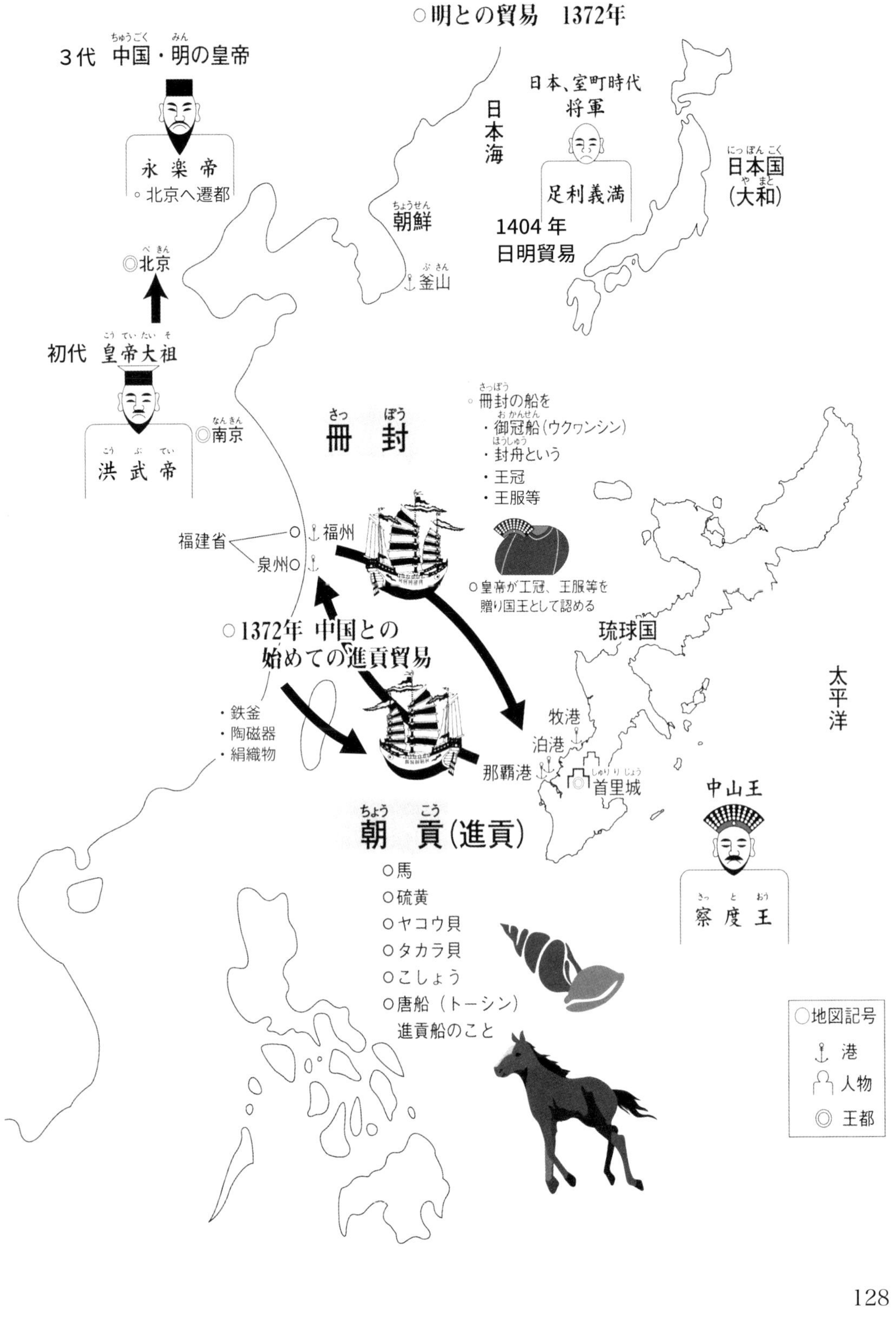

久高島、伊敷浜。ニライカナイへの御嶽

「御先」（ウサチ）
国王のニライカナイへの進拝所。

↓ 進貢。「唐旅」の根本にはニライカナイがある。
「寄満（ユインチ）」がある。

陶磁器の皿・碗・椀など。中国の陶磁器は、英語で『China』として知られる

琉球王国の大貿易時代の道をひらいたのは中山王察度です。明の陶器や鉄釜などとともに、中国から空手（唐手）・シーサー・三線などの文化も琉球国の伝統文化になりました。

今の沖縄文化のルーツは、察度王のころにあります。

察度王は、室町時代の将軍足利義満の「日明貿易」に先がけて、中国の明との朝貢貿易を始めました。

明の洪武帝は、なぜ察度王に、明との朝貢貿易をするように使いを送ったのでしょうか。それは、倭寇《わこう》という日本の海賊が中国や朝鮮の海岸で、お米や人をうばい取ったりしていて、たいへん困っていたからです。

そこで、洪武帝は、海禁策と言って中国の明の人々が外国と貿易をすることを禁じ、朝貢貿易を始めました。

ところで、察度王は、倭寇から明への進貢貿易の品物を守り、中国の皇帝へ届けました。察度王は倭寇からどのように貿易品を守ったでしょうか。

察度王は、一三八九年に高麗（朝鮮）へはじめて完玉子《かんぎょくし》を遣わしています。次の年に、倭寇がとらえた朝鮮人を高麗（朝鮮）へ送り返しています。それは、察度王が、倭寇に襲われることはなかったからです。

その後、琉球王国は、倭寇に備えました。

那覇港の入口の南側にある屋良座森城は、尚清王が一五五四年に

だんじゅかりゆし

1. だんじゅかりゆしや
いらでさしみせる
船《ふに》ぬ綱《ちな》とりば　風やまとむ
サーサー　かりゆし

○かりゆし・嘉例吉・おめでたい
○とも（艫）・船の後方・船尾←→舳（へ）
○まとも（真艫）　①船のまうしろの方向
②風が船の後方からまっすぐに吹くこと
○へ（舳）・船のさき・へさき・船首
（広辞苑）

＊首里ではクェーナで輪になって歌い踊る。
「唐旅」への思いがある。「首里クェーナ保存会」

・三重城＝ミーグスクで「新城」の意。

国を守るために、石垣の砲台を築きました。（南の砲台）

続いて、那覇港の入口の北側にある三重城にも砲台を築きました。（北の砲台）

次の尚元王は、一五五六年に倭寇を撃退したということです。

倭寇とは、初めのころは、日本人の海賊を指していたが、しだいに朝鮮人や中国人の海賊も倭寇と呼んでいます。

(2) 航海の時に、季節風と黒潮と羅針盤の力

中国の明への航海の時、当時の人々は、季節風や海流の力や星座・羅針盤をどのように活用したのでしょうか。

中国への進貢船は、行きは、那覇港を出発して、久米島からタイペイ（台湾の北）を通って中国の福州（福建省）へ着くことができました。帰りは福州（福建省）から那覇港へ直行しています。当時の船は、進貢船と言って、三本の帆で走る船です。進貢船は、季節風の力を三本の帆でうけて黒潮の流れで航海しました。

季節風とは、季節によって、毎年きまった方向から吹く風のことで、モンスーンともいいます。夏の季節風は、太平洋の南の国から中国大陸のある北へ吹く海の季節風です。進貢船は、この夏の季節風の力を帆に受けて、＊夏至南風《カーチーベー》（旧暦五月・新暦六月）のころに、中国から琉球王国へ帰ることができました。

また、冬の季節風は、中国大陸から太平洋へ吹きます。進貢船は、

福州園。那覇市と中国福州市との交流都市（久米二丁目）
福州は進貢使の拠点。1981年、那覇市と福州市は国際交流都市を締結した

・夏至南風（旧暦五月新暦六月）＝夏の季節風は太平洋の南の国から中国大陸のある北へ吹く季節風
・新北風（旧暦九月ごろ・新暦十月ごろ）＝冬の季節風は中国大陸から太平洋へ吹く季節風
・二月風回り＝旧暦二月の大しけの続く期間のこと

この冬の季節風が吹きはじめる＊新北風《ミーニシ》・旧暦九月ごろ（新暦十月ごろ）になると北風を受けて、琉球王国から中国へ行くことができました。

季節風と黒潮は航路にかかわっています。また、進貢船は、海流を活用しました。海流とは、いつもあるきまった方向に流れている海水です。暖流と寒流があります。

黒潮とは、フィリピンの東の方から、台湾と与那国との間から速さを増し、琉球諸島の西海岸をとおり、本州の東の方から海岸にそって北上する暖流です。これが黒潮の本流です。日本海流ともいいます。また、屋久島の西から分流して、九州の西の方から北上します。これが、対馬海流となり、日本海へ入ります。

進貢船が、台湾と与那国との間の北上する黒潮を乗りきるには、船の舵のとり方や帆の張り方などの技術もたいせつでしょう。

黒潮の流れとともに、南の島のやしの実やフェーヌシマ（南島踊）・稲作の種子取《たねとり》・綱引きやウンジャミなどのニライ・カナイの文化が琉球王国に伝わりました。これらの文化は、黒潮文化として、沖縄の『南島文化』を固有のものとしました。

また、黒潮は、反流して北から南へとも流れます。北の文化が南へ伝わっていることもあります。

琉球王国のそのころの中国の旅は、台風や＊二月風回り《ニングヮチカジマーイ》（新暦三月）など命がけの旅でした。

命がけの旅は、「唐旅《トウタビ》」と言われました。海はこわいものであると

中国・明への航海時の季節風と黒潮

Q 航海の時は、季節風と海流の力をいかに生かしているか

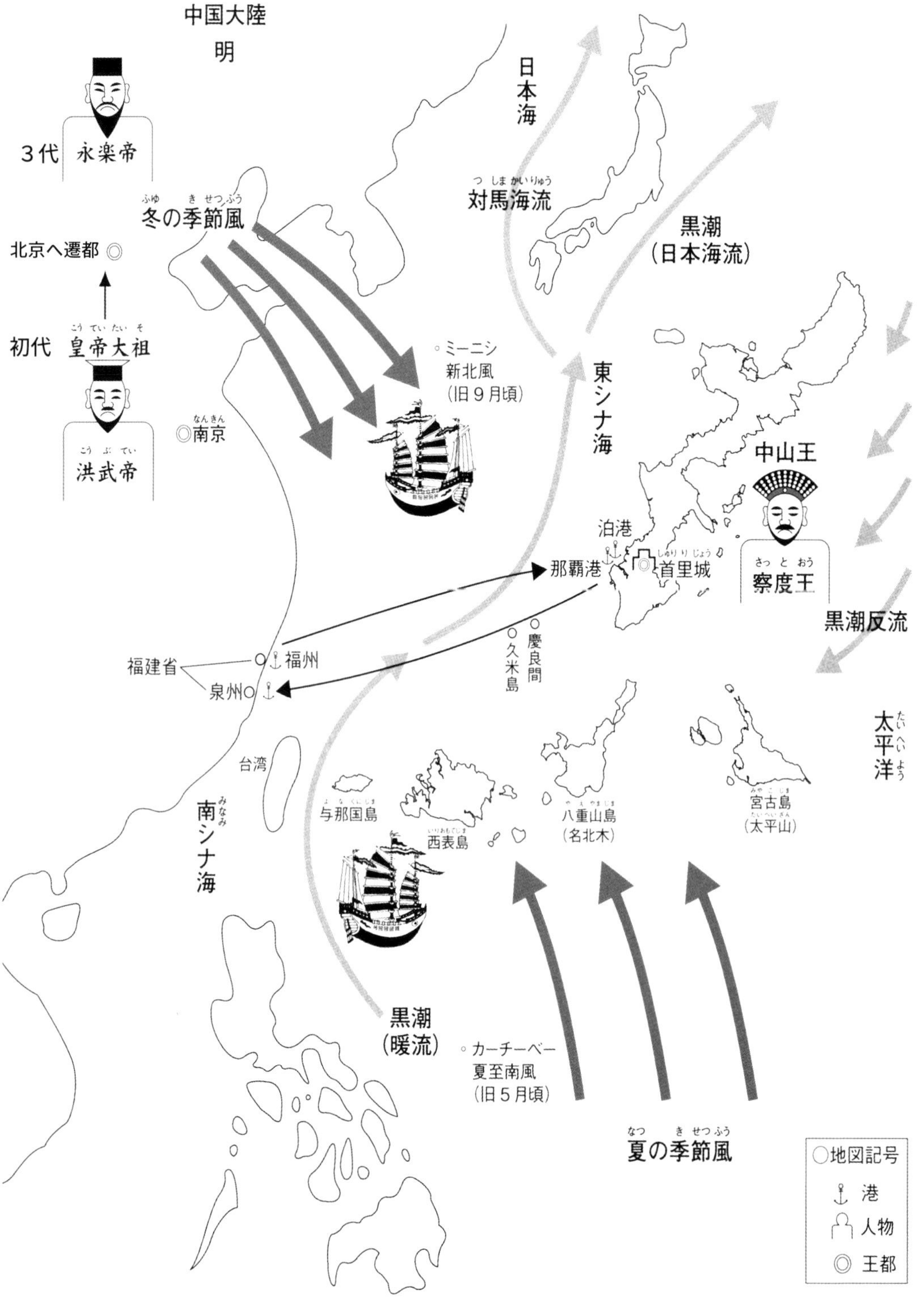

航路の開拓

1492 年　コロンブス→スペイン女王の援助
1498 年　バスコ＝ダ＝ガマ→ポルトガル王の命
1519 年　マゼラン→スペイン王

◎中国の三大発明

1．羅針盤
2．火薬
3．印刷術

- 宋の時代には、実用化した
- イスラム世界を通してヨーロッパに伝わった
- 中国の羅針盤を改良して、ヨーロッパの大航海時代が始まった
- 南蛮・東南アジアの胡椒を求めて進出した

方位

◯明の羅針盤
・方位の十二支

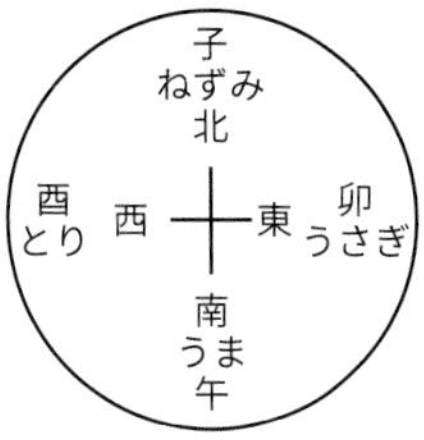

◯方位（沖縄語）
・東は「あがり」
・西は「いり」
・南は「ふぇー」
・北は「にし」

◯夜走らす船や北極星目当て

ともに、琉球王国の人々は、海は幸せを運んで来るものというニライ・カナイの信仰をもっていました。また、オナリ神信仰とは、姉妹が兄弟の安全を守るという信仰です。

また、当時の人々は、*北極星などの星座をたよりに方位をたしかめ航海しました。*羅針盤は、十一世紀後半に中国で発明されました。火薬、木版印刷と並ぶ中国の三大発明の一つです。十四世紀の察度王の進貢船も、この羅針盤を使って中国へ航海したことと思われます。

中国の明の時代の鄭和《ていわ》は、一四〇五年から七回にわたり、大艦隊を率いて、海のシルクロードである南シナ海・インド洋・アラビア海をとおって、アフリカの東海岸へ着きました。アフリカからキリンなどをもってきました。

鄭和は、明の皇帝への進貢を諸国にすすめました。

中国の羅針盤は、ヨーロッパに伝わり、改良されました。ヨーロッパの大航海時代の始まりです。*コロンブスの北アメリカの発見・*バスコ＝ダ＝ガマのインド航路の開拓・*マゼランの世界一周のもとになりました。そのころの琉球人は「レキオ」（ポルトガル語）と呼ばれました。

(3) 察度王が南蛮貿易を始める

南蛮とは、シャム（タイ王国）・ジャワ（カラハ）・マラッカなどの東南アジアの国々をさします。南方との貿易を「カラハ旅」とい

唐《とう》船《せん》のつくりと各部のなまえ

※唐船《トウセン(トウシン)》は進貢船とも言われます。唐《トウ》とは中国のことです。中国と行き来する船のことを唐船といいます。

進貢船の長さ 35.7m　◦船巾 9.7m

◦進貢使・明代約 300 人・清代約 150 人

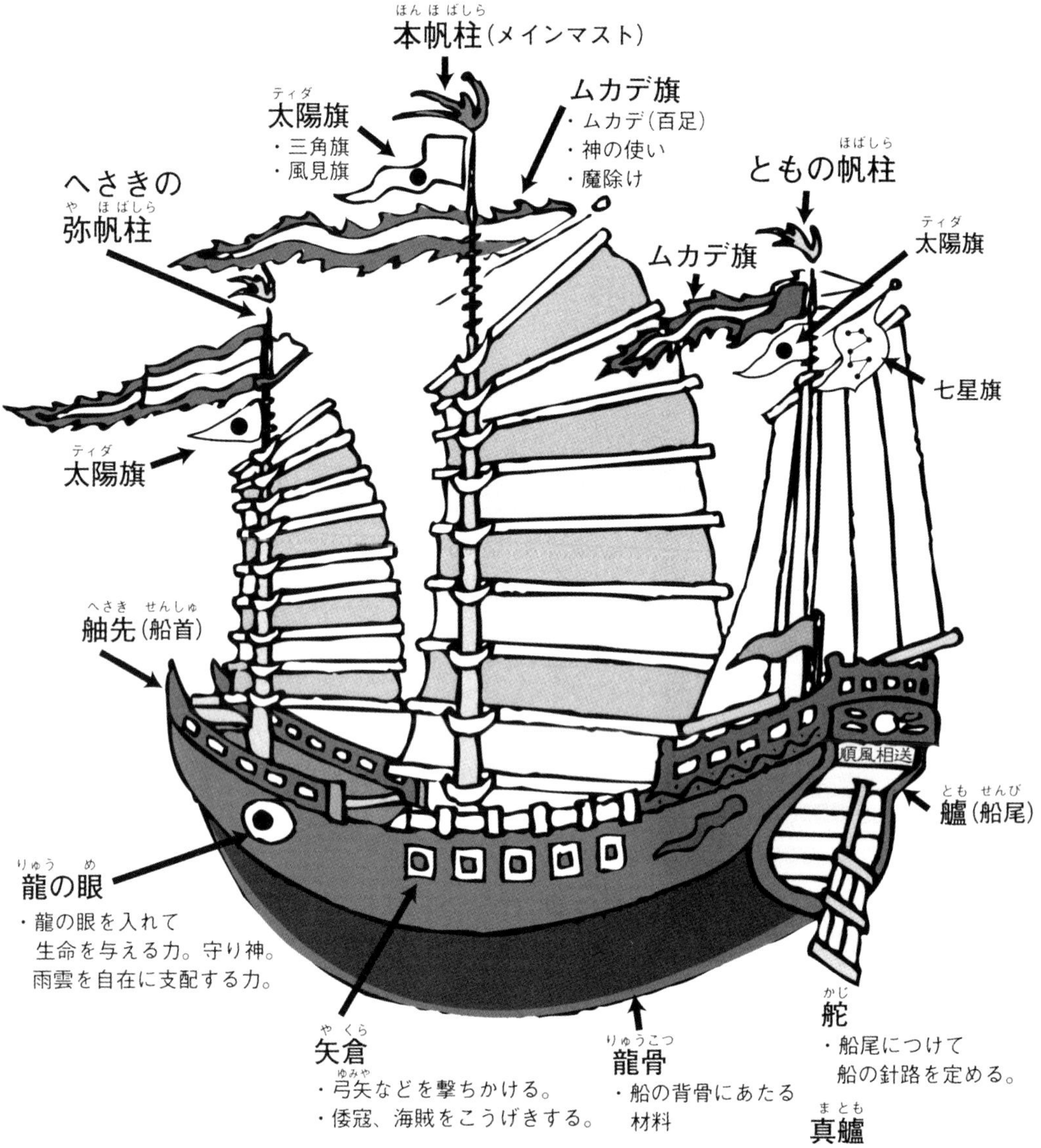

◎所蔵　沖縄県立図書館東恩納文庫「唐船図」解説

◎比嘉政夫著『沖縄からアジアが見える』

以上を参考に作成した。

・船《ふに》に綱《ちな》とりば風《かじ》やまとむ

・暹羅＝今のタイアユタヤは貿易港
・南蛮＝漢民族の古くからの中華思想で南方の異民族。
・北狄＝蒙古などの遊牧民族
・尚巴志からシャムへの咨文＝曾祖は察度（曾祖は祖父の父）。祖王は武寧（祖王は祖父）。先父王尚思紹(先父は死亡した父)
・咨文＝国王への公文書（沖縄県教育委員会）
・胡椒＝ペッパーともいう。インド原産。古くからアジア各地で栽培。白コショウ・黒コショウ

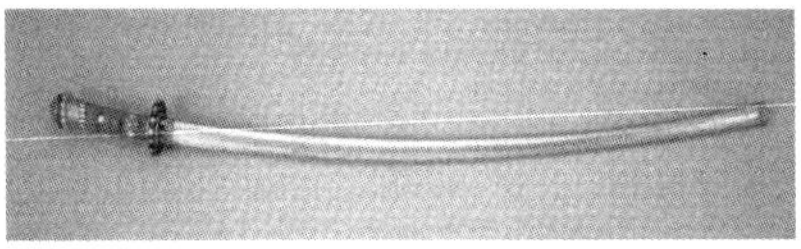

千代金丸

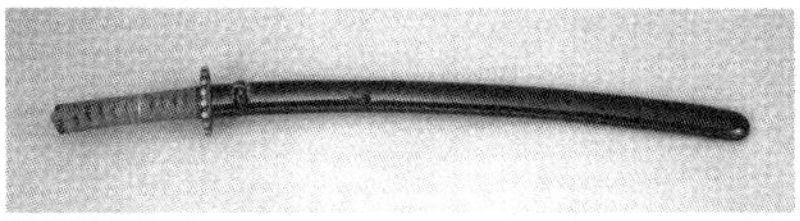

治金丸

日本刀・尚家に伝わる宝刀　千代金丸・治金丸（那覇市歴史博物館提供）

いました。カラハはヤシの木の意味です。

古く中国は、南方の国々を南蛮と言っていましたが、後にポルトガル人やスペイン人のことを南蛮と言うようになりました。

察度王は、一三八七年洪武二〇年（『歴代宝案』）シャム（タイ王国）と南蛮貿易をして、南方の特産物である①胡椒（からい、粉にして料理に使う）②蘇木《そぼく》（染めものの原料になる。漢方薬の材料）象牙（象のきばで彫刻する材料などにする）などを中国の明への重要な貢物としました。

察度王は、中国の絹糸や陶器（やきもの）などや日本刀や扇・銅・砂金などを南方の国々（南蛮）に売りました。そして、南方の胡椒や蘇木・象牙・更紗《さらさ》（絹や絹地に花鳥などをプリントした布）・シャム酒（泡盛のルーツ）を手に入れ、日本や明との貿易に備えました。

察度王は、室町幕府の将軍足利義満のころ、南方の胡椒や蘇木などを坊津（鹿児島）・博多（北九州）兵庫・堺の商人に売りました。日本からは、日本刀や金扇《きんせん》・銅などを手に入れて、明や南蛮貿易に備えました。そして、明からは、絹糸や陶器などを、日本からは、日本刀などを手に入れるという「中継ぎ貿易」を始めました。

南方の胡椒は、ヨーロッパでも貨幣《かへい》（お金）の代用となりました。

ヨーロッパでは、肉料理をするために、胡椒は、肉のにおい消し、防腐などからも欠かせないものです。また薬にもした宝物です。胡椒は、西洋料理にも愛用されました。バスコ＝ダ＝ガマが、一四九八

琉球国中山王察度が日本との中継ぎ貿易（日琉貿易）

○1338年
察度・浦添按司となる ⟷ ○1338年
足利尊氏・征夷大将軍となる

○1372年
察度王・明と朝貢貿易 ⟷ ○1404年
将軍足利義満が日明貿易で栄えた

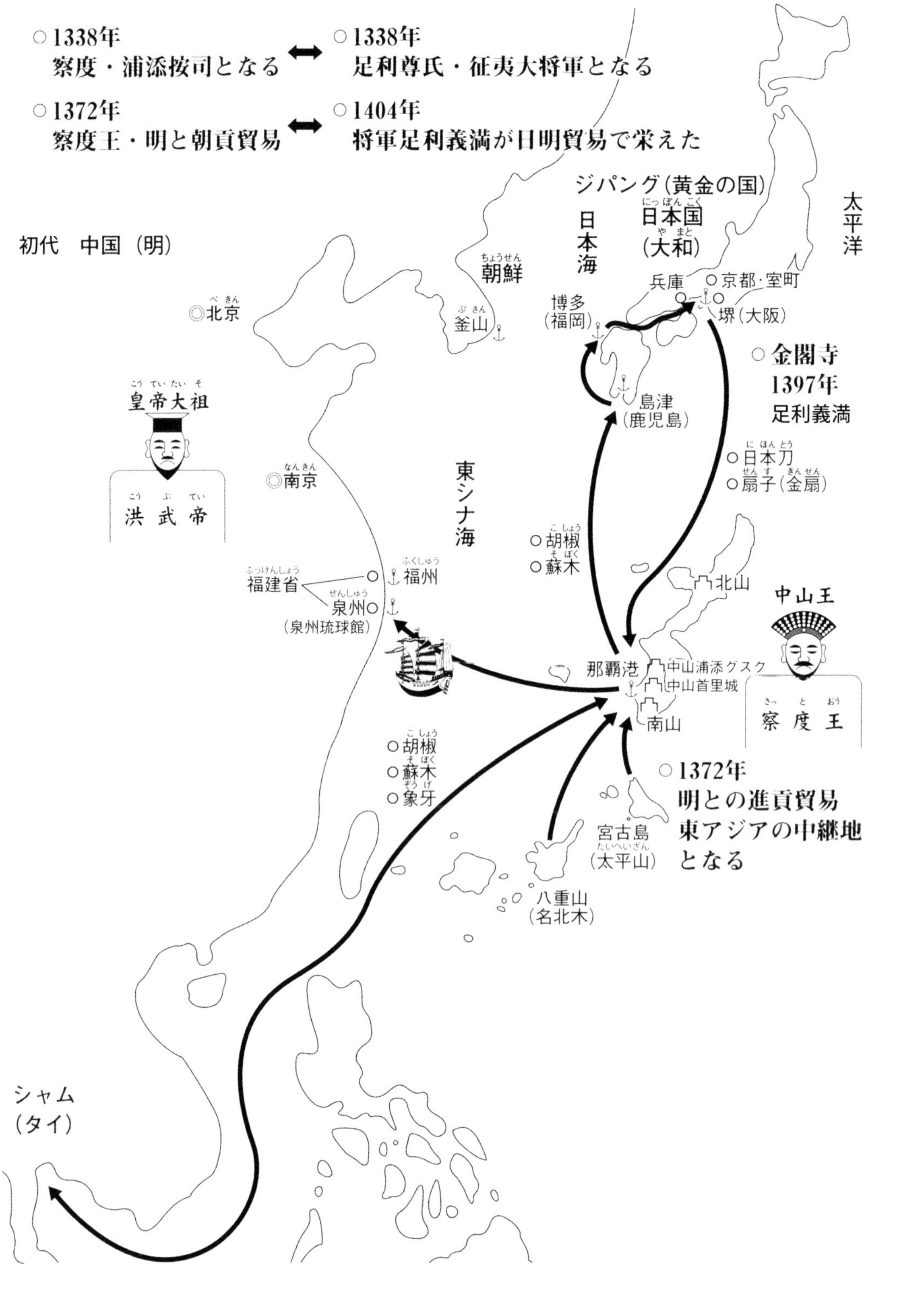

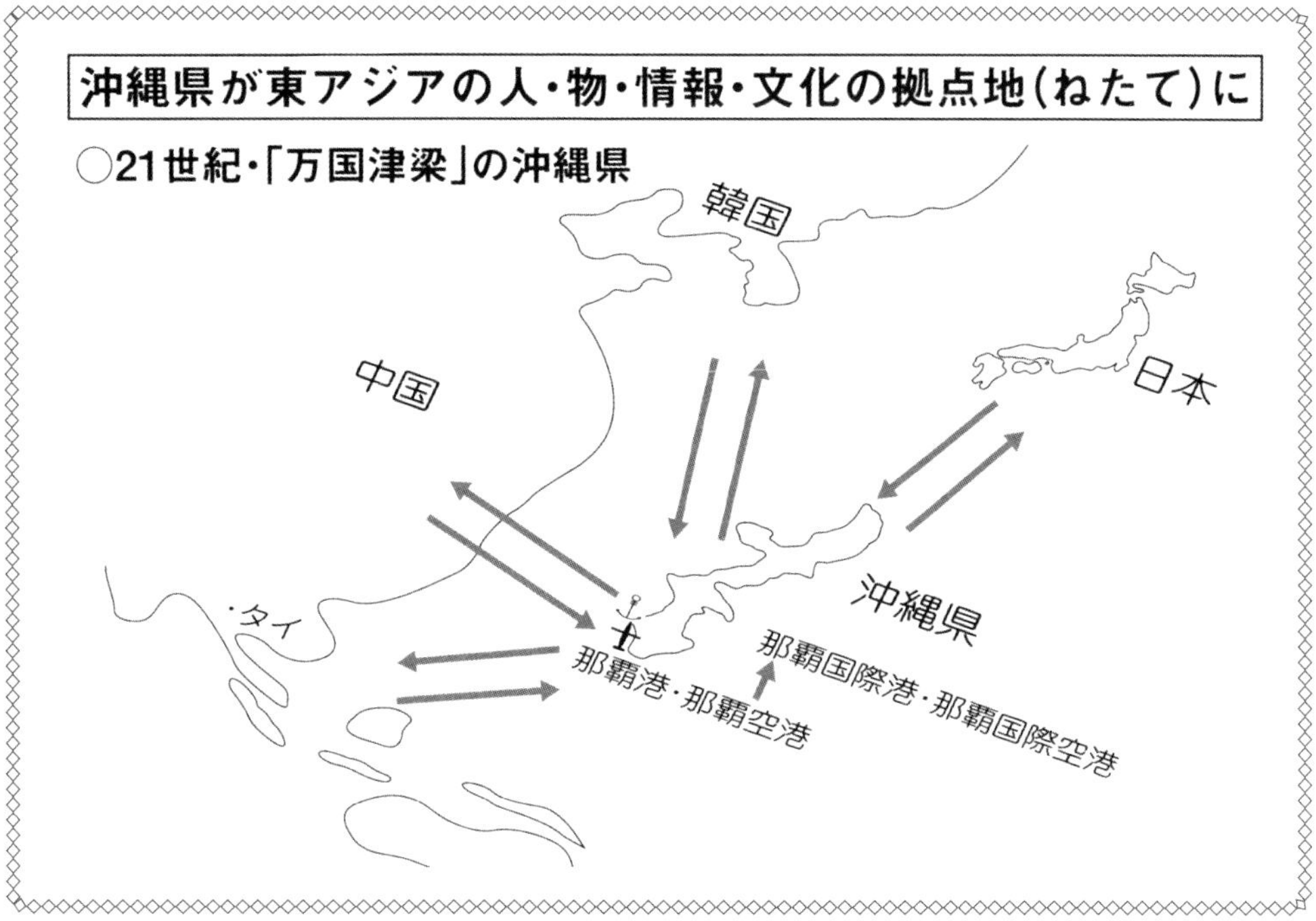

年にインド航路の開拓者となり、ポルトガルが胡椒などのスパイスを求めて、東南アジアへの大航海を始めました。

ヨーロッパでは、インド原産の胡椒などの香辛料を求めて、ポルトガルやスペインがインド洋・アジアへと大航海を始めました。ヨーロッパの大航海時代の始まりです。

胡椒を英語でペッパー（pepper）といい、胡椒などの香辛料をスパイス（spice）と言っています。大航海時代の航路は、胡椒（pepper）の道に始まります。ペッパーが世界史を動かす力のもとになります。

察度王は、南方の胡椒を明や日本・朝鮮と中継ぎ貿易をしました。

察度王は、琉球王国の大貿易時代の開拓者です。

また、今のかりゆしウェア（Kariyushi Wear）のもとは、察度王の中国の明への進貢や南方ともかかわっています。察度王は、中国の明へ琉球国の織物である生熟夏布である芭蕉布・苧麻の布を進貢した人といわれています。芭蕉布や苧麻の布は、琉球絣や紅型・上布などの布地です。

琉球絣は、十四世紀ごろインドやジャワなどから琉球へ伝わったと言われています。紅型もインドの更紗が琉球に伝わったと言われます。

一三八七年ごろ、琉球国中山王察度が南蛮貿易を開拓し、シャムと中継ぎ貿易をしたころです。

かりゆしウェア（Kariyushi Wear）は、芭蕉布や上布などに琉球

琉球国中山《ちゅうざん》王《おう》察度《さっと》の中継《なかつ》ぎ貿易《ぼうえき》

Q 中継ぎ貿易とは、どんな貿易ですか

○1387年頃、察度王が南蛮貿易を開拓

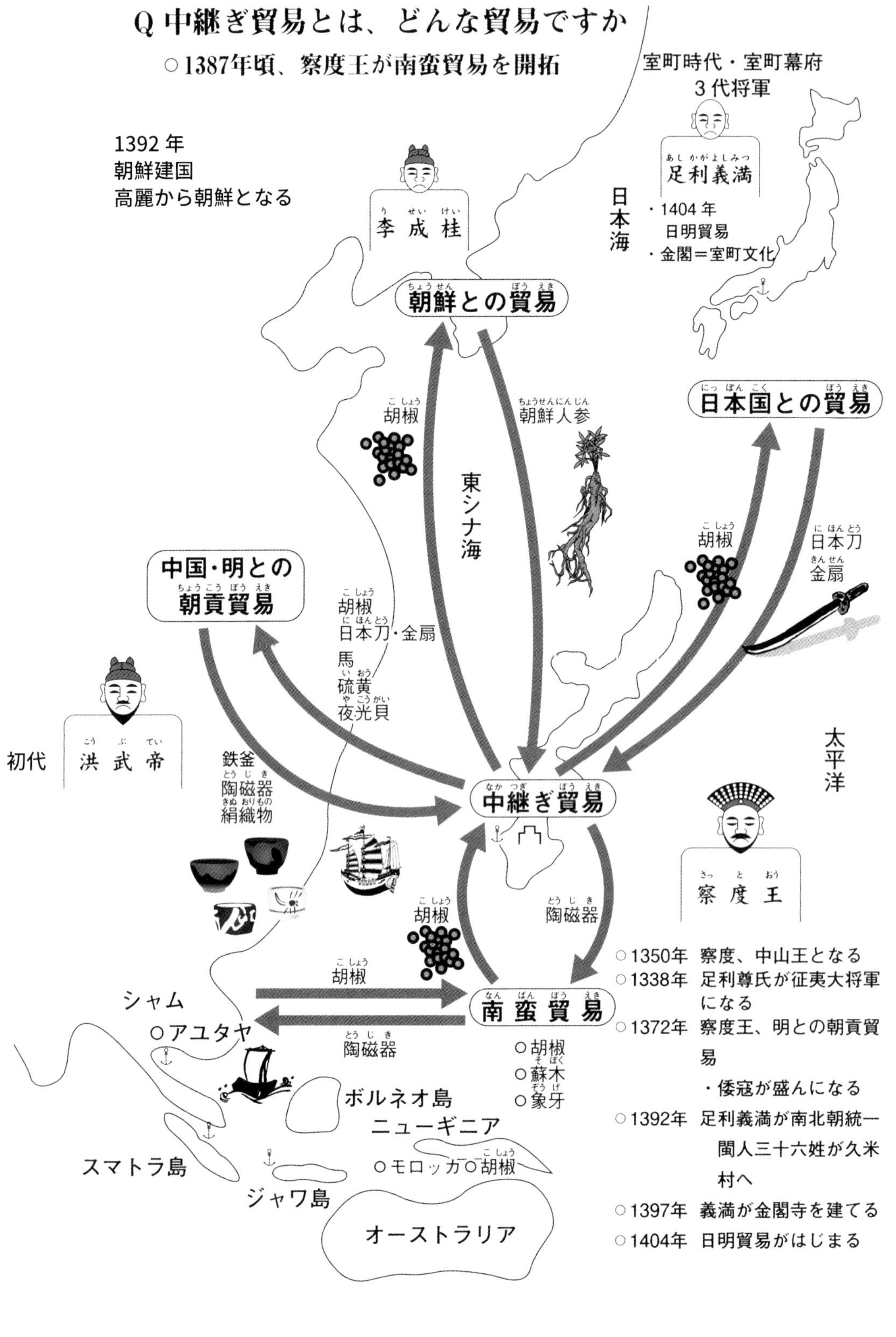

察度王の胡椒《こしょう》（Pepper《ペッパー》）の道とポルトガル

Q 察度王は胡椒をどこの国と中継ぎ貿易をしていますか

○ポルトガルが胡椒を求めて東アジアにくると、琉球王国の貿易は、どうなるでしょうか。

○察度王の航海 ――→

シャム（タイ）南蛮航路　1387年

・胡椒 ●

○バスコ・ダ・ガマのインド航路の発見 ➡➡➡

ポルトガルが胡椒を求めて東アジアに進出する　1498年

・胡椒 ●

絣や紅型などをもとに工夫し、つくられています。涼しくて着ごこちがよく、クールビズ(Cool Biz)として、今や沖縄のブランド(Brand)です。六月一日はかりゆしウェアの日。

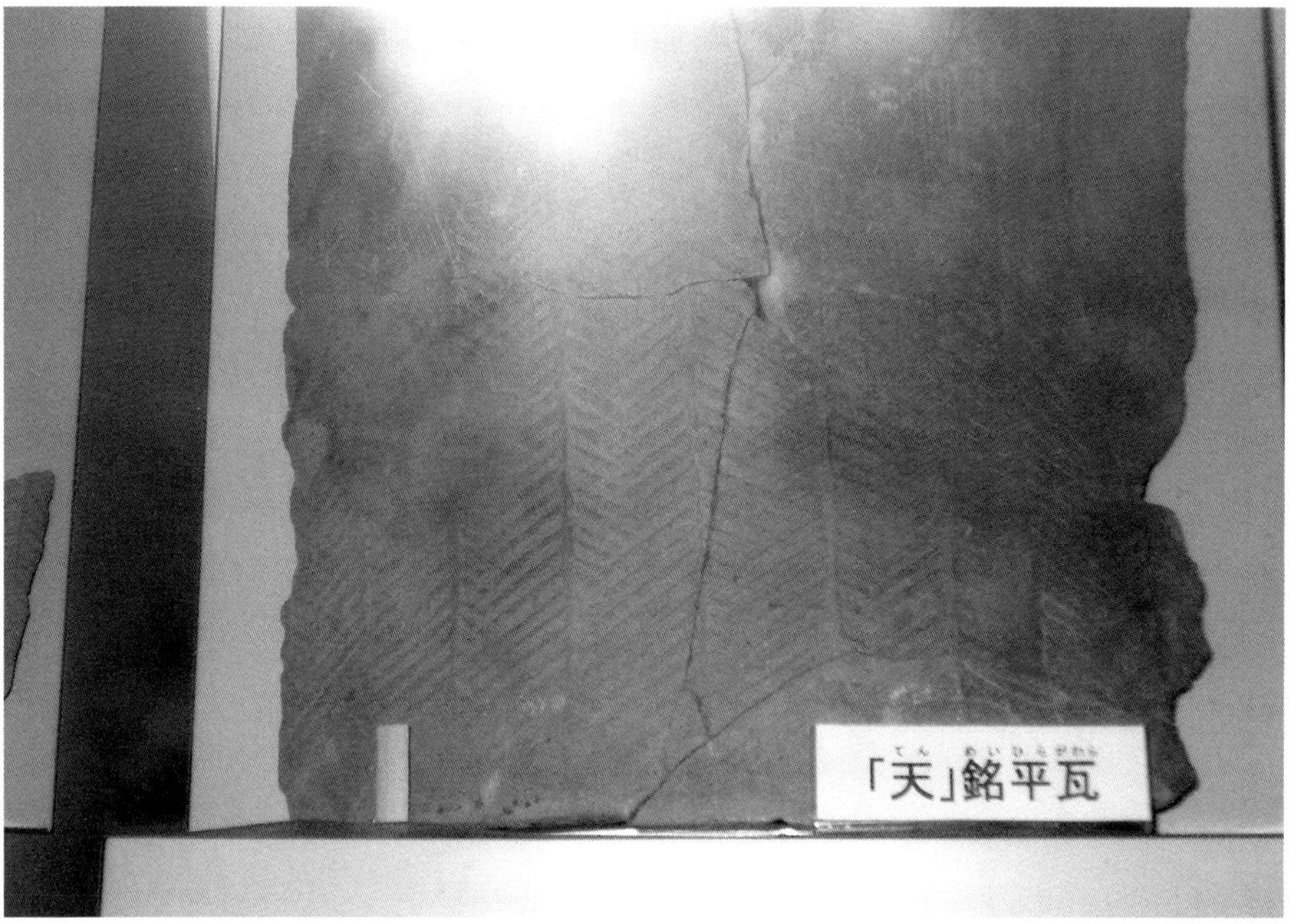

高麗瓦「天」銘平瓦　<浦添市教育委員会提供>

(4) 察度王は、朝鮮（高麗）と貿易を始めた

勝連城・浦添城・首里城の瓦は、「高麗瓦」と言われています。

察度王のころにも、「高麗瓦」は、つくられたと言います。つまり、高麗瓦でつくられているということは、朝鮮と関係があるということです。

察度王は、一三八九年に、高麗へ完玉子《かんぎょくし》をつかわし、胡椒・蘇木・硫黄・象牙などを献上しました。また、察度王は、倭寇から朝鮮人を引き取り、朝鮮へ送り返しました。一三九二年にも、使者を朝鮮へつかわしました。一三九二年は、李朝建国の年です。朝鮮王朝を建国しました。一三九七年と一四〇〇年にも朝鮮へ使者をつかわしています。

李朝は、仏教をたいせつにし、中国における仏教経典のまとめである大蔵経《だいぞうぎょう》をつくりました。

琉球国王尚泰久は、大蔵経を朝鮮に求めました。

仏教の経典とは、お釈迦さま（ブッダ）の教えを書いた本です。

仏教の経典をさがし求めて、唐の三蔵法師玄奘《げんじょう》がインドへ旅している途中に、孫悟空が従ったという話が、明の時代の『西遊記』と

コーレーグス・トウガラシ

コーレーグスのつくり方

泡盛（30度）に島とうがらしを3ヶ月つけておくとできる。さらに新しいとうがらしを入れると風味がよくなる。

トウガラシの道

・熱帯アメリカ原産
1レッドペパー→Red Peppper
2唐辛子
3南蛮胡椒
4高麗胡椒
5番椒
6コーレーグス（沖縄語）
7宮古・八重山クース

高麗人参

いう小説にあります。

琉球国中山王察度は、朝鮮王朝に南方の胡椒などをおくりました。朝鮮は、*朝鮮人参や麻布などの特産物でも知られています。

朝鮮人参は、薬用植物として知られています。体の調子をよくすると言われています。今でも朝鮮人参は、たいせつな健康食品です。

また、コーレーグスで知られる高麗胡椒は、察度王の胡椒とともに大切な唐辛子です。

Q1．コーレーグスということばを聞いたことがありますか。

コーレーグスとは、高麗胡椒のことです。また、*トウガラシ（唐辛子）ともいいます。コーレーとは高麗のことです。英語ではコーリャ（Korea）です。今の朝鮮のことです。宮古語でクースゥは、とうがらし。トウガラシは発刊作用があり、朝鮮料理には欠かせないものです。沖縄そばなどにコーレーグスを入れるとおいしくいただけます。

Q2．コーレーグスのルーツは、どこでしょうか。

コロンブスは、一四九二年にアメリカ大陸の西インド諸島、バハマ島、サン・サルバドル島に上陸しました。コロンブスは、西へ西へと行けば、インドに着くと信じていました。四回の航海で、イスパニョーラ島・キューバ島・パナマ・ホンジュラス（メキシコから南）などへ着きました。コロンブスは、アメリカ大陸からレッドペパーなどをスペインへ持って帰りました。コロンブスは、スペインのイザベル女王の援助で航海をしていました。

琉球国中山王察度の朝鮮との中継ぎ貿易

Q 察度王は、朝鮮とどんな貿易をしましたか

○高麗と貿易をした　1389年

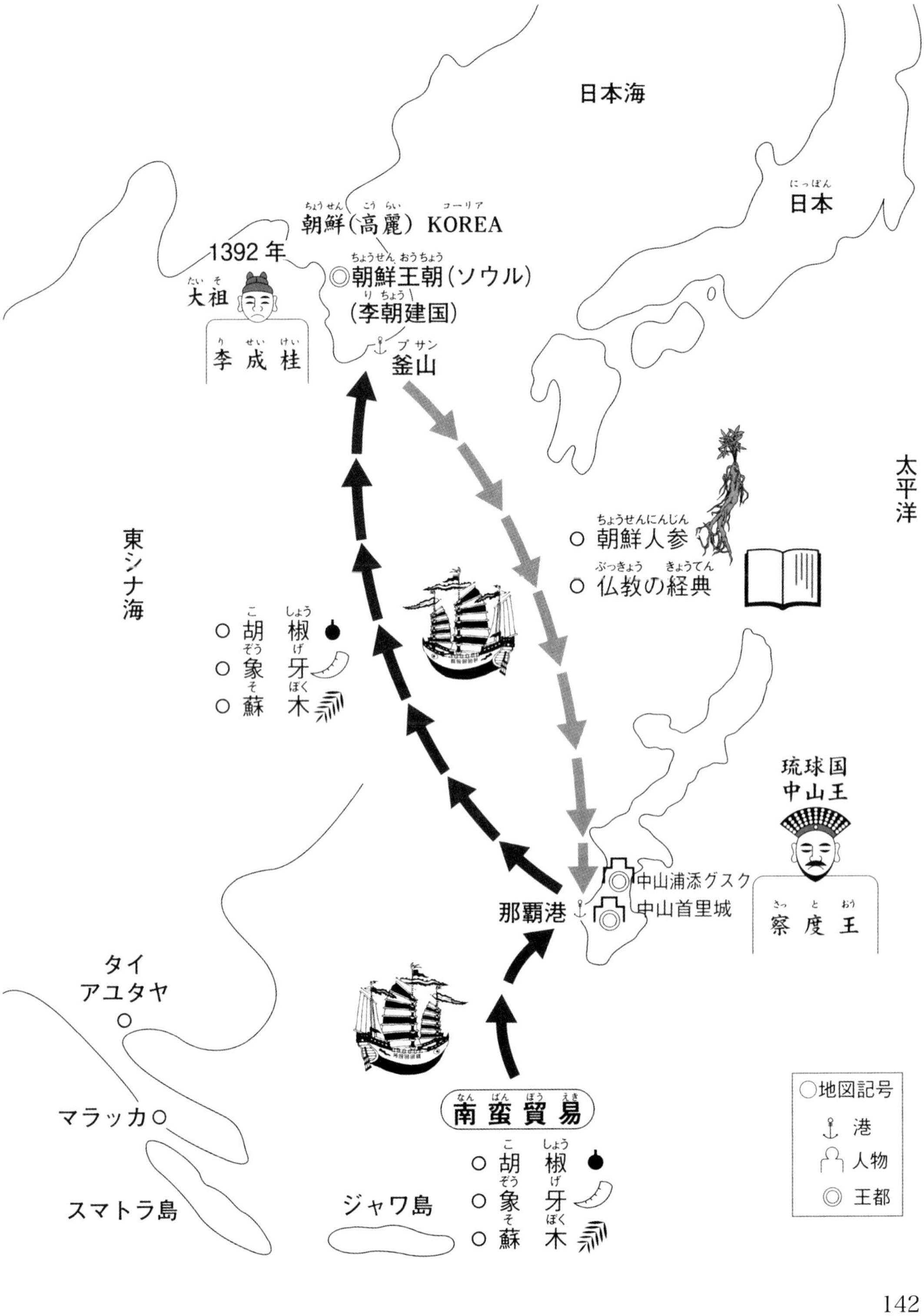

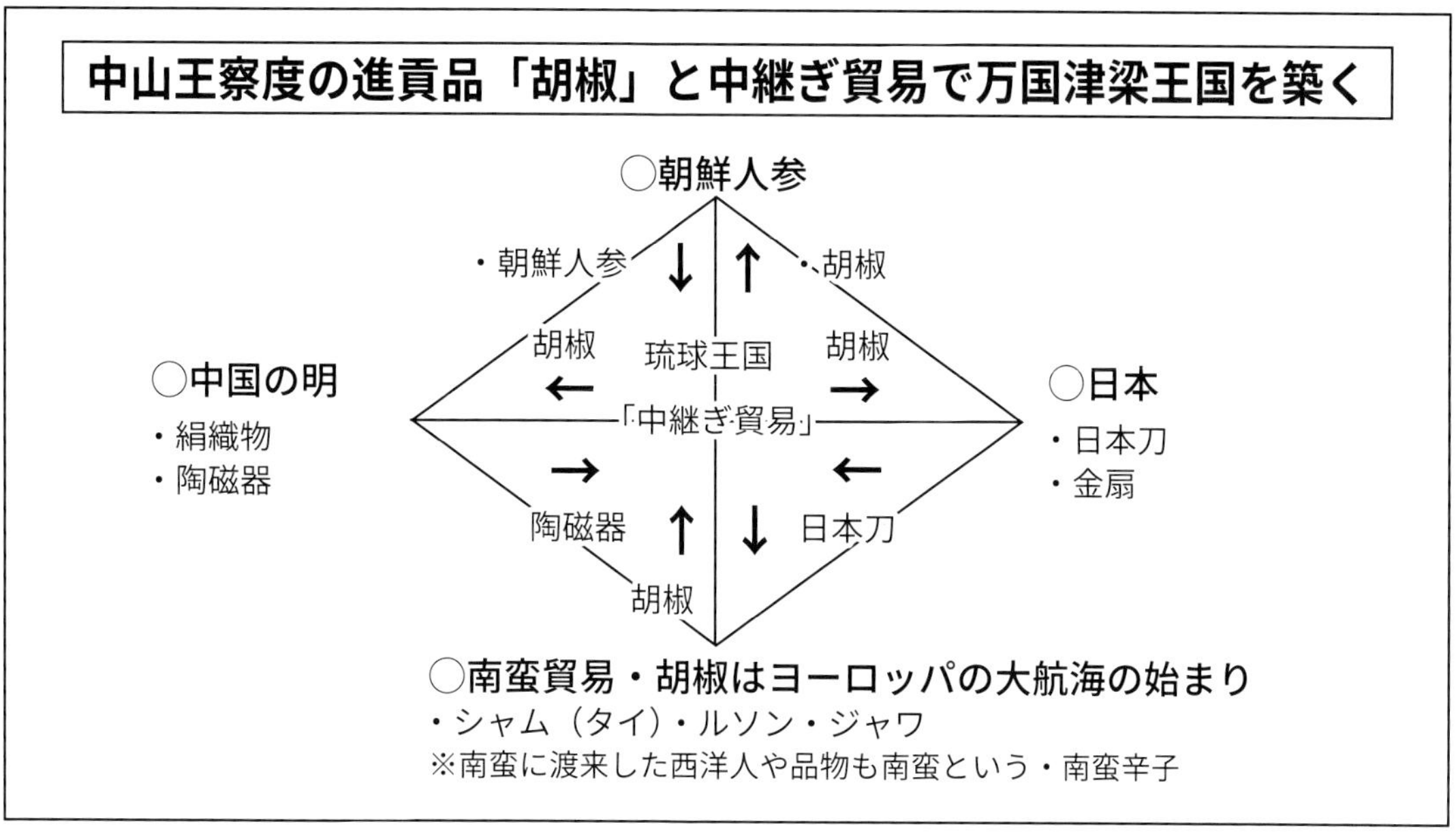

そのころ、ポルトガルは、バスコ＝ダ＝ガマによるインド航路の開拓により、東南アジアへの大航海を始めました。

コロンブスやバスコ＝ダ＝ガマは、インドへ行くのに地中海を通らないで、なぜ大西洋やアフリカの南部を通って大航海を始めたのでしょうか。イスラムとの関係があります。

Q3．なぜコーレーグスと言われるのか。

『琉球国由来記』（一七一三年）によると、「番椒《はんしょう》（トウガラシ）」は、秀吉の朝鮮出兵の帰りに、日本へ持ってきました。琉球へは、薩摩（鹿児島県）から持ってきました。それで、高麗胡椒ということです。

高麗胡椒・コーレーグスは、琉球料理の沖縄そばなどのスパイス・香辛料としてよく使われています。また、コーレーグスは、高麗と言われるのはなぜか。高麗胡椒は、朝鮮のキムチなどの料理がヘルシーで食欲をますことなどでも、人々によく知られています。

また、トウガラシは、「唐辛子」とも書きます。レッドペパーは、ポルトガル（「南蛮胡椒」）から唐（中国）へ伝わったので「唐辛子」とも呼ばれています。

中華料理・四川の麻婆豆腐などにもトウガラシが使われています。

わたしたちの食卓にあるコーレーグスのルーツは、コロンブスが発見したアメリカ大陸の西インド諸島・メキシコにあります。

そして、ポルトガル人が東南アジア（南蛮胡椒）から中国（唐辛子）へ伝えました。さらに、朝鮮（高麗胡椒）から日本・薩摩から琉球（番

コーレーグス(Koreegusju)の道・コーレーグスロード

Q トウガラシは、なぜコーレーグスというのか？
トウガラシのルーツをたどってみよう。

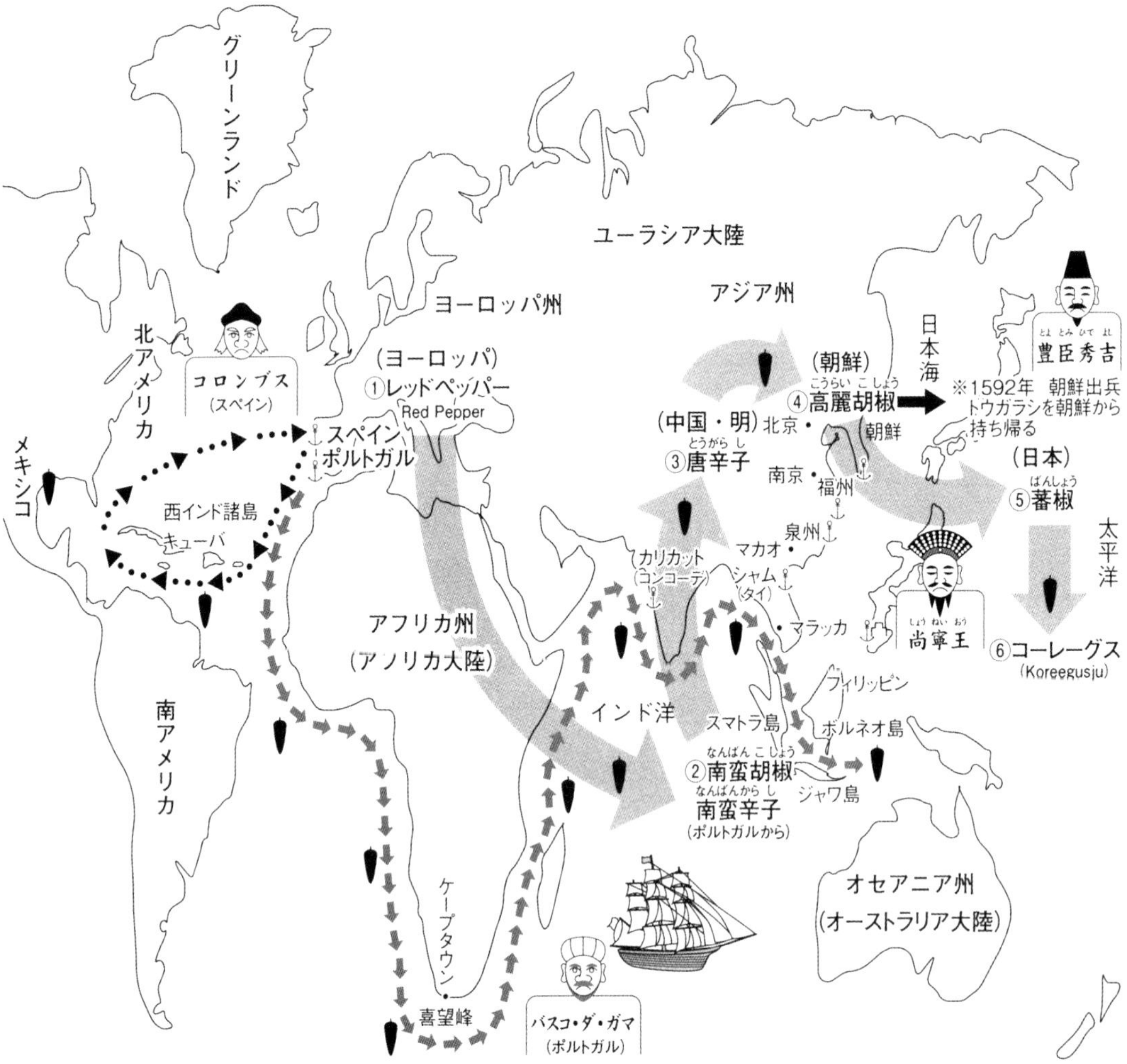

○コロンブスの航路　アメリカ大陸発見　・・・▶・・・▶
1492年　スペインの女王スポンサー
トウガラシを西インド諸島からスペインに持ち帰る
ヨーロッパに広まる
○バスコ・ダ・ガマのインド航路の発見　➡➡➡
1498年　インド航路の開拓者
トウガラシをポルトガルがアジアに広める

蔡温具志頭親方文若頌徳碑（久米崇聖会）。蔡温は唐名（からな）沖縄名は具志頭親方。少年のころは友だちにバカにされていたが、勉強に励んで尚敬王の先生となった。三司官となる。

久米村発祥の地（那覇市松山公園）。久米村は沖縄語でクニンダ

椒）へも伝わりました。

番椒《ばんしょう》は、沖縄語でコーレーグスといいます。コーレーグスはアメリカやヨーロッパとアジアを結びつけました。コーレーグスで結ばれた道は、コーレーグス（Kooreegusju）の道と呼ぶことができます。

(5) 久米三十六姓が那覇に移り住む

久米三十六姓という人々は、閩人といわれた人々です。中国の福建省から、那覇の久米村に移り住んだ人々です。久米村は、唐栄ともいわれます。

閩人三十六姓は、察度王が中国の明との貿易のために、皇帝から賜った人々です。当時は、進貢船で中国に行くので、船長や船大工・航海術を持った人々や通訳のできる中国の人が必要でした。

また、中国語がアジアの共通語でした。

閩人三十六姓が久米村に住んだのは、一三九二年で察度王が七十二歳の時でした。閩人は、福建省福州県を主として閩地方から来琉しました。久米村人《クニンダチュ》の働きが、中国との進貢貿易をさかんにしました。

さらに、久米村は、察度王の朝鮮・シャムなどの南蛮貿易にも文書づくりや航海通訳などで大きな活躍をしました。

久米村からは、具志《グシ》頭《チャン》親方《ウェーカタ》蔡温や名護親方程順則などの琉球王国のリーダーたちが多く出ました。

蔡温は、父蔡鐸《さいたく》が漢文で書いた『中山世譜』をさらに改めました。

大成至聖先師孔子造像（久米宗聖会）
国道58号沿い久米二丁目にある

護親方程順則聖人像　（名護市博物館正面口　前田真之提供）

『歴代宝案』第一集（一六九七年）に、王府は蔡鐸に命じて編集させました。蔡温は、尚敬王の先生となり、三司官としても力になっています。今でも蔡温松や羽地川の改修などの事業で知られています。また、程順則は、『六諭衍義《りくゆえんぎ》』で知られています。

「六諭」は、中国・明の初代皇帝太祖が掲げた道徳の手本です。①孝順父母《ふぼこうじゅん》②尊敬長上《ちょうじょうそんけい》③和睦郷里《きょうりわぼく》④教訓子弟《していきょうくん》⑤各安生理《かくせいりあんぜよ》⑥母作非為《ひいきをするな》（久米崇聖会「六諭衍義大意」）

程順則によって一七一八年に沖縄で初めての学校である明倫堂が、久米村の孔子廟内にできました。六諭衍義は、将軍徳川吉宗に贈られ、寺子屋でも教科書として使われました。

久米三ー六姓の子孫たちは、孔子廟を一六七六年久米村に建てました。孔子廟とは、中国の聖人である孔子の霊を祀った所です。孔子の「論語」は、儒教のもとになりました。

また、久米三十六姓は、中国の音楽である三弦を伝えました。琉球では、三弦をサンシンとして、今日の琉球の伝統文化として築きあげました。

更に、久米村には、天妃宮があります。天妃宮には、航海安全を守る女の神様である媽祖《まそ》（天妃）をまつり、上下二つの天妃宮がありました。下天妃宮は、西消防署近く。天使館となりにあります。

一三九二年渡来した閩人三十六姓には、航海技術者も多く、彼らが天妃宮を建てたと考えられます。進貢船には、天妃の分身を携帯して、

察度王の頃の久米村と那覇港の今昔

Q 察度王が那覇港に移住させた久米三十六姓はどんな働きをしたでしょうか。

○久米三十六姓が移住した　1392年

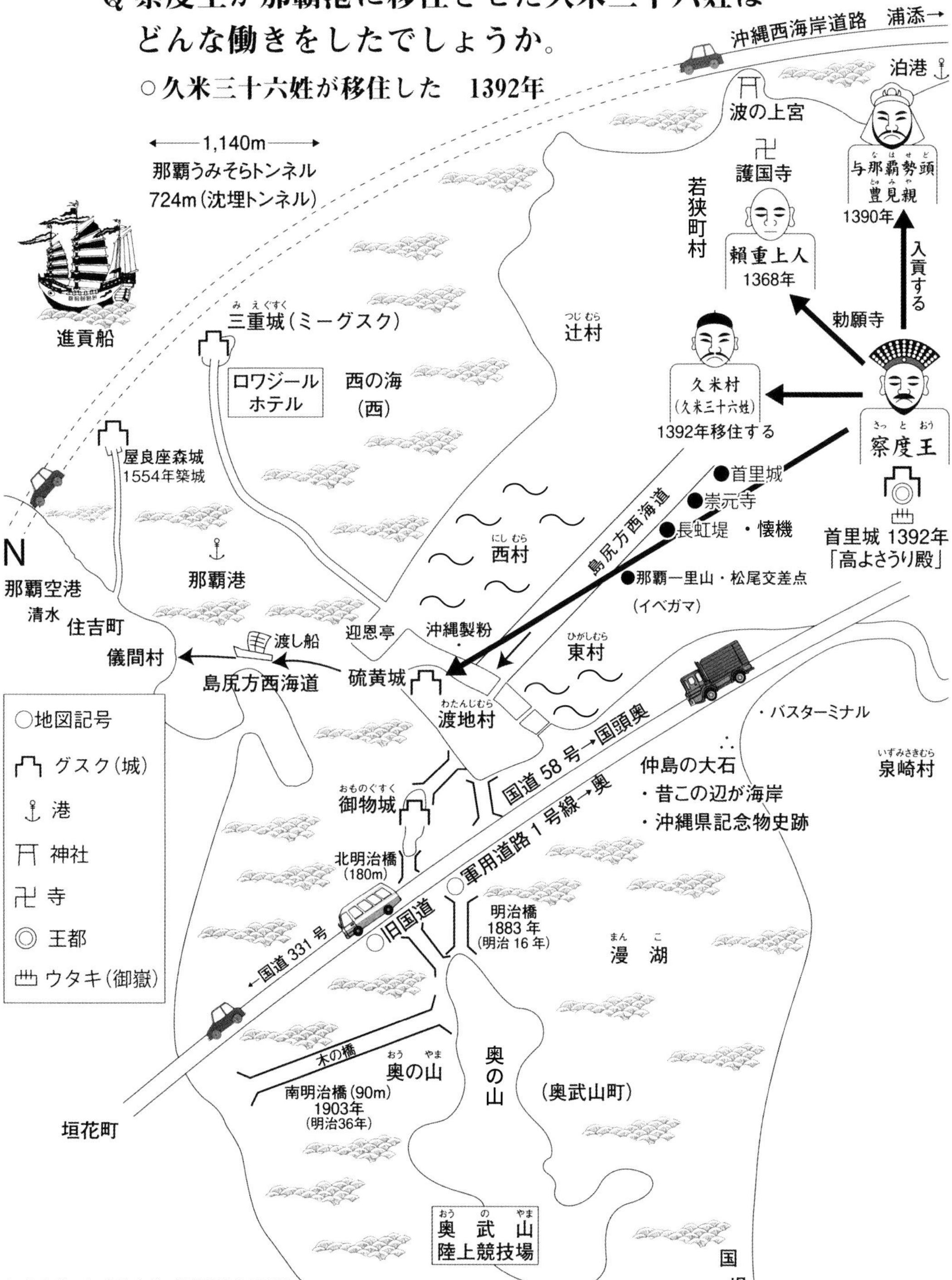

参考文献　嘉手納宗徳『那覇読史地図』
沖縄県教育庁文化課『沖縄県歴史の道調査報告書Ⅳ・島尻方諸海道・首里・那覇の道』
沖縄タイムス社『沖縄大百科事典』、沖縄風土誌刊行会『明治初年の那覇』
を参考に作成した。

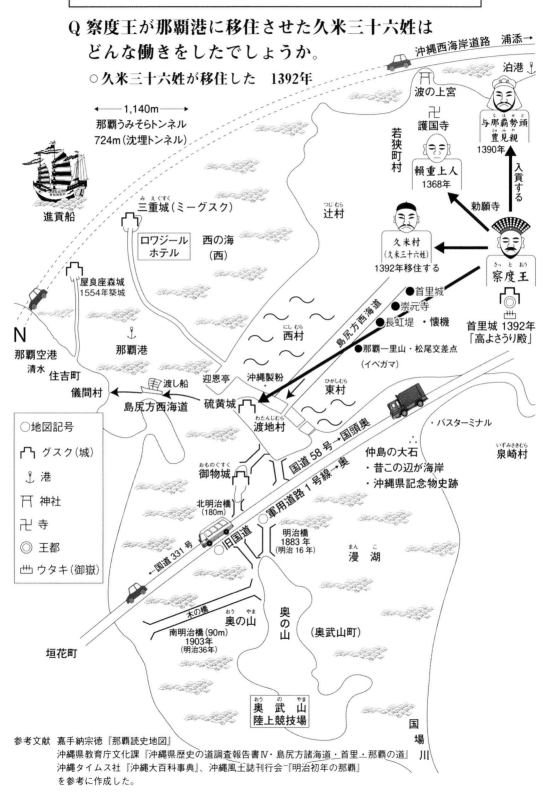

察度王が移住させた久米三十六姓の仕事

Q 久米三十六姓はどんな仕事をしたでしょうか

◎通事《つうじ》
・通訳(つうやく)の仕事
・中国語と琉球語が話せる人

◎久米村総役
◎長史《ちょうし》
・進貢、冊封などの責任者

◎紫金大夫《しきんたいふ》(親方《ウェーカタ》)
・謝恩使
・慶賀史

◎外交文書《がいこうこうぶんしょ》の作成係《さくせいかかり》
・中国皇帝への手紙などを書く人
・漢字筆者(かんじひっしゃ)

◎正議大夫《せいぎたいふ》
・進貢使の副使

進貢貿易・冊封《さくほう》の仕事

久米三十六姓《くめさんじゅうろくせい》の仕事

・守礼の邦をつくる

航海の仕事

◎都通事《とつうじ》
・北京大通事

◎夥長《かちょう》(火長《かちょう》)・ホイチョウ
・船長
・らしんばんの係

◎総管《そうかん》・ツォンクヮン
・事務長
・船中の事務

◎船員役名
・カタカナは中国読み
・ひらがなは首里王府読み

◎舵工《だこう》・タイコン
・運転士、航海士
・かじをとる人

◎香公《ヒョンコン》
・香工(ヒョンコン)
・航海安全を祈る人

◎頭椗《とうてい》・トゥチン
・いかりの係

◎水梢《すいしょう》
・船員

◎財附《さいふ》・ツァイフウ
・荷物の計算係

◎ヤバン(亞班)
・亜班《あはん》(鴉班《あはん》)
・帆を操作する人

○沖縄大百科事典 上巻
沖縄タイムス社
○真境名安興著「沖縄一千年史」
○完訳「中山伝信録」
著者徐葆光訳　注者原田禹雄
○赤嶺誠記著「大航海時代の琉球」

以上を参考に作成した。

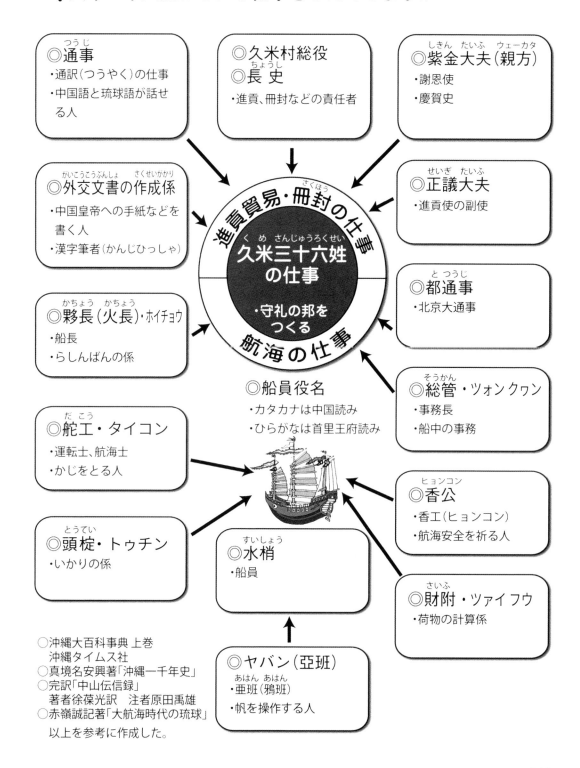

四書五経

四書は儒教の経典で「大学」「中庸」「論語」「孟子」のことをいいます。

五経は儒教の基本的な経典で「易教」「書経」「誌経」（詩集）「礼記」「春秋」（歴史書）のことです。

・従子＝兄弟姉妹の子。おい、めいのこと。
・寨官＝按司のこと。

上天妃宮跡の石門（那覇市教育委員会）
那覇市指定史跡

下天妃宮・天使館跡（那覇市歴史博物館）

航海安全をお祈りしました。

天妃宮は、第二次世界大戦で焼けました。久米崇聖会は、久米至聖廟を昭和五十年に建て直しました。上天妃宮跡の石門は、天妃小学校にあります。

(6)明の国子監（大学）へ留学生をおくる

察度王は、中国の国子監へ、一三九二年に初めて留学生を進貢船でおくりました。国子監というのは、中国の最高学府です。国学というのと同じで、貴族の子弟などを教育するために、もうけた学校です。

明の太祖・洪武帝は、琉球の留学生へ衣類やくつ・お金などをくださいました。留学生は、国子監で「小学」（中国の漢字の読み書き）や論語などの漢文学を学びました。漢文や中国語がアジアの公用語でした。

察度王のころの初の留学生は、王の*従子《じゅうし》の日孜毎《にしめ》と潤八馬《うばま》そして*寨官《さいかん》（按司）子仁悦慈《こにやし》の三人でした。留学生は年に三、四人でした。

（『仲原善忠全集』第一巻）

尚真王のころから久米村の留学生となり、尚温王の時に、首里人と半々になりました。留学生たちは、通事などの進貢貿易の仕事などに大きなはたらきをしました。このように、察度王は、琉球国の貿易の開拓とともに、指導者の育成の基礎を築きました。

○4月3日はシーサーの日
○焼物の里壺屋
○那覇市立壺屋焼物博物館

歓会門のシーサー（首里城公園）

世界遺産「玉陵」のシーサー

・シルクロード（絹の道）＝十九世紀のドイツ地理学者リヒトホーフェンが命名。オアシスルート。草原のシルクロード（草原の道）。海のシルクロード（海の道）。

2 沖縄の伝統文化にみる察度王

⑴シーサーのルーツはエジプトのスフィンクスと伝わる

みなさん、シーサーは、どんな動物ですか。

シーサーのルーツはどこでしょうか。

それはエジプトのスフィンクスです。

スフィンクスは、顔は人間で体は獅子です。獅子とは、ライオンです。どのようにして、エジプトのスフィンクスは、沖縄までやって来たでしょうか。中国の明との貿易とともに、シーサーも中国から入って来たと考えられます。十四世紀後半の察度王のころです。

シーサーは、絹の道・＊シルクロード（Silk Rord）を通って中国に、紀元前二世紀ごろに伝わりました。オアシスの道です。

シルクロードはシーサー（Shisa）の道でもあります。

中国においても、シーサーは王宮や神殿や墓を守る神としてつくられました。琉球王国でも、首里城の歓会門や玉陵にもシーサーは、つくられています。

まず、初めは、王様を守るシーサーです。次に、村を守るために、石シーサーもつくられました。これを村シーサーともいいます。

宜野湾市の喜友名にも村シーサーがあります。村シーサーは、村を守るように東西南北に向き合計で七体のシーサーがあります。

村シーサーでは、喜友名区が沖縄最多と言われます。ヒージャー

シーサー（Shisa）の道・Shisa Road

Q スフィンクスは、どこの道を通って琉球国まで来たのでしょうか。

○シーサーが琉球国に来た、察度王の時代

空手にはげむ子どもたち　（上地流空手道・仲真修武館提供）

「喜友名の石獅子群」宜野湾市指定文化財

屋根シーサー

空手の日

10 月 25 日は空手の日と県議会で決議されました。空手界では、統一組織として「沖縄伝統空手道振興会」が設立され、空手を聖地沖縄から世界へと発信しています。

グーフーとウフブタの自然石の二体を合わせると九体となります。喜友名区には、「シーサー通り」が喜友名公民館の通りにあります。喜友名区の道路は、碁盤目状に整然として、古い集落の跡が見られます。また、シーサーは、赤瓦の屋根の上にも置かれています。屋根シーサーです。

シーサーは、悪魔を除く「魔除け」としてつくられました。沖縄語では「ヤナムン反シ」といいます。

自分でシーサーを歩いて調べてみましょう。

(2) 空手のルーツは「ティー」と中国拳法

空手は、察度王が一三七二年、明との朝貢貿易とともに、久米三十六姓が伝えたといわれる。

空手は琉球にとって、外国で貿易する時、外国での暴力を受けた時に、自分の身を守るために必要なものでした。また、空手は、「ティー（手）」による突手受手と足による蹴りを基本とする琉球古来の武術といわれます。

空手は、琉球古来の「ティー（手）」をもとに、一三九二年、この頃中国拳法の伝来に先人が学び取り、沖縄空手の伝統文化を築いています。

空手は、「ティー（手）」・「唐手《トゥティ》」・「唐手《からて》」と呼ばれて来ています。

空手道は礼を大切にする武道です。

喜《き》友《ゆ》名《な》の石獅子群《いしじしぐん》・「村シーサー沖縄最多のちゅんなームラ」を歩く

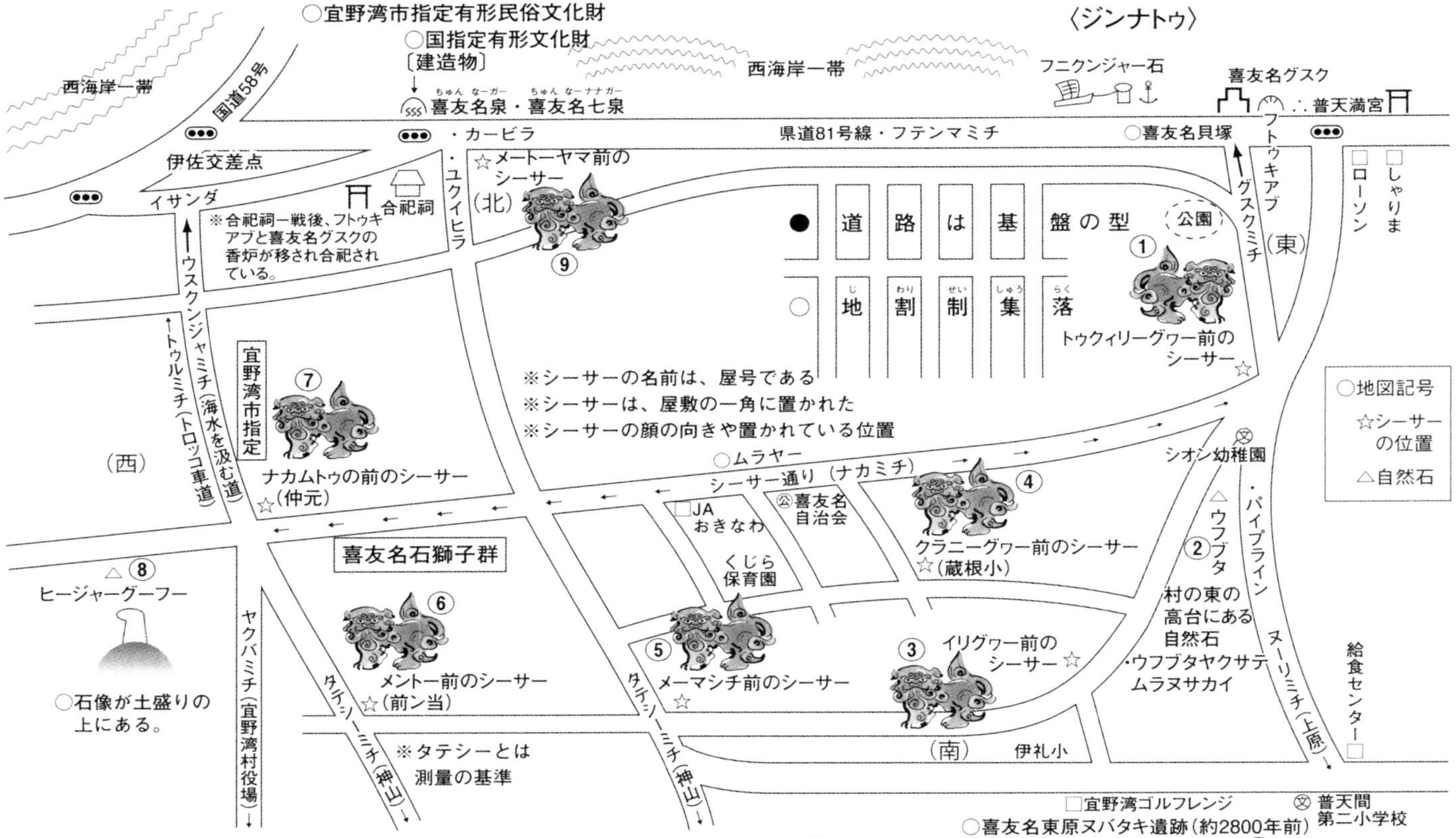

参考文献

『ぎのわんの文化財』第七版、「宜野湾市立博物館・字展 喜友名編」、
宜野湾市教育委員会『ぎのわんの地名ー内陸部編ー付録地図』、
宜野湾市史編集委員会『宜野湾市史第5巻 資料編四、民俗』を参考に作成しました。

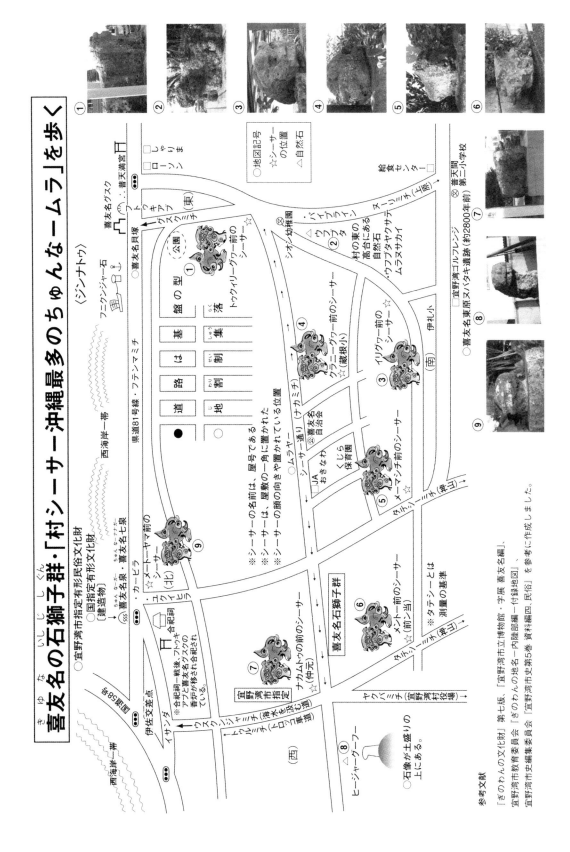

サンシンのチカラ（宜野湾市愛知区自治会提供）

三線（サンシン）は琉球

琉球から伝来した三線が日本の三味線へなりました。沖縄では３月３日はサンシンの日と定められ、サンシンの時報を合図に「かぎやで風節」を奏でる催しが行われ、三線の魅力を県内外へ発信しています。

沖縄は、空手の発祥の地として、世界の各国から修行に来ています。沖縄空手は、沖縄を代表する伝統文化です。今、空手は、国際社会の中で、沖縄の伝統文化として重視されてきています。沖縄空手は、「沖縄空手会議」を拠点に、世界遺産に取り組んでいる。

(3) 三線のルーツは、中国の三弦

琉球王国の三線のルーツは、閩人三十六姓と言われます。閩人とは、中国の福建省・福州・閩地方の人たちのことです。

閩人三十六姓は、察度王の時、一三九二年那覇港の久米村に、中国から移り住みました。閩人は、三十六姓と言われ、中国の三弦を持って来ており、冊封使の中秋の宴などにもかかわりました。

中国の三弦は、琉球王国の三線として、どのように広まったでしょうか。

「歌と三線の昔始まりやいんこ・・・」といわれ、尚真王時代のあかいんこ（赤犬子）は三線をひき、おもろを歌い島々を歩きました。

また、羽地朝秀（尚象賢《しょうじょうけん》）は、役人に一芸をすすめ、琉球王国の文化力を高めました。更に、湛水親方や組踊の玉城朝薫たちによって、三線は、その基盤を築きました。『工工四』を創案したのは、屋嘉比朝寄です。

琉球の三線が、日本に三味線として伝わり、歌舞伎や浄瑠璃などに欠かせないものになります。組踊は二〇一一年に世界遺産世登録。

「じゃなもひの碑」（牧港漁港）。　浦添市と中国泉州市との交流都市の石碑

3月10日は察度の日

・察度ゆかりの地文化財めぐり
・宜野湾市教育委員会文化課

3『おもろさうし』にみる察度王の業績

(1)「おもろ」にたたえられた察度王

察度王について、『おもろさうし』には、次のように記されています。

一．じゃなもひや　　謝名思いは
たがなちやるくわが　　誰が産んだ子か
こがきよらさ　　かくも美しく
こがみぼしや　あよるな　　かくも見欲しくあるよ
又、も、ぢやらの　　百按司の
あぐでおちやる　　待ち望んでいた
こちやぐち　　庫裡（宝庫）の口を
ぢやなもいす　あけたれ　　謝名思いこそ開けたり
又、じやなもいが　　謝名思いが
ぢやなうへばる　のぼて　　謝名上原に登って
けやげたるつよは　　蹴上げた露は
つよからど　かばしやある　　露までも芳しい

・引用（『宜野湾市史第四巻資料編三　宜野湾関係資料Ⅰ』）

このように、天女の子察度をたたえたことを、「おもろ」に見ることができます。

おもろとは、古琉球の祭りや英雄などをうたいつがれた古い歌謡のことです。

じゃなもひ察度の貿易港と田畑とジャナミチ・グスク道（グスク時代）

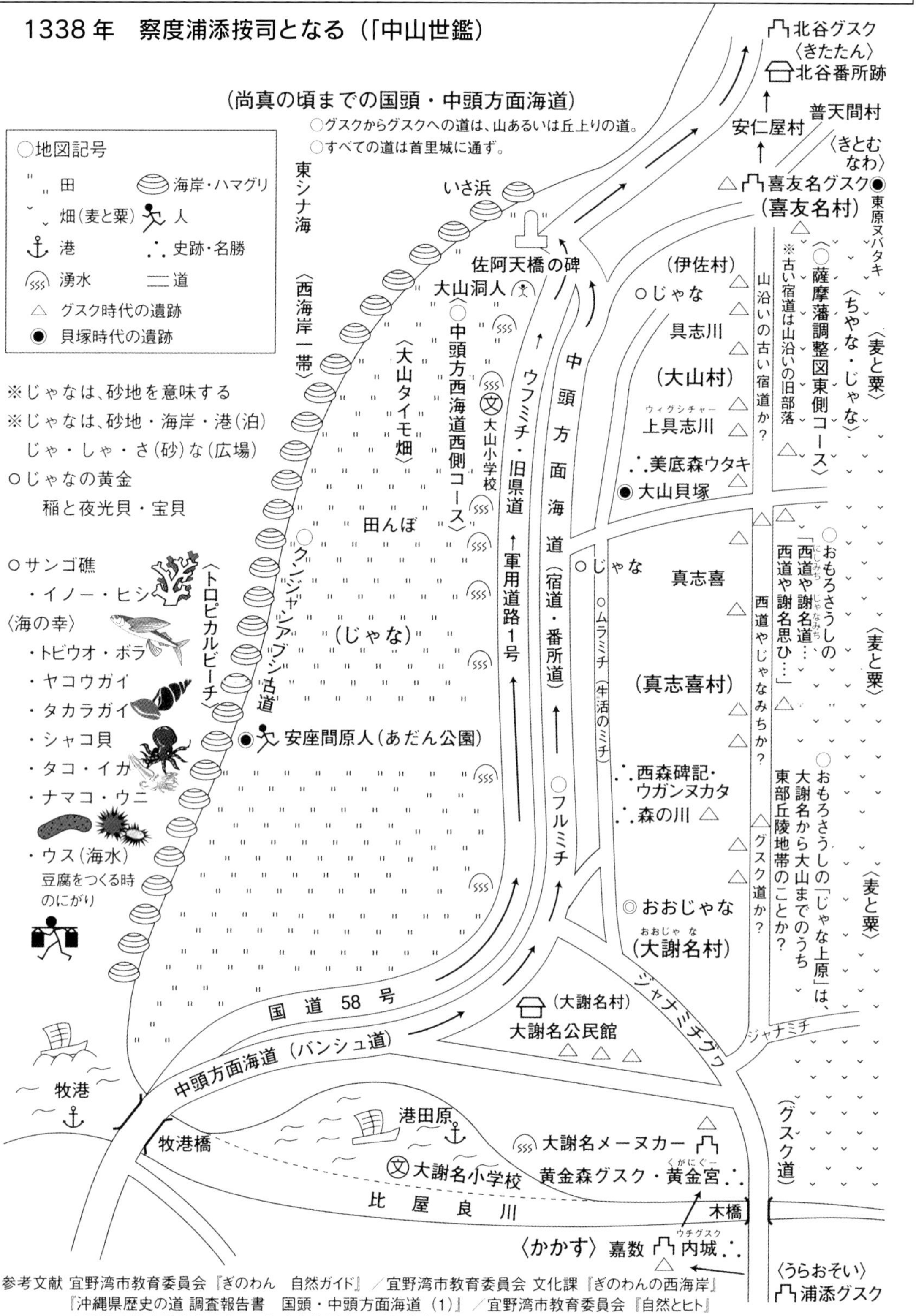

参考文献 宜野湾市教育委員会『ぎのわん 自然ガイド』／宜野湾市教育委員会 文化課『ぎのわんの西海岸』
『沖縄県歴史の道 調査報告書 国頭・中頭方面海道（1）』／宜野湾市教育委員会『自然とヒト』
宜野湾市教育委員会平成 24 年度文化財市民活用事業「宜野湾はじまりや！シマ・ムラ・チネー・イエへの歩み」
を参考に作成した。

琉球王国は、グスク・ウタキ・カーなど「石の文化」である

※グスクなどの石の積み方に目を向けて見ましょう。

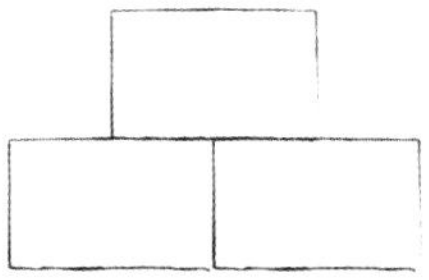

布《ぬの》積《つ》み
（切石積み）

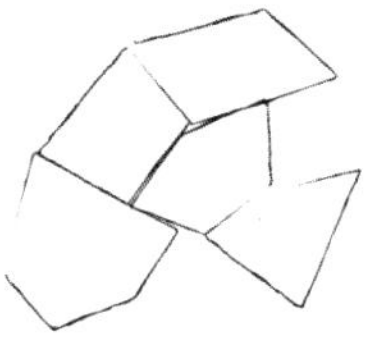

あいかた積《つ》み
（亀甲乱《かめこうみだ》れ積《つ》み）

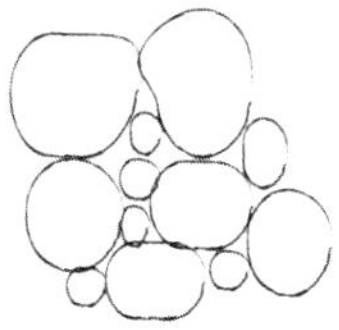

野面《のづら》積《つ》み

・10月5日は察度王の命日。寿75。

○「謝名思い」とは、察度王のことです。

○「じゃな」（謝名）とは、宜野湾市の大謝名・真志喜・大山のことをいいます。宜野湾市の西海岸一帯のことです。この西海岸一帯は、カー（湧き水）多く水量が豊富です。

宜野湾市中央の台地（普天間飛行場）に降った雨は、琉球石灰岩層をとおり、島尻層（ねんど層）の上から湧き水となって出て来ます。

この一帯は、黄金の穂が波うち米づくりがさかんなところでした。この一帯の米どころが、察度を支える大きな力にもなったのでしょう。また、海の幸にも恵まれたところでした。

○「じゃなうへばる」とは、謝名上原。

謝名上原とは、謝名の高台・東部の丘陵地帯のことか。

このおもろでは、「察度王が、一三七二年、明の招諭《しょうゆ》に応えて、王弟泰期を遣わし、中国との交易路を開いたこと」という。

（『宜野湾市史』第四巻資料編三・宜野湾関係資料Ｉ）

このおもろにみるように、琉球国中山王察度は、明との貿易をはじめ、日本・朝鮮・シャム（タイ）などの南方の国々との中継ぎ貿易をしました。

察度王は、琉球王国の大貿易時代の開拓者です。

察度王のころの三山時代や琉球王国のグスクやウタキが二〇〇〇年に世界遺産に登録されました。沖縄の世界遺産を、いかに受け継ぎ、世界へいかに発信するかがわたしたちの手にかかっています。

中国の方を指さして立つ残波岬の宇座の泰期

察度王に学び、世界へはばたけ!

察度王は、一三九五年十月五日にその一生を終えました。察度王、在位四十六年寿七十五。享年七十六。

(2) 察度王の業績・はたらき

察度王は、一三七二年に、弟泰期を明（中国）に初めておくり琉球王国の基礎を築きました。

中国の明との貿易を日本より先に始めました。

察度王は、公式に明との貿易を始めた開拓者です。

また、察度王は、中国・日本・朝鮮・南蛮（東南アジアの国）との中継ぎ貿易を始めました。

察度王は、琉球王国の大貿易時代の開拓者です。

また、察度王は、日本の鉄と黄金を交換し鉄のくわをつくり農民たちに与えました。農民が鉄のカマを使用し、米づくりがさかんになりました。

中国からは、鉄の釜などをたくさん持ってきて、くらしがよくなりました。察度王は、琉球へ鉄の文化を伝えた王様です。

察度王は、中継ぎ貿易をさかんにするためにどんなことをしましたか。

まず、貿易をするために必要な港は、牧港より深く広い那覇港をつかいました。

察度のころから鉄の農具革命の時代

	土器・石器・貝器・木器など	察度のころ鉄釜が多量に入って来た
	貝塚時代・農耕社会・グスク時代（12〜13世紀）	グスク時代（14〜15世紀）近世琉球
カマ（鎌）	 貝包丁《かいほうちょう》（ハマグリ）	・鎌はイラナ 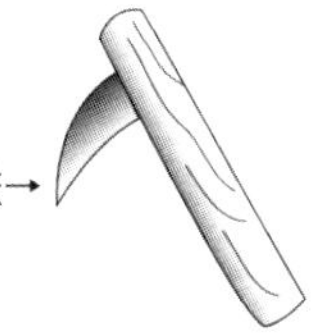 刃が鉄→ 鉄の穂刈鎌《ほかりがま》
ヘラ（箆）	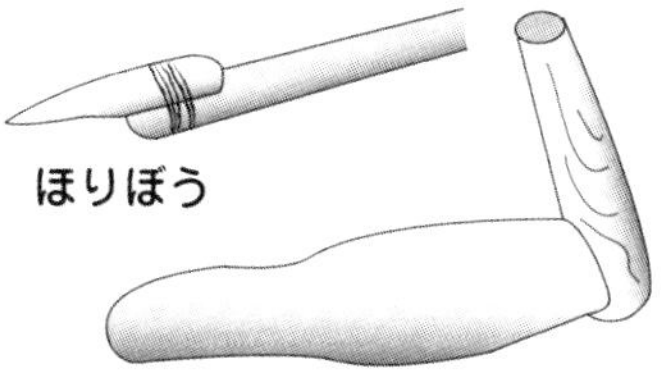 ほりぼう 石ベラ（森川原遺跡出土）	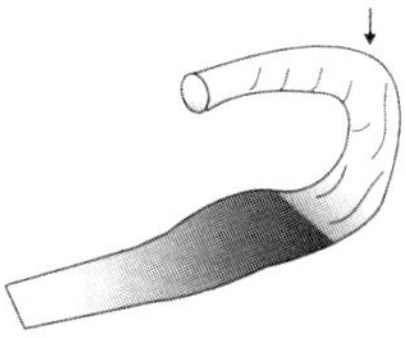 木↓ 鉄→ ヘラはヒーラ
クワ（鍬）	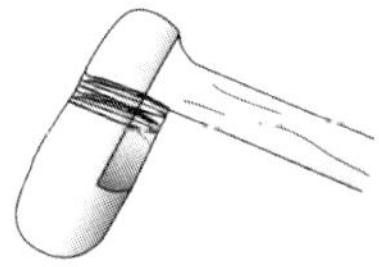 鍬状石斧《くわじょういしおの》（森川原遺跡出土）  水田鍬（木のくわ）	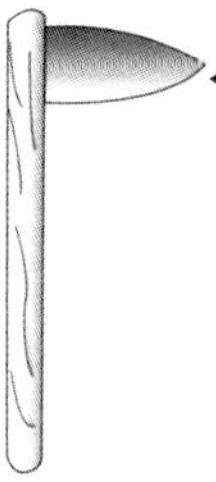 ←鉄 木→ 鉄の鍬
オノ（斧）	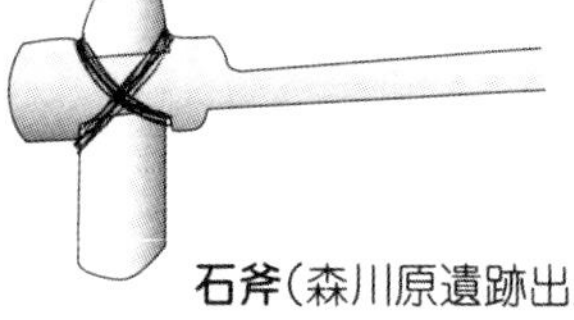 石斧（森川原遺跡出土）	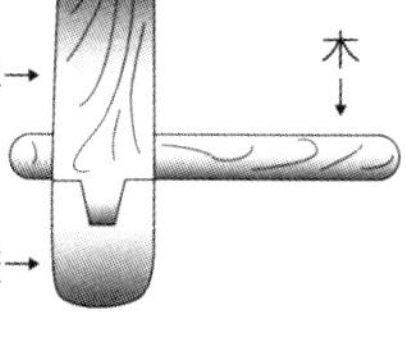 木→ 木↓ 鉄→ 鉄斧
ナベ（鍋）	 グスク土器 ※なべでものを煮る	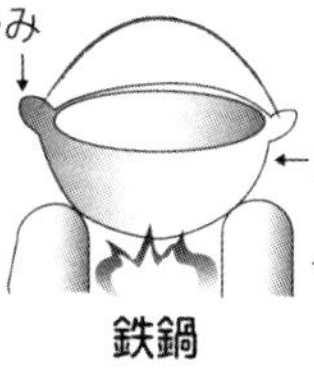 なべつかみ↓ ←ナビ（なべ） ←カマ（かまど） 鉄鍋

◎鉄の農具は農耕社会から使われていた。

※鉄の道具は、さびて遺物がのこりにくい。
※鉄釜は農具などに再利用された。

○「宜野湾市立博物館」常設展　○常設展では、森川原遺跡の農具や察度の父奥間大親の屋敷跡（森川原）の六本柱跡の写真・コメ・アワなども展示されています。

○『考古資料より見た沖縄の鉄器文化』　編集・発行沖縄県立博物館

孔子廟・明倫堂跡（那覇市商工会議所隣・久米崇聖会）

・ねたて（根たて）＝中心、根元、根本という意味です。

グスクも、浦添グスクから首里城へと移りました。

そして、察度王は、貿易の仕事をさかんにするために航海の技術などを持つ閩人三十六姓を中国から久米村に住ませました。

久米三十六姓の三弦は、琉球の三線として広まりました。

また、察度王は、中国の国子監（大学）へ留学生をおくり、中国の文化を学ばせました。

察度王は、琉球のリーダーの育成にも努めました。また、察度王は、波之上護国寺を勅願寺としました。

察度王は、沖縄文化の基礎を築いた王様です。

(3) 察度王に学び、世界へはばたけ！

これからの国際化社会の中で、わたしたちは、察度王に学び、平和で豊かな文化社会をつくることを願っています。

はごろもの子、ねたて*の黄金察度王に学び世界へはばたけ！

「ねたての都市ぎのわん」は、「市報ぎのわん」に次のように記されています。

『ねたて』とは、古謡「おもろさうし」に表された言葉で、「物事の根源」または「共同体の中心」を意味します。中部と南部の接点に位置する宜野湾市は、かつて察度王の時代に琉球の根（ねのしま・ねたて）と呼ばれ、政治・経済・文化の中心地でした。

「ねたての都市ぎのわん」は二十一世紀をリードする限りない発展

察度王の業績・はたらき

Q 察度王は、どんなはたらきをした人物ですか

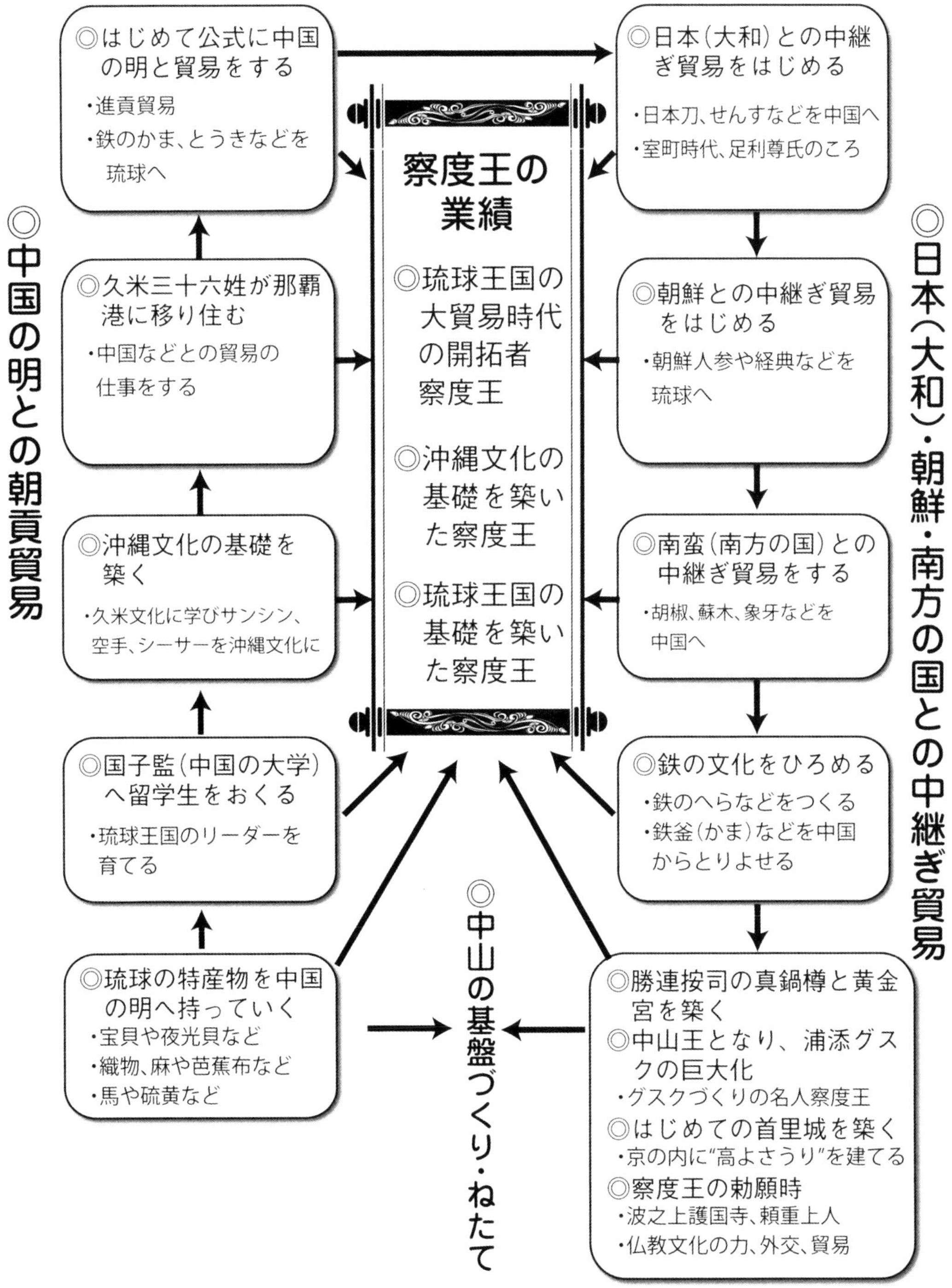
察度王の業績
◎琉球王国の大貿易時代の開拓者察度王
◎沖縄文化の基礎を築いた察度王
◎琉球王国の基礎を築いた察度王
◎中国の明との朝貢貿易
◎はじめて公式に中国の明と貿易をする
・進貢貿易
・鉄のかま、とうきなどを琉球へ
◎久米三十六姓が那覇港に移り住む
・中国などとの貿易の仕事をする
◎沖縄文化の基礎を築く
・久米文化に学びサンシン、空手、シーサーを沖縄文化に
◎国子監（中国の大学）へ留学生をおくる
・琉球王国のリーダーを育てる
◎琉球の特産物を中国の明へ持っていく
・宝貝や夜光貝など
・織物、麻や芭蕉布など
・馬や硫黄など
◎日本（大和）・朝鮮・南方の国との中継ぎ貿易
◎日本（大和）との中継ぎ貿易をはじめる
・日本刀、せんすなどを中国へ
・室町時代、足利尊氏のころ
◎朝鮮との中継ぎ貿易をはじめる
・朝鮮人参や経典などを琉球へ
◎南蛮（南方の国）との中継ぎ貿易をする
・胡椒、蘇木、象牙などを中国へ
◎鉄の文化をひろめる
・鉄のへらなどをつくる
・鉄釜（かま）などを中国からとりよせる
◎中山の基盤づくり・ねたて
◎勝連按司の真鍋樽と黄金宮を築く
◎中山王となり、浦添グスクの巨大化
・グスクづくりの名人察度王
◎はじめての首里城を築く
・京の内に“高よさうり”を建てる
◎察度王の勅願時
・波之上護国寺、頼重上人
・仏教文化の力、外交、貿易

「羽衣天女像」 ねたての都市宜野湾市のシンボル（宜野湾市役所正門）

はごろも祭り出発式　森の川ウガンヌカタでお祈り

「飛衣羽衣カチャーシー大会」 ぎのわんはごろも祭り〔宜野湾市愛知高層住宅自治会提供〕

「察度王歴史絵巻行列」 ぎのわんはごろも祭り

を秘めた沖縄県の中核都市として、宜野湾市を象徴する市民の合い言葉としています。』

天女の子、察度王をたたえて、宜野湾はごろも祭り実行委員会は、「ぎのわん・はごろも祭り」を例年八月に開催しています。

主なイベントとしては、『ぎのわん飛衣羽衣カチャーシー大会（察度王パフォーマンス）』と『察度王歴史絵巻行列（森の川でウガンをして出発します。旗頭』があります。「唐船《トウシン》どーい」など、察度王が中国からの宝物を積んだ進貢船を人々が迎える喜びをカチャーシーで祝っておどります。

カチャーシーを、阿波踊りのように、全国へ発信しようということです。

海洋国・琉球王国は尚泰久の「万国津梁の鐘」にあるように中国・日本・朝鮮・東南アジアの国と貿易をしました。

万国とのかけ橋をつくりました。

また、当山久三は、「いざ行かむ、我等が家は五大州」とハワイ移民をしました。

今、沖縄人が、逢ちゃりば兄弟の心をもって世界の国々ではばたいています。

「世界のウチナーンチュ大会」が盛りあがっています。

どこの国へ行っても、沖縄人の心のふるさととは、沖縄です。

今、沖縄では、沖縄の特産物である泡盛などや空手・サンシン・

世界へ羽ばたく

・6月18日は「海外移住の日」。沖縄からの移民がブラジルのサントス港に上陸した日です。
・8月1日は「観光の日」。
・世界のウチナーンチュ大会は5年に1回開かれ、第1回は1990年「カチャーシーで心一つ」を合い言葉にコンベンションセンターで開催されました。
・11月1日は「泡盛の日」です。この時期泡盛製造の最盛期に入ります。泡盛の原料はタイのシャム米で、ルーツはシャム酒。南蛮がめ。クースは古酒。

察度王統絵巻行列

エイサーなどの沖縄文化を世界へ発信しています。

これからも沖縄の自然・歴史・文化の持つ得意の黄金の無限の可能性を生かし、沖縄人として国際化社会ではばたこう。

二〇〇〇年十二月に、琉球王国の三山のグスク・ウタキ文化が、世界遺産として登録されました。

沖縄は、東アジアの文化王国・沖縄として沖縄文化を全世界に発信するチャンスが来ています。

じゃなもひ

琉球王国中山は、察度の
前に英祖あり。
察度の後に、尚巴志あり。
尚円あり。尚真あり。
明との貿易の道をひらいた
初代の琉球国中山王察度
琉球王国の基礎を築いた
ねたての黄金察度王。
琉球王国のねたての
黄金察度王に学び
世界へはばたけ！

沖縄人の移民と五大州－我等の家は五大州（當山久三）－

Q 世界のウチナーンチュは沖縄のどんな文化を誇りに活躍しているでしょうか。

◎ 広がるつながる沖縄の輪　10 月 30 日は「世界のウチナーンチュの日」
「第 5 回世界のウチナーンチュ大会」2011 年（平成 23 年）
10 月 12 日～16 日
39 万人が海外で暮らす

『行逢えば《イチャリバ》兄弟《チョーデー》』の精神で
世界にはばたく沖縄人《ウチナーンチュ》。

県人会員数（2011 年 2 月現在）〔県交流推進課〕2010 年度推計値
「沖縄タイムス 2011 年（平成 23 年）7 月 17 日 日曜日　こども 4」
「沖縄タイムス 2011 年（平成 23 年）10 月 11 日　沖縄移民史」を参考に作成した。

「万国津梁の鐘・首里城正殿の鐘」　尚泰久王時代に鋳造　供屋・万国津梁の鐘（複製品）。万国津梁の父・琉球国中山王察度

察度の日

3月10日は察度の日です。宜野湾市教育委員会文化課では察度王文化財めぐりなどが行われます。

○琉球国中山王察度三大行事

一、三月十日は察度の日。察度ウォーク・察度ゆかりの文化財を歩く。『察度王ウォーク・察度王首里城への道』

二、八月五日ははごろもの日。はごろもの子察度王の業績を考える。紙芝居「はごろも伝説と察度王の話」（森の川はごろも広場）

三、十月五日は察度王の命日。察度王を語る。「察度のまち」宜野湾市のまちづくりを語り合う。『万国津梁沖縄県作り』を語り合う。

「中山第一」　徐葆光

琉球王国繁栄の基礎を築いた中山王察度の三グスク

Q 中山王察度は、琉球王国繁栄の基礎を築いた。どんなことをした王様ですか

1. 察度が中山王となった三山時代とは、どんな時代か　○三山時代（14世紀～15世紀）

北山	中山		南山
○今帰仁城	旧中山・浦添城→中山・首里城		島尻大里城
①怕尼芝	統浦添王統→首里三王統		①承察度
②珉	1舜天王統	1察度王統	②汪応祖
③攀安知	2英祖王統	2第一尚氏・尚巴志三山統一	③他魯毎
	3察度王統	3第二尚氏・尚円王（金丸）	

（1429年　・尚巴志三山統一　・琉球王国の成立）

○グスク時代（11世紀～15世紀）

2. 中山王察度の三つのグスク

(1) 黄金宮時代－青年時代

①1321年浦添間切謝名村、はごろも伝説で知られる森の川・奥間家で誕生

②1337年（17歳）勝連按司の姫と結婚。黄金宮（楼閣）を建てる。

③察度の貿易港“港田原”で中国や大和と貿易をする。

・鉄の農具を作り、農民へ与える。・浦添按司となる。

④じゃな・謝名といわれる真志喜・大山・大謝名の西海岸の水の豊かさ・稲作。海の幸。

⑤ここ宜野湾は、察度王の時に、“ねたて”と呼ばれ、政治・経済・文化の中心地となる。

(2) 浦添グスク・中山王時代―壮老年時代 ・旧中山浦添グスク

①1350年（30歳）浦添按司からうらおそい”中山王となる。

②牧港を貿易港として中国や大和と貿易をする。→浦添城を拡大する。「高麗瓦葺き正殿」を築く。

③浦添は、“うらおそい”として、英祖王の時から琉球国の政治・経済・文化の発祥の地：浦添は、古い王都である。

(3) 首里城時代―壮老年時代 中山・首里城　・新中山首里城：京の内『高ヨサウリ殿』築く。

①中山王察度は14世紀中頃首里城を築く。

②1372年（52歳）中国の明と正式に始めて進貢貿易をする。

③1387年（67歳）南蛮貿易を始める。シャム（タイ）→中継ぎ貿易

④1392年（72歳）京の内に“高ヨサウリ”（楼閣）を建てる。

⑤1392年（72歳）閩人三十六姓を中国から那覇港に移り住まわせる。

久米三十六姓は、航海や通訳の仕事をして、中国との貿易を盛んにする。

⑥1395年（75歳）10月5日天寿。享年76歳

◎琉球王国繁栄の基礎を築いた中山王察度

○琉球王国の大交易時代の開拓者察度王

○沖縄文化の基礎を築いた察度王

◎新旧中山王察度は、1372年初の貿易・中継ぎ貿易の莫大な富で、二つの大型グスクを築いた。

察度王のころの室町文化と黄金＝察度は日本から運ぶ

○京都に禅宗のお寺が建てられる

1　水墨画

2　茶の湯・茶の会

3　書院造(畳や床の間がある)

4　能・狂言

5　金閣《きんかく》・銀閣《ぎんかく》(世界遺産)…ジパング(黄金の国)日本

※平安時代・中尊寺金色堂《こんじきどう》(平泉)…柱梁は螺鈿《らでん》(夜光貝)

※奈良時代・正倉院・螺鈿(夜光貝)紫壇五絃琵琶

※察度は日本の金銀の器で中国と中継ぎ貿易をする。

○金銀洒海(酒を盛る器)

○泥金扇

○金銀粉厘

※察度は琉球国の夜光貝で中国の明とも貿易をする。

「沖縄の歴史」区分

○先史時代		←３万2000年前　山下洞人の時代
○古琉球		←12世紀・沖縄の島々の政治統一が始まる
	琉球王国時代	←1429年、琉球王国が成立
○近世琉球	琉球王国時代	←1609年、薩摩軍が琉球に侵入
○近代沖縄	沖縄県時代	←1879年沖縄県の設置
○戦後沖縄	アメリカ統治時代	←この頃、広大なアメリカ軍基地の建設
	沖縄県時代	←1972年、日本に復帰

○引用「概説沖縄の歴史と文化」編集（財）沖縄県文化振興会公文書館管理部史料編集室
発行　沖縄県教育委員会　2000年（平成12）３月21日

中山王察度三大行事

一、三月十日は察度の日。察度文化財めぐり・察度ゆかりの地を歩く。『察度王ウォーク・察度王首里城への道』

二、八月五日ははごろもの日。はごろもの子察度王の業績を考える。
　○紙芝居「はごろも伝説と察度王の話」(森の川はごろも広場)。『ぎのわんはごろも祭り」につなげる。

三、十月五日は察度王の命日。「察度のまち」宜野湾市のまちづくりを語り合う。
　○察度王を語る　○察度王に学び世界にはばたけ！『万国津梁沖縄県づくり』を語り合う。

◎察度王に学ぶ！
（さ）先を見る力（先見の明）『万国津梁沖縄県・我等の家は五大州（当山久三）
（つ）つねに人と共に学び生きる（人は十人十色の花）『十人十色の人材は黄金』
（と）得意・特技・地域特産を生かす（オンリーワン）『自分と島の得意・特技・特産は黄金)

◎二〇二一年（令和三年）『察度王生誕七〇〇年・第四四回ぎのわんはごろも祭り』
＊黄金言葉『人材を以《も》って資源と為《な》す』(大宜味小学校第六代校長　親泊朝擢)
＊石盤琉歌の解説文・沖縄県公文書館正面玄関にある額の琉歌
　『深く《ふかく》掘れ《ふり》　己の《などぬ》胸中の《んにうちぬ》泉《いじゅん》
　　餘所《ゆす》　たよて《たゆて》　水や汲まぬごとに《みじやくまぬぐとに》」
　これはニーチェの警句「汝の立つ所を深く掘れ　其處に泉あり」を伊波普猷が沖縄語に翻訳した琉歌である。

第五章　『琉球王国・沖縄の歴史』年表

『琉球王国・沖縄の歴史』一覧年表

○　「沖縄歴史年表」沖縄県立埋蔵文化財センター 2019

段階	貝の世　←　←ガマの世・先史時代①
時代	弥生　←　←　縄文時代○　旧石器時代○
区分	後期　中期　早朝
日本	古墳○　弥生時代○　縄文時代○

年代	主なできごと
	◎大陸と琉球列島が陸橋
	・イリオモテヤマネコ
三万二千年前	◎山下洞人
二万七千年前	◎白保竿根田原洞穴仁
二万三千年前	◎サキタリ洞遺跡
二万年前	・世界最古・貝製釣り針
	・ヤンバルクイナ
一万八千年前	◎港川人
	◎大山洞人
五〇〇〇年前	・渡具知東原遺跡
	・古我地原貝塚
	◎大山式土器
三〇〇〇年前	◎大山貝塚
	・真志喜安座間原人
二〇〇〇年前	◎真志喜安座間原遺跡
紀元前後	◎ゴホウラ貝輪
	・クニの酋長
古墳	・吉野ヶ里
ヤマト	

段階	←　←　←唐の世・古琉球　②
時代	←　首里三王統☆　前期・琉球王国時代○　三山時代○
区分	琉球王国確立・前期☆第二尚氏○琉球王国の成立／第一尚氏／グスク時代○
日本	代○安土桃山時代○　室町時代・戦国時代○　室町時代○

年代	主なできごと
	◎勝連城跡・ローマ銅貨
一四一六	・北山王攀安知を亡ぼす
一四二九	・南山王他魯毎を亡ぼす
一四二九	◎尚巴志三山統一
	☆「琉球王国の設立」
一四二二	・護佐丸・座喜味城築く
一四四〇	・護佐丸・中城城へ移る
一四五一	・長虹提を築く尚金福
一四五三	・志魯・布里の乱
一四五八	・護佐丸・阿麻和利の乱
一四五八	◎尚泰久・万国津梁の鐘
一四七〇	◎金丸尚円王即位
一四七七	◎尚真王即位
一五〇一	「玉陵」「園比屋武御嶽」
一五〇九	☆「百浦添欄干之銘」
	☆琉球王国の確立
一五〇〇	・オヤケアカハチの乱
一五三一	「おもろさうし」一巻
一五四三	○ポルトガル・鉄砲
一五七三	◎織田信長・室町幕府滅ぶ
一五七〇	・王国大貿易時代終る
一五九〇	◎豊臣秀吉・刀狩
	☆天下統一・検地
一六〇三	◎徳川家康・江戸幕府

城跡　④中城城跡　⑤首里城跡　⑥園比屋武御嶽石門　⑦玉陵　⑧識名園　⑨斎場御嶽
献した。②琉球王国の伝統文化は、特別の政治目的、経済的環境においても進化し、発展してきた。
と祖先崇拝の固有の形態を構成している。
察度は、「首里城の創健者である。」・１３９２年・京之内に「高よそうり殿」を築く。

『琉球王国・沖縄の歴史』年表　○　参考文献『概説沖縄の歴史と文化』沖縄県教育委員会

唐と貿易　←　グスク時代　←　古琉球　②←　←　←

首里察度王統☆琉球王国の古都☆　琉球王国の御嶽☆　平安並行時代

高麗瓦正殿・旧中山浦添グスク◎　グスク時代∴

室町時代○　鎌倉時代○　平安時代○　奈良時代○　飛鳥時代○

王権	夜光貝需要☆唐の螺鈿◎
遣隋使	貝の道・北九州との貝の交易 ← ←
遣唐使	「開元通宝」
大化改新	
平城京	
五弦琵琶	
○正倉院	←
十一世紀	◎アマミキヨの九御嶽
金色堂	∴斉場御嶽・首里森御嶽
中尊寺	・受水走水・稲作の始め
○平泉	・ヤハラツカサ
	・ミントングスク
平清盛	・九州から石鍋が入る
源頼朝	・ムラムラに按司登場
十二世紀	◎浦添三王統☆旧中山
一一八七	一、舜天王統
一二六〇	二、英祖王統
一三五〇	三、察度王統・首里城へ
一三七二	琉球王国・初の進貢
一三八三	王号・琉球国中山王察度
一三九二	◎察度王高よさうり殿
一三九二	◎察度王・久米村を築く
一四〇六	◎巴志、武寧王滅ぼす

戦後沖縄⑤　大和世・近代沖縄④←　←　←　薩摩の世・近世琉球③

沖縄県○アメリカ世○　沖縄県時代○　←　←　琉球王国時代・後期☆

王国滅亡○　琉球王国の再興・後期☆第二尚氏○

平成時代○　昭和時代○大正時代○明治時代○　江戸時

一六〇九	◎島津の侵入
	尚寧王・第二尚氏七代
	◎掟一五条
一六二三	儀間眞常・黒糖の製法
	◎いもの栽培の普及
一六三四	◎江戸上り
一六五〇	◎「中山正鑑」
	・琉球国の初の歴史書
	・向象賢・羽地朝秀
一七〇八	◎程順則・「六論」
一七一八	・玉城朝薫・組踊
一七二八	◎蔡温・三司官となる
	・尚敬王の国師
一七九九	☆識名園
一八五三	・ペリー提督来琉首里
一八六七	・大政奉還
一八六八	◎明治維新
一八七九	◎琉球処分・沖縄県へ
	・尚泰王・松田道之
一八九三	・謝花昇・桃山問題
一九〇五	◎伊波普猷「浦添考」
一九二一	・宮良長包・沖縄音階
一九二二	・船越義珍「空手道」
一九四五	◎沖縄戦
一九七二	◎沖縄の日本復帰
一九九〇	◎第一回世界の ウチナーンチュ大会
二〇〇〇	◎「沖縄の世界遺産」
二〇一〇	◎「組踊・世界遺産」

☆「沖縄の世界遺産」

1、「琉球王国のグスク及び関連遺産群」・1件　☆9資産①今帰仁城跡　②座喜味城跡　③勝連

2、「世界遺産の価値」①琉球王国は、東アジアの中継ぎ貿易と文化の交流の中心地として、貢

③琉球の聖城群は、世界の確立した宗教と共に、近代化においても自然

☆初代「琉球国中山王察度」は、１３７２年・琉球王国の大貿易時代の開拓者である。☆中山王

『琉球王国・沖縄の歴史』年表

	先史時代	古琉球
時代	平安　奈良　飛鳥　古墳　弥生　縄文　旧石器	平安時代　←—
琉球の歴史	←—　←—　弥生・平安並行時代・縄文・旧石器 ←—　←—　「貝の道」時代 ←——　先史時代　——→	←—　②古琉球　←— ○稲作地帯のムラムラに按司が登場。「御嶽グスク」から「按司グスク」へと移行。
西暦	三万二千年前 二万七千年前 二万三千年前 二万年前 七〇〇〇年前 三〇〇〇年前 二〇〇〇年前 ◎ゴホウラ貝輪から螺鈿夜光貝へと貝の需要が変わる。	十一世紀 ・農耕の始まり ①「御嶽グスク」 ②「按司グスク」 ③「王・大型グスク」 ④中山浦添グスク 三王統
おもなできごと	山下洞人 ・白保竿根田原洞穴人 ・サキタリ洞遺跡　世界最古の釣り針発見 ・港川人 ・渡具知東原遺跡瓜形文土器 ・大山式土器 ・真志喜安座間原人、貝輪をつくる。弥生時代 ・ゴホウラ貝輪が北九州のクニの酋長のシンボルとなる ・吉野ヶ里に貝輪が出土 ※先島地方貝文化・貝斧・フィリピン系文化 ・唐代に螺鈿が盛んになる。 奈良時代・正倉院の「螺鈿紫壇五弦琵琶」に螺鈿が見られる ・琉球の夜光貝を求めて来た唐・大和と交易をした。「開元通宝」 ・平安時代・「平泉中尊寺金色堂」の柱の螺鈿に琉球の夜光貝が使われた。	・アマミキヨの九御嶽『中山世鑑』は『御嶽グスク』 ①辺土の安須森御嶽　②今帰仁城のカナヒヤブ　③斎場御嶽　④知念森グスク　⑤藪薩の浦原　⑥玉城アマツギ　⑦久高クボウ御嶽　⑧首里森御嶽　⑨真玉森御嶽 ∴アマミキヨの御嶽は琉球王国の御嶽となる ①アマミキヨの御嶽は「御嶽グスク」である。琉球王国の稲作発祥の地・玉城の「受水走水」　②稲作で農耕社会となりムラムラに「按司」が登場する　③按司の中の按司が「王」となる ※アマミキヨはヤハラミカサから上陸しミントングスクに住む。ミントングスクは「御嶽グスク」である。

時代：元《げん》 117年 ／ 鎌倉時代《かまくらじだい》 1192年 ／ 室町時代《むろまちじだい》 1338年

琉球：⛩浦添グスク ／ 古琉球・旧中山浦添・三王統 ／ 舜天王統 ／ 英祖王統

西暦	王年齢（王在位年）	おもなことがら
一一七一	元の建国	・元の建国・皇帝フビライハン・元代は私貿易時代・泉州の華僑
一一八〇	源平の争乱・平家滅亡	・おもろ「やまとのいくさ」十二世紀大和の武士渡来。南走平家説
一一八一	舜天王	中山浦添初代舜天王は為朝の子。為朝伝説『中山世鑑』『保元の乱』
一二四九	義本王	舜天王統三代大義本王即位・摂政英祖
一二六五	英祖王（王六年）	卍◎英祖王が極楽山に墓を築く。琉球国中山王陵浦添ゆうどれ（英祖王陵）
一二六五		卍僧禅鑑が浦添に極楽寺を建立。◎泊御殿と倉を建てる。
一二七三	英祖王（王十四年）	⛩◎高麗瓦葺き正殿を建てる。（癸酉）中山・浦添グスク
一二九六	英祖王（王三七年）	元の軍が攻めるが、英祖おいかえす。
一二九八	英祖王（王三九年）	○マルコ＝ポーロ『東方見聞録』日本がジパング・黄金の国として、ヨーロッパに紹介
一二九九	英祖王（王四〇年）	○英祖王七十一歳死去。「極楽山・ようどれ」にほうむる。
一三二一	察度誕生一歳	◎中山浦添間切謝名村森川原に察度が誕生。「はごろも伝説」の察度
一三二二	二歳（察度）	◎怕尼芝が北山王となる。今帰仁城跡（二〇〇〇年世界遺産）
一三三三		○鎌倉幕府がほろびる。 ◎察度が勝連按司の姫・真鍋樽と結婚する。勝連城跡（二〇〇〇年世界遺産）
一三三七	十七歳（察度）	⛩∴察度が謝名村に黄金宮（楼閣）を建てる。黄金森グスクと言われる。察度の居城。 ⚓○察度の貿易港は港田原。（今の大謝名小学校あたり） ○黄金と大和の鉄とを交換して、カマをつくり、農民に与える。（カンジャーガマがある）
一三三八	十八歳（察度）	⛩◎察度が「浦添按司」となる。一三三八年 ◎足利尊氏が征夷大将軍となる。・京都に幕府をひらく。
（室町時代）		◎倭寇の活動がさかんになる。
一三五〇	三〇歳（在位元年） ・中山・察度王統	⛩◎中山王・察度王となる。中山・浦添グスク ⛩○十四世紀後半、浦添グスクの規模が拡大。高麗瓦葺き正殿が建てられる。

時代	
明《みん》	1368年 元《げん》
室町時代《むろまちじだい》	

琉球：古琉球・中山首里城・察度王統

旧中山浦添・察度王統・高麗瓦葺き正殿

西暦	王年齢（王在位年）	おもなことがら
一三五〇	・中山・首里城時代 首里察度王統	○十四世紀中頃、中山王察度が首里城を築く。
一三五六	三六歳（在位七年）	○察度王統二代目武寧が誕生。
一三六八	四八歳（在位十九年）	卍◎一三六八年琉球国王察度が鎮護国家の勅願寺として創建する。・頼重上人薩摩坊津一乗院から来て、波之上山護国寺を開山する。（護国寺石柱碑）
一三六八	◎明の洪武帝 ◎明の洪武帝※元代の私的貿易泉州華僑から明代の公的貿易朝貢・進貢となる	◎朱元璋が元を亡ぼし、洪武帝となり、明を建国する。 ①冊封と朝貢（進貢）貿易を行う。②解禁政策をとる（一三七一年） ・中国人の海外貿易を禁止する。倭寇が明や朝鮮の沿岸であばれる。 ③六諭を発布する。（一三七二年）父母に孝など儒教を広める。 ④洪武帝が中国を統一する（一三七二年）
一三七二	五二歳（在位二三年）	◎明の皇帝大祖・洪武帝が揚載をつかわす。 ◎中山王察度が明に初めて朝貢（進貢）貿易をする。琉球王国初の進貢 ・察度が弟泰期を明へつかわす。 ◎巴志が佐敷に誕生する。
一三七四	五四歳（在位二五年）	◎再び察度王の弟泰期を明へつかわし、馬・方物を進貢する。 ・明より陶器一千・鉄釜十個を賜う。王暦（大統歴）・金織文綺を賜う。 ・中国の李浩が陶器七万、鉄釜一千個をもって琉球の馬と硫黄を買う。
一三七七	五七歳（在位二八年）	○察度王、正旦を賀し馬十六匹硫黄千斤を明へ朝貢する。（使者泰期）
一三七八	五八歳（在位二九年）	○足利義満が室町に幕府を移す。
一三八〇	六〇歳（在位三一年）	凸○南山王承察度が初めて明へ進貢する。
一三八三	六三歳（在位三四年）	◎中山王明より鍍金銀印「琉球国王之印」を賜る。○明の洪武帝が「琉球国」という国名をつける。○北山王帕尼芝・南山王承察度が初めて明へ進貢する。
一三八四	六四歳（在位三五年）	卍○来重上人入滅。八月三十一日『中山世譜』
一三八七	六七歳（在位三八年）	◎中山王察度が南蛮貿易を開拓。（洪武20年）『歴代宝案』の會祖は察度王

明《みん》

室町時代《むろまちじだい》

古琉球・中山首里城・察度王統

旧中山浦添・察度王統・高麗瓦葺き正殿

年	王・年齢	事項
（洪武二〇年代）一三八八	六八歳（在位三九年）	⚓◎与那覇勢頭豊見親真佐久が白川浜より中山に上る。
一三八九	六九歳（在位四〇年）	○察度王は高麗へ初めて完玉子を遣わし、胡椒・硫黄・蘇木などをおくる。 ○高麗からの使者が琉球へ来る。
一三九〇	七〇歳（在位四一年）	◎宮古の与那覇勢頭豊見親と八重山が中山王察度に入貢する。 ○宮古の与那覇勢頭豊見親逗留旧跡碑は、泊小学校の北の上之屋のタカマサイ公園にある。
一三九〇	七〇歳（在位四一年）	◎察度王の硫黄は、泊港へ硫黄鳥島から運ばれた。 ◎中山王察度は、再び使者を高麗へ遣わす。○中山王察度が倭寇にとらえられていた朝鮮人を送り返す。察度王は、倭寇と那覇港で取引きをする。 ◎中山王察度が亜蘭匏等を進貢使として明へ遣わし、胡椒を五百斤・蘇木三百斤などをおくる。○南方の国の胡椒や蘇木などが明への重要な進貢品となる。 ○察度王は、南方の国の胡椒や蘇木などを、将軍足利義満のころに、兵庫・堺や博多・坊津の商人に売りました。○察度王は、日本の刀や金扇などと中継ぎ貿易をします。
一三九二	七二歳（在位四三年）	◎察度王が高楼で遊観をする。○察度王が首里城京の内の「高よさうり殿」で遊観する。○察度王は高楼に上り、毒蛇に左手をかまれる。 ◎閩人三十六姓が中国の福建省から那覇港のある久米村に移り住む。 ◎明の国子監（南京の大学）へ留学生をおくる。 ◎巴志が佐敷按司となる。（二十一歳）○李成桂が朝鮮王国を建国する。 ◎足利義満が南北朝を統一する。京都の室町に御所をかまえる。
一三九四	七四歳（在位四三年）	◎察度王が王冠・王服を明の皇帝洪武帝に願い出る。王相亜蘭匏。
一三九五	七五歳（在位四六年）	◎琉球王国中山王察度。在位は四六年間。寿七十五。十月五日に死去『中山世鑑』享年七十六『中山世譜』
一三九六（洪武二九年）	察度王 武寧王四一歳（在位一年）	○中山王に即位。察度王の長子。四十一歳。○北山王に攀安知が即位する。今帰仁城跡（世界遺産）
一三九七		○足利義満〝金閣寺〟・禅寺、禅僧は日明貿易の使者。

時代	西暦	琉球	王年齢（王在位年）	おもなことがら
明《みん》／室町時代《むろまちじだい》	一三九八	中山首里・察度王統／旧中山浦添・察度王統	四二歳（武寧王二年）	○中山進貢（察度の訃を告げず）
	一三九九		四三歳（武寧王三年）	○明の太祖洪武帝が死去。
			四四歳（武寧王四年）	○太祖の孫建文帝が即位する。 ○中山、朝鮮へ使者を派遣。
	一四〇四			○武寧王が察度王の訃を明へ報告する。○明の成祖永楽帝が、行時中を冊封使として中山に遣わす。○武寧が初めて冊封を受ける。○武寧王は明から王冠・王服をいただく。○察度王を先王として、諭祭が行われる。○武寧王が天使館を創建した。（球陽）
			四九歳（武寧王九年）	
	一四〇四			◎足利義満が日明貿易をはじめる。倭寇をとりしまる。
	一四〇五		五〇歳（武寧王十年）	○永楽帝の時、鄭和は南海大遠征をする。アフリカの東岸につく。キリンなどをつれてくる。中山王・明に襲封を謝し、進貢。
	一四〇六 ○第一尚氏	尚思紹王統／第一尚氏	尚思紹（国王一年）	凸○武寧王が佐敷按司巴志に滅ぼされる。父思紹を王位につける。中山王思紹で即位。 ○王号『琉球国中山王思紹』（『明実録』）
	一四一四		尚思紹（国王九年）	凸○他魯海が南山王となる。
	一四一五		尚思紹（国王一〇年）	○足利義持将軍が琉球王尚思紹に国書をおくる。「りうきう国のよのぬしへ」 ○足利幕府に使いを派遣する。
	一四一六	古琉球・中山首里城尚思紹王統／第一尚氏	尚思紹（国王十一年）	凸○北山王攀安知が中山王に亡ぼされる。
	一四二一		尚思紹（国王十六年）	○永楽帝が北京に遷都する。 ○尚思紹没。
	一四二二		尚巴志	◎尚巴志五十歳で王位につく。
	一四二二		尚巴志（国王一年）	凸○国相に懐機を任ずる。 ○護佐丸が山田城から座喜味に移る。
	一四二五		尚巴志（国王四年）	○冊封使柴山来琉し、尚巴志を中山王に封ずる。 ○王号『琉球国中山王尚巴志』
	一四二七		尚巴志（国王六年）	○安国山樹華木之碑。懐機。 ○安国山は園比屋武御嶽の後方。龍潭を築く。

中国	日本の時代	年	琉球	王統	国王	出来事
明《みん》	室町時代《むろまちじだい》	一四二九	古琉球・中山首里城尚思紹王統	第一尚氏	尚巴志（国王八年）	凸○南山他魯海を亡ぼす。「琉球王国の成立」 ◎尚巴志三山を統一する。「琉球王国の成立」○中山門などや首里城を整備する。 ○各間切りに番所をおき、宿道をつくった。「すべての道は首里城へ通ずる。」
		一四三〇				○明、中山王に「尚姓」を賜う。尚巴志は、三山統一を明の皇帝に告げた。
		一四三九			尚巴志（国王十八年）	○尚巴志、六十八歳で死去。
		一四四〇			尚忠（国王一年）	○護佐丸中城城へ移る。
		一四五三			尚金福（国王四年）	○志魯・布里の乱・首里城炎上。布里は逃亡し、一四六四年富里村で生きた。
		一四五八			尚泰久	凸○護佐丸・阿麻和利の乱。護佐丸・阿麻和利亡ぶ。「万国津梁の鐘」首里城正殿
		一四七〇	古琉球・中山首里城・尚円王統	第二尚氏	尚円、王に即位	○尚円と号し、第二尚氏王統が始まる。
		一四八九				卍○銀閣寺足利義政が建てた。禅寺、東山文化。書院造・茶の湯。
		一四九二			尚真（国王一六年）	○コロンブスがアメリカ大陸に着く。トウガラシなどを持ち帰る。琉球国ではコーレーグス（高麗胡椒）という。
		一四九八			尚真（国王二二年）	○バスコ＝ダ＝ガマがアフリカの喜望峰を経由してインドに着く。胡椒などを求めてインドに着く。⚓ヨーロッパの大航海時代の始まり。
		一五〇〇			尚真（国王二四年）	○オヤケアカハチの乱
		一五〇九			尚真（国王三三年）	◎百浦添之欄干之銘・首里城正殿前欄干に刻まれる
		一五一九			尚真（国王四三年）	◎園比屋武御嶽石門をつくる。（二〇〇〇年世界遺産）国王の旅の安全を祈る場所
	安土桃山《あづちももやま》時代	一五九〇			尚寧（国王二年）	○豊臣秀吉全国を統一する。
		（安土桃山時代）				
	江戸時代《えどじだい》	一六〇三			尚寧（国王一五年）	○徳川家康江戸に幕府を開く
		一六〇五			尚寧（国王十七年）	○野国総管、福州より甘藷（いも）をもち帰る。
		一六〇九			尚寧（国王二一年）	○薩摩の琉球侵入
		一六一一	近世琉球		尚寧（国王二三年）	○掟十五条　一、薩摩の命令なしで、唐へ貢物を送ってはならない。

時代		西暦	琉球		王年齢（王在位年）	おもなことがら
明《みん》	江《え》戸《ど》時《じ》代《だい》	一六二三	近世琉球	第二尚氏	尚豊（国王三年）	○儀間信常はじめて黒糖の製法
		一六三四			尚豊（国王一四年）	○初の江戸上り
清《しん》（1644年成立）		一六四四			尚賢（国王四年）	○明が滅び清が建国
		一六五〇			尚質（国王三年）	○羽地朝秀（尚像賢）「中山世鑑」を著す
		一六九七			尚貞（国王二九年）	○蔡鐸が「歴代宝案」（第一集）を編集。「中山世譜」編集
		一七〇八			尚貞（国王四〇年）	○程順則「六諭衍義」琉球へ持ち帰る
		一七一八			尚敬（国王六年）	○玉城朝薫、組踊五番「銘苅子」など
		一七二一			尚敬（国王九年）	○徐葆光著「中山伝信録」尚敬王の開封使
		一七二八			尚敬（国王一六年）	○蔡温、三司官となる・蔡温「中山世譜」を改訂（一七二四〜一七二五年）
		一七四五			尚敬（国王三三年）	○「球陽」鄭秉哲他三人で編集する
		一七九九			尚温（国王五年）	○「識名園」を完成・冊封使迎賓・世界遺産二〇〇〇年
		一八五三			尚泰（国王六年）	○ペリー首里城を訪れる
	明《めい》治《じ》時《じ》代《だい》	一八六八			（尚泰王二一年）	明治維新・将軍から天皇へ・四民平等
		一八七九	近代沖縄	沖縄県	（尚泰王三二年）	⛫○琉球藩から沖縄県になる。○尚泰王、首里城を明け渡す。（琉球史劇「首里城明け渡し」作・山里永吉「戦世ん終まち弥勒世んやがて　嘆くなよ臣下　命ど宝」）
		一八九九			（明治三二年）	⚓○十二月五日、当山久三は沖縄県からハワイ移民三十人を那覇港から出発させる。
		一九〇三			（明治三六年）	⚓○移民の父当山久三がハワイ移民。「いざ行かむ吾等の家は五大州誠一つの金武世界石」を詠む。
		一九〇八			（明治四一年）	⚓○沖縄の移民がブラジルのサントスの港に入港する。「モウキティクーヨー（儲けておいでよ！）」「ウクイセー、ティガミヤカー、ジンガルサチドー（送るのは手紙よりお金が先だよ）」六月十八日は海外移住の日。
中華民国（1912年成立）		一九四一			（昭和一六年）	○太平洋戦争始まる。

中 華 人 民 共 和 国 (成立1949年)

昭《しょう》 和《わ》 / 平《へい》 成《せい》

戦 後 沖 縄

沖 縄 県

西暦	和暦	出来事
一九四五	(昭和二〇年)	○沖縄戦。アメリカが沖縄を統治する。(アメリカ世)
一九七二	(昭和四七年)	○沖縄が日本復帰をする。(大和世)
一九七八	(昭和五三年)	○第一回ぎのわん(はごろも)祭り開催。「森の川はごろも伝説」から名づけられた。
一九九〇	(平成二年)	○第一回世界のウチナーンチュ大会、沖縄コンベンションセンターで万国津梁の鐘の音で開幕。「沖縄・人－その広がりを求めて－」
二〇〇〇	(平成一二年)	○世界遺産に「琉球王国のグスク及び勝連遺産群」が登録される。
二〇〇一	(平成十三年)	○第三回世界のウチナーンチュ大会「未来－ちゅら夢心にのせて」時は流れて二十一世紀の世界にはばたくウチナーンチュは三十万人。
二〇〇七		○第三〇回ぎのわんはごろも祭り。森の川はごろも伝説の郷土の英雄「察度王」の活躍を記念し祝う。一三七二年明との貿易を始める。
二〇〇八		○ブラジル・アルゼンチン沖縄県人移民百周年。一九〇八年第一回移民。「モウキティクーヨー(儲かっておいで)」○世界のウチナーンチュ「イチャリバチョーデー」の精神で世界にはばたく。
二〇〇九	(平成二一年)	○七月一日、「宜野湾市民の日」市制四十六周年。宜野湾市は「ねたての都市」と言われます。「ねたての都市」は、「察度のまち」とも言えます。 ◎察度は、沖縄本島の中部と南部を結ぶ宜野湾市の大謝名黄金宮を拠点・根として、西海岸の水の豊かさを生かし、港田原・牧港での東アジア国々との貿易で中山王(浦添城)となる基礎を築く。中山王察度は、一三七二年に、中国の明との貿易を始め琉球国中山王となる。中山首里城を築く。
二〇一〇	(平成二二年)	○第三十三回ぎのわんはごろも祭り「察度王歴史絵巻行列入場」
二〇一一	(平成二三年)	○琉球王国の世界遺産登録十周年 ○組踊がユネスコ世界無形遺産登録 ○第五回世界のウチナーンチュ大会 ○世界エイサー大会二〇一一
二〇一二	(平成二四年)	○第一回世界若者ウチナーンチュ大会 ブラジル・サンパウロ 七月二十五日
二〇一九	(令和元年)	○十月三十一日未明。首里城炎上(正殿他七施設消失)

1 浦添王統・首里王統の歴代国王の業績

旧中山浦添三王統と中山首里三王統の歴史
テーマ・三山の国王は、世界遺産（琉球王国のグスクとウタキ）
　　　とどのようにかかわっているのでしょうか

北山王統と南山王統・三山時代と三山統一

1322年～1416年　北山《ほくざん》王統（山北）　今帰仁城跡
3代85年間　①怕尼芝《はにし》—②珉《みん》—③攀安知《はんあんち》
（1322　～　1416年）

1322年（明実録）～1429年　南山《なんざん》王統（山南）
3代40年間　①承察度《しょうさっと》—明へ進貢　汪英紫　②汪応祖《おうおうそ》—③他魯海《たるみい》
（1380年）（1391年～）　（1429年）

旧中山浦添三王統・古琉球時代・12世紀～14世紀　元から明へ 鎌倉から室町へ

1187年～1259年　1、舜天《しゅんてん》王統　浦添城跡　∴国指定史跡
3代73年間
父 源為朝
　・為朝伝説
母 大里按司の妹
舜天— 舜馬順熙《しゅんばじゅんき》—義本《ぎほん》
(1187~1299)51年　(1249~1259)11年

1260年～1349年　2、英祖《えいそ》王統　浦添城跡
5代90年間
父 恵祖（えそ）
母 おなかに太陽が
　入って生まれた子
①英祖—②大成《たいせい》—③英慈《えいじ》—④玉城《たまぐすく》—⑤西威《せいい》
（1260～1299）40年　（1337～1349）13年
・神号は日子（てだこ）
・浦添ゆうどれ
・玉城王代・三山時代～

1350年～1405年　3、察度《さっと》王統　浦添城跡　◦中山王察度は、新旧中山王察度
2代56年間
父 奥間大親
　（おくまウフヤ）
母 天女
　（はごろも伝説）
・三山時代
①察度—②武寧《ぶねい》（1396～1406）10年
・天女(てんにょ)の子　・天女は慈英王次女真銭金
・おもろの「じゃなもひ」は察度王のこと
1、1350年　浦添按司察度じゃなもひ中山王となる
2、14世紀後半　高麗系瓦葺きの正殿を建てた
3、石積み城壁で大規模な浦添グスクに拡大した

〈古琉球〉12世紀・シマの按司登場

1187年～1608年
○グスク時代（11世紀～ 15世紀）
○三山時代（14･15世紀）･英祖王統４代玉城王代～
○三山統一（1429年･『琉球国中山王尚巴志』王号）

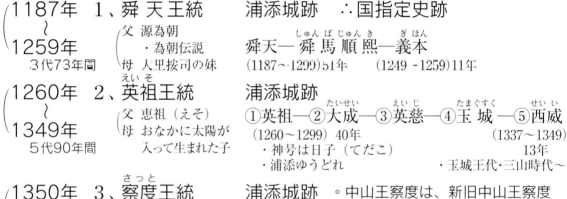

2 中山首里三王統 ◉琉球王国の基礎・成立・確立

Ⅰ、察度王統

父 奥間大親
天女(はごろも伝説)
母 真銭金

1350年
〜
1405年
2代56年間

〈古琉球

・日本(室町時代)
・中国(明時代)

〈琉球王国の基礎〉
1372年「明と初の進貢」
・三山時代
↓〉

①中山王察度・新旧中山王察度

14世紀中頃、中山王察度が首里城を築く
1350年 中山王(旧中山浦添)即位
1372年 中国の明と初の進貢・那覇港
1383年 中山王察度は明の洪武帝より鍍金銀印を賜わる。明の洪武帝の『琉球国中山王察度』は、琉球国の初代の王号である。(『明実録』)
1387年 南蛮貿易を始める。胡椒・蘇木で『中継ぎ貿易』
1389年 朝鮮(高麗)と貿易をした
1392年 首里城京の内に「高よそうり殿」を築く
1392年 閩人三十六姓を進貢貿易のために明の洪武帝より賜わる

②武寧王《ぶねい》

1396年 2代武寧王中山王に即位
1404年 琉球王国で初の冊封を受けた
1406年 尚巴志に滅ぼされた・三山統一への道

Ⅱ、尚思紹王統(第一尚氏王統) 中山・首里城 ○首里王府

1406年 4
〜
1469年
7代64年間
第一尚氏
・日本(室町時代)
・中国(明時代)

父 佐銘川大主
•伊是名の人
•佐敷へ移り住む
母 佐敷の大城按司の娘

①尚思紹《しょうししょう》—②尚巴志《しょうはし》・『琉球国中山王尚巴志』

尚思紹(1406〜)
•尚巴志の父
•王号「琉球国中山王思紹」(『明実録』)

尚巴志
○佐敷按司
•三山を統一する(1429年)
•首里城を整備する 首里城跡(世界遺産)
○護佐丸は尚巴志の北山討伐に協力する(1416年)
○座喜味城を築く(世界遺産)(1422年)
•護佐丸は山田城から移る
•護佐丸は中北山の子孫である

〈古琉球・

〈琉球王国の成立〉
1429年・「三山統一」
○
〈前期〉
琉球王国時代
↓〉

③尚忠《しょうちゅう》—④尚思達《しょうしたつ》—⑤尚金福《しょうきんぷく》

•護佐丸を中城グスクに移す(1440年)
中城城跡(世界遺産)(2000年)

尚金福
•懐機長虹堤築く
•1453年 志魯・布里の乱

⑥尚泰久《しょうたいきゅう》—⑦尚徳《しょうとく》

尚泰久
•阿麻和利(あまわり)、勝連城は海外貿易で栄える
勝連城跡(世界遺産)
•護佐丸が中城城で阿麻和利を見張る(1440年)
•護佐丸・阿麻和利の乱(1458年)
•万国津梁の鐘(1458年)
琉球王国が中国、日本、朝鮮などとのかけ橋となる
•金丸は尚泰久の相談相手である。
•尚泰久の王女・百度踏揚(ももとふみあがり)

尚徳
(1461〜1469)在位9年
•喜界島征伐(きかいじませいばつ)(1466年)

Ⅲ、尚円王統（第二尚氏王統）中山・首里城　○首里王府

1470年 5
～
1879年
19代410年間
第二尚氏
・日本（戦国・安土桃山・江戸・明治時代）
・中国（明・清時代）

父 尚稷
・伊是名の人
母
※伊是名村は旧伊平屋村から1939年（昭和14年）に分村

①尚円《しょうえん》―②尚宣威《しょうせんい》―③尚真《しょうしん》・王号『琉球国中山王尚真』

①尚円（1470年～）
- 伊是名島の人
- 名金丸という
- 尚泰久の相談相手
- 内間御殿を賜る（1454年）
- 御物城御鎖之側（1459年）
- 内間御殿隠遁(1468年)
- 『ものくゆすど御主』（安里大親）クーデター
- 「かぎやで風」と国頭村
  奥間カンジャヤーと金丸
  「鍛冶屋の手風」「かぎやで風節」・ふいごにちなむ

③尚真（1406～）
- 母はおぎやか
- 海外貿易で大交易時代を築く（中国・東南アジアの国・日本朝鮮）
- 石造文化、仏教文化、泡盛、紅型、絣などの文化が栄える
- 玉陵をつくる（世界遺産）（1501年）・園比屋武御嶽石門（1519年）（そのひやんうたきいしもん　世界遺産）
- 斎場御嶽（世界遺産）
- 東御廻り(あがりうまーい）の場所
- 聞得大君の任命儀式
- 1509年、百浦添欄干之銘「おもろさうし」第２巻

〈古琉球〉1509年 → 〈近世琉球〉1609年 → 1650年「中山世鑑」→ 〈近代沖縄〉1879年 → 〈戦後沖縄〉

○〈前期〉琉球王国時代　○〈後期〉琉球王国時代　王国再興↓　○王国滅亡・復活

〈琉球王国の確立〉

「百浦添之欄干之銘」

④尚清《しょうせい》―⑤尚元《しょうげん》―⑥尚永《しょうえい》―⑦尚寧《しょうねい》

- 「おもろそうし」第１巻編集する（1531年）
- チーグー王
- 大島征伐1571年
- 「守礼の邦」額をかかげる（1570年）琉球大貿易時代
- 薩摩の侵攻（1609年）
- 薩摩の支配　掟15条（1611年）

※薩摩の侵攻後を近世琉球という

⑧尚豊《しょうほう》―⑨尚賢《しょうけん》―⑩尚質《しょうしつ》―⑪尚貞《しょうてい》

- 初の江戸上がり（1634年）
- 『おもろさうし』第３巻～22巻
- 清1644年
- 羽地朝秀（尚象賢・しょうじょうけん）『中山世鑑』を著す（1650年）
- 日琉同祖論
- 程順則『六諭衍義』（りくゆえんぎ）琉球へ持ち帰る（1708年）

⑫尚益《しょうえき》―⑬尚敬《しょうけい》―⑭尚穆《しょうぼく》―⑮尚温《しょうおん》

- 尚益王子
  兎唇手術
- 日本初の麻酔手術
- 魏士哲(高嶺徳明)
- 蔡温『中山世譜』(1761年)
- 玉城朝薫、組踊「銘苅子」(1718年)
- 恩納なべ「波の声止まれ・・・」
- 徐葆光『中山伝信録』

∴識名園
　世界遺産（1799年）
　冊封使の歓待
- 「海邦養秀」の額

⑯尚成《しょうせい》―⑰尚灝《しょうこう》―⑱尚育《しょういく》―⑲尚泰《しょうたい》

⑲尚泰（～1879）
最後の冊封使
- 最後の国王・王号「琉球国中山王尚泰」(1866年)
- 琉球処分
- 「命ど宝」（ぬちどたから）
  「戦世ん　終まち　弥勒世ん　やがて　嘆くなよ臣下　命ど宝」
- 沖縄県となる(1879年)

○琉球史劇『首里城明け渡し』（作・山里永吉）

（・浦添考
・阿麻和利考）

（1911年　伊波普猷著「古琉球」）
おもろと沖縄学の父
↓
○沖縄県時代

㊎2000年琉球王国・世界遺産

〈戦後沖縄〉○アメリカ統治時代（1945年～）・沖縄県時代（1972年日本に復帰）

③ 王統（国王）一覧

（「中山世譜」などより）

舜天　① 51年…（その王統での王位継承順位及び在位年数）
（1166～1237）…上段　生没年
（1187～1237）…下段　在位期間

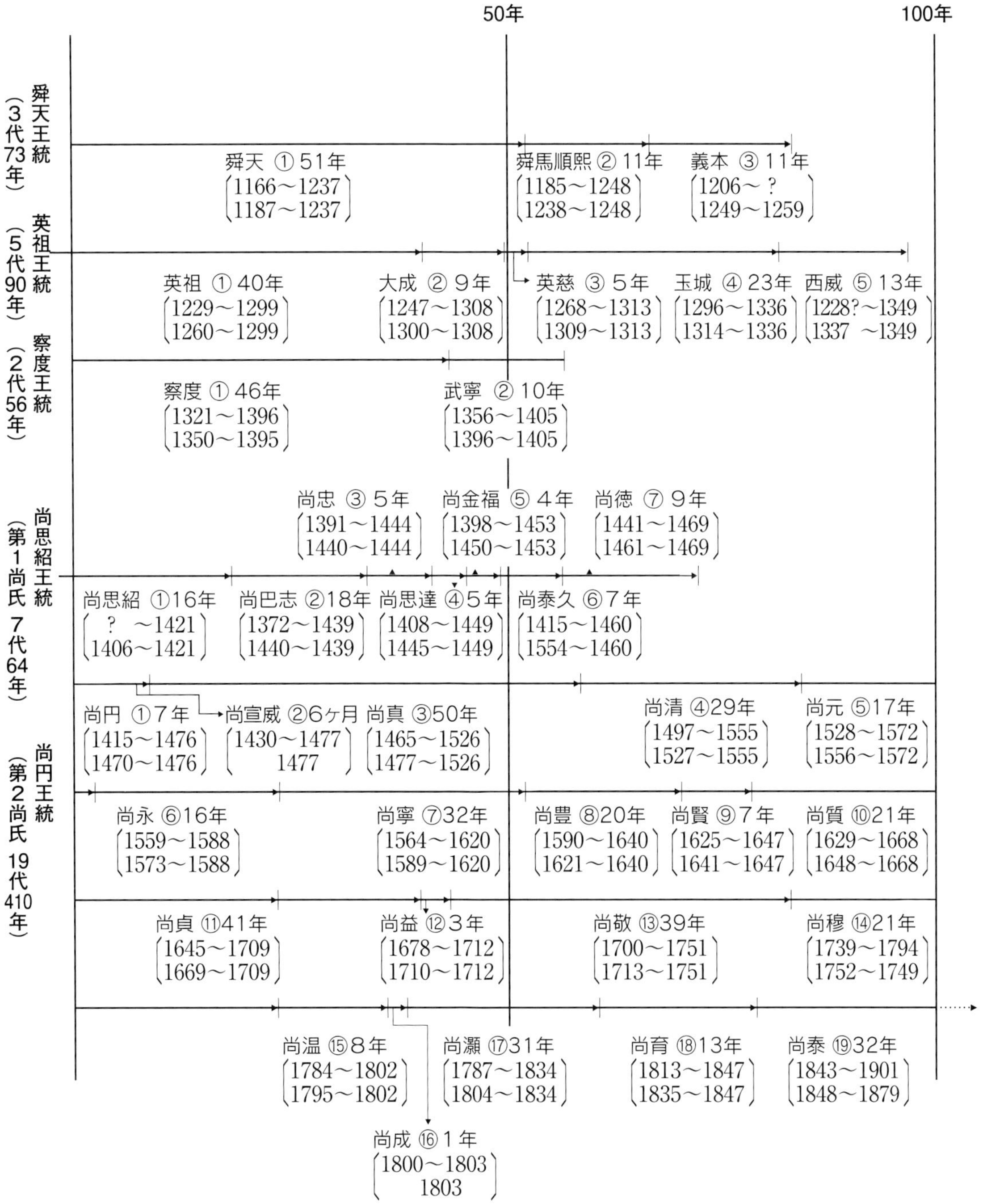

○出典「那覇市の文化財」那覇市教育委員会　平成19年3月

4 首里城の創建と正殿の創建年表

（中山王察度と尚巴志・尚真王）

1372年・中山王察度・初めて明へ使者泰期を送る。
1392年・察度王・京の内に「高よさうり殿」築く。「首里城の創建者」
1404年・武寧王・初の冊封を受ける。
1406年・武寧王・佐敷按司巴志に滅ぼされた。
1406年・尚思紹・中山王に即位。1407年冊封受ける。
1422年・尚巴志・中山王に即位。1425年冊封を受ける。
1429年・尚巴志・他魯毎を滅ぼした。**「三山統一」◎琉球王国の成立**
1450年・尚金福即位。1452年冊封．国相懐機・長江堤を築く。
1450年・「李朝実録」三層の正殿があった。尚金福。
1453年・子魯・布里の乱」首里城正殿炎上。・・・・・・・・・・・・《1回》
1454年・尚泰久即位。1456年冊封。
1458年・尚泰久・「万国津梁の鐘」を首里城正殿に掛けた．護佐丸・阿麻和利乱
1459年・尚泰久・王府失火で倉庫などを約。
1509年・尚真王代、中国の宮殿にならって、石造欄干と龍柱を建てる。
「百浦添欄干の銘」が、欄干に刻まれる。正殿（百浦添御殿）
1576年・「高世層理殿」が、天界寺火災で類焼。家譜資料。
1660年・首里城正殿焼失・尚質王13年・・・・・・・・・・・・・・・《2回》
1671年・首里城正殿再建竣工・尚貞王3年・首里城正殿赤瓦葺き。
1709年・首里城正殿・南殿・北殿焼失。尚貞王41年・・・・・・・・・《3回》
1715年・正殿はこの時から、唐破風。南殿・北殿竣工。尚敬王3年。
1879年・首里城明け渡し。琉球王国の崩壊・沖縄県となる。
1909年・首里城は、首里区に払い下げた。
1923年・首里市会が、首里城解体を決議。大正12年
1924年・首里城正殿は、沖縄神社の拝殿。祭神・源為朝・舜天・尚円・尚泰
1925年・首里城正殿が、国宝に指定される。大正14年
1933年・昭和8年首里城正殿の竣工。
1945年・沖縄戦により首里城焼失。・・・・・・・・・・・・・・・・・《4回》
1950年・琉球大学を開学。1983年まで。首里城大学時代。
1989年・首里城正殿建築工事に着手。
1992年・11月3日。首里城正殿の一般公開。
2019年・11月1日未明に首里城炎上。・・・・・・・・・・・・・・・・《5回》
☆首里城は県民の心の拠り所である。
☆首里城・琉球王国・万国津梁王国は、いつの世までも。
☆京の内・首里森御嶽は、久高島ニライカナイへのお通し御嶽です。

5 アマミキヨの九御嶽「中山世鑑」

∴ アマミキヨの九御嶽「中山世鑑」は、琉球王国の「御嶽グスク」

∴ アマミキヨのミントングスクは「御嶽グスク」神墓。玉城村仲村渠

◎アマミキヨはヤハラヅカサに上陸し、玉城グスクを築いた

グスク時代 11～15世紀

①「御嶽グスク」神墓 ・豊年祭 ・雨乞いの御嶽 ・ニライカナイの御嶽

稲作発祥の地「知念森グスク」
◦「ウファカル」アマミク神が
稲の種子を持ってきた

玉城の「受水走水」・稲作発祥の地
◦アマキヨがニライカナイから
稲の種子を玉城親田に植えた

②「按司グスク」
◦ムラムラに按司登場

③「王・大型グスク」12～14世紀
◎按司の中の按司が王となる
●旧中山浦添グスク
●中山首里城
◦北山グスク

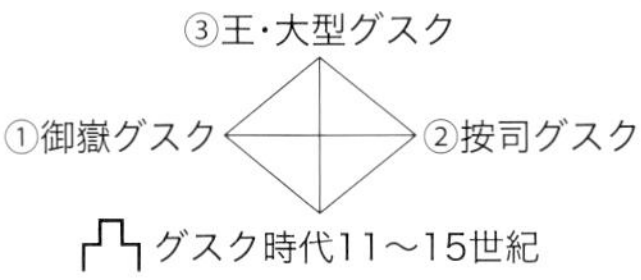

玉城間切百名村は、琉球の稲作の発祥地である。
百名白樽はミントゥンの娘と久高島へ行く。長女が久高ノロの始祖。
次女思樽は、外間ノロの始祖。西威王が生まれた神アシヤギがある。外間殿はクージノロ。

参考文献

◯「中山世鑑」
◯「沖縄の聖地」 湧上 元雄・大城 秀子 著 2003年
◯「沖縄大百科事典」 沖縄タイムス社 1983年
◯「グスク・ぐすく・城」 編集発行 沖縄県立博物館 令和元年

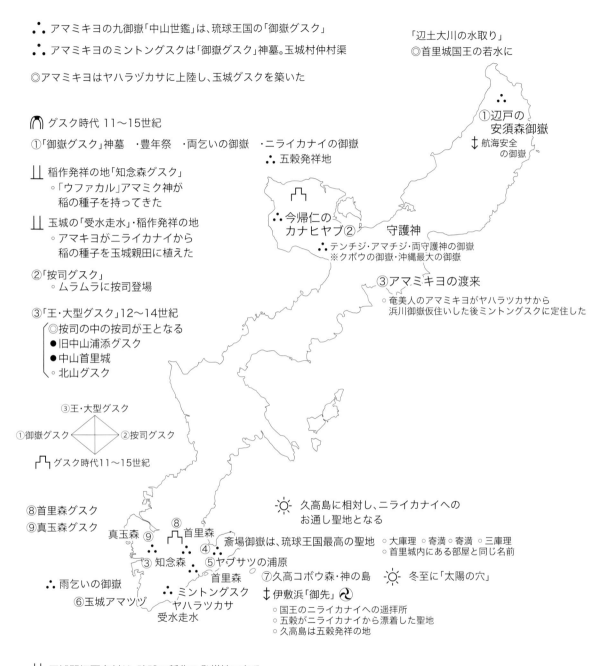

6 琉球王国の基礎・成立・確立

テーマ☆琉球王国とは何か。○琉球王国の基礎・成立・確立のとらえ方

「首里三王統」とは、1、察度王統Ⅱ、尚思紹王統Ⅲ、尚円王統である。

1、察度王統は、浦添三王統から首里三王統への架け橋となる。

Ⅲ、「琉球王国の確立」1、王府組織の強化2、神女組織の確立

◎第二尚氏・尚円王統　○尚円王・尚真王

1,1470年金丸・尚円王に即位。

2,1509年尚真王「百浦添欄干の銘」

3、中央集権の確立・祭政一致の政治。

◎全島の按司を首里城に集めた。身分制度で統制。

◎聞得大君を頂点とする神女組織の確立。

4、斎場御嶽での『新下り』聞得大君の就任儀式。

◎察度王統

Ⅰ、「琉球王国繁栄の基礎」

◎中山王察度

1，<u>1372</u>年<u>中国の明と初の進貢貿易</u>

☆琉球王国の大貿易時代の開拓者

「万国津梁の開拓者」52歳

2、1337年18歳・察度の貿易港

「港田原」で、大和の船から琉球王国で鉄を手に入れた初の国王。**初の鉄の農具を作る。**

3、首里城・京の内に「高よさうり殿」を築く。<u>1392年72歳・首里城の創建者</u>

4、閩人36姓を久米村に移住させた。

1、　進貢船の仕事

2、　通事・皇帝への手紙

3久米文化・三弦・唐手

5、1383年・王号・中国の明の洪武帝から

「琉球国王之印」を賜る。

☆初代「琉球国中山王察度」

6、武寧王、1404年琉球王国初の冊封

7、1406年武寧王,巴志に滅ぼされた。

◎第一尚氏・尚思紹王統

Ⅱ、「琉球王国の成立」

1429年尚巴志の三山統一

1、<u>1372年尚巴志・佐敷に誕生する。</u>

2、大和の船から鉄を手に入れた佐敷按司。農業生産の向上。「鉄の農具」を農民に与えた。

3、「首里城の正殿」などを整備

<u>※1392年20歳・巴志佐敷按司</u>

1429年　三山統一

「琉球王国の成立」

4、国相懐機・中国人

龍潭・長虹堤を築く。

5、王号「琉球国中山王尚巴志」

察度王の王号を受け継ぐ。

○中山王府・中国

6、「万国津梁の鐘」尚泰久王。

☆琉球王国とは、「首里三王統」である。

7 尚泰久・護佐丸　関連人物図解

第一尚氏の親戚関係

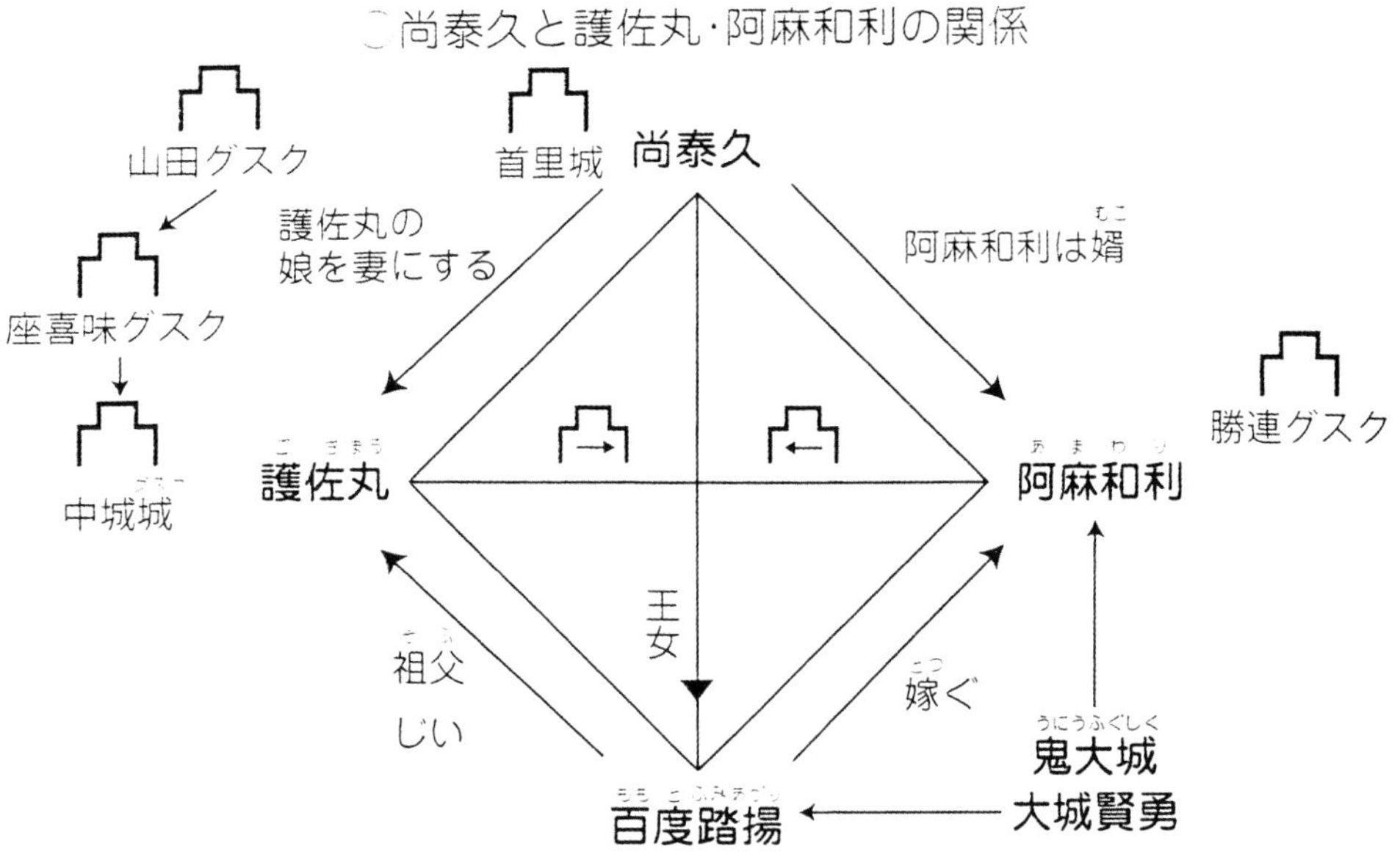

第一尚氏から第二尚氏へ変わる

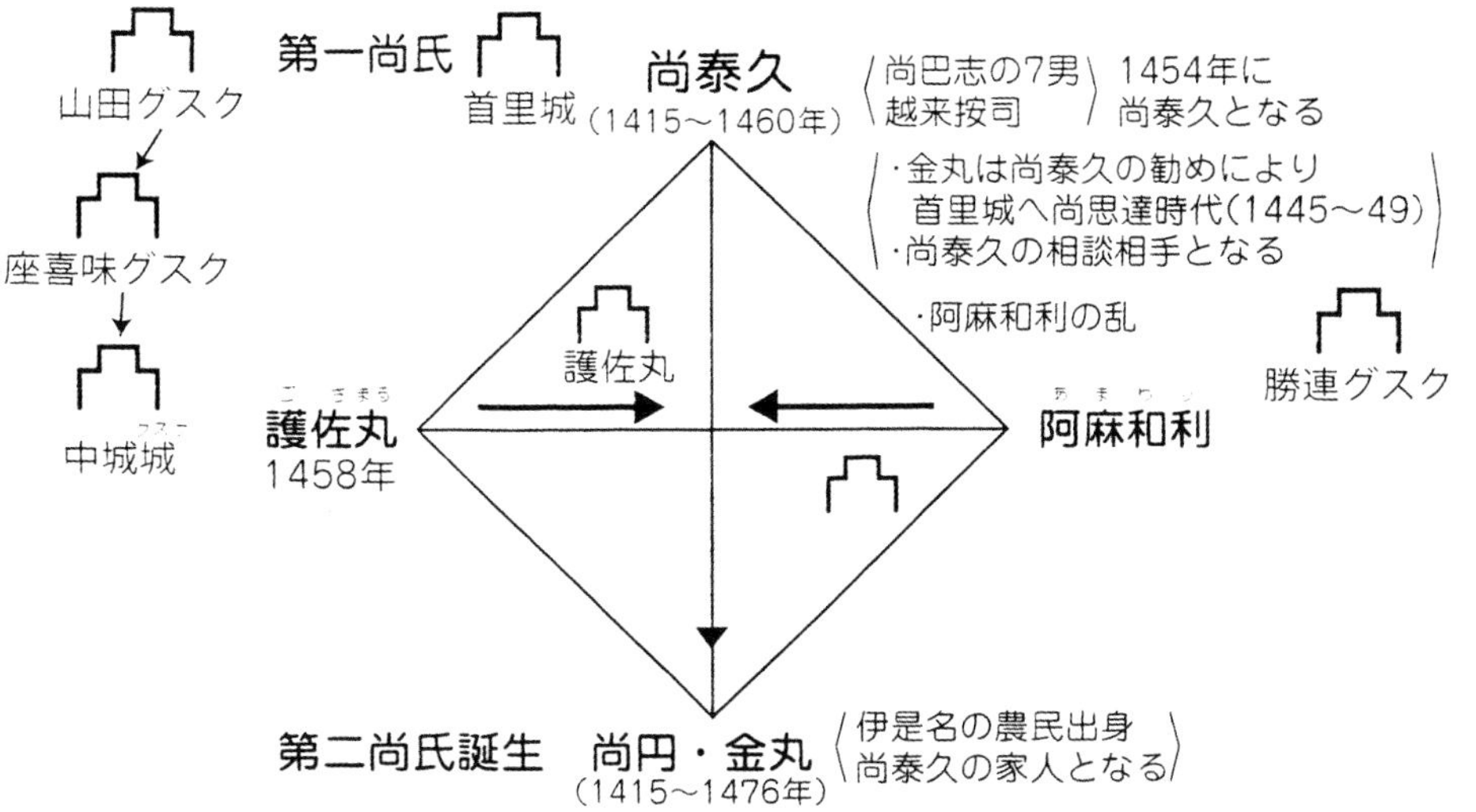

1454年内間領主・御物城御鎖之側《おものぐすくおさすのそば》(1459年)

「物《ムス》呉ゆす者《フィーシドゥ》ど我《フー》が御主《ウシュー》」
（安里大親）

1468年　尚徳と意見合わずに内間御殿に隠棲
1470年　金丸は尚円王となり第二尚氏王統はじまる

8 護佐丸・阿麻和利の乱　関連人物表

1458年・護佐丸・阿麻和利の乱は、なぜ起きたか。志魯・布里の乱との関係
1、尚巴志一族の王位継承の争い2、王権取りの争いの人物との関係から捉える。
※年代で考える乱。

王代	歴代国王	護佐丸・盛春	阿麻和利・加那	金丸・尚円王
初代	尚思紹第一尚氏 在位16年	☆二代〜六代王に 仕える	☆屋良後大川 按司の庶子	☆第二尚氏 １９代410年
二代	尚巴志・1422〜 (1422〜1439) 在位18年 1429年三山統一	○北山攻略総大将 １４１６年 ○南山攻略総大将 1406年山田按司	○7歳まで歩 けない。村の 山に捨てた。 蜘蛛の巣・網	１４１５年 生まれる。 伊是名島諸見 「みほそ所」
三代	尚忠・在位５年 1440〜１４４４ ○中城グスクの 改造築竣工。	1440中城グスク へ移る。座喜味城 阿麻和利を見張る ために移された。	勝連按司１０ 代阿麻和利 茂知月按司を 滅ぼした。	1438年　妻と 弟・尚宣威と 宜名真に逃げ た。24歳
四代	尚思達在位５年 (1445〜1449)	◎四代に仕える・	☆肝高の 阿麻和利 ☆天下取り	◎越来王子が 首里城へ紹介 1441年
五代 ○布里 逃げた 冨里村	尚金福・在位４年 (1450〜1453) 六代王位争い 世子志魯・布里 の乱１４５３年	◎五代に仕える	勝連は 海外貿易で 京・鎌倉にた とえられる。	金丸は４代 ５代・六代 7代の４王 に仕える。
六代 ○布里 逃げた 伊平屋 当山村 冨里村	尚泰久王・在位7年 (1454〜1460年) ☆万国津梁の鐘 １４５８年 越来グスク 王妃・護佐丸娘 長男・次男４男	○尚泰久から中城 の地を賜る。 １４５８年護佐丸 ○護佐丸自害 ○三男・盛親は乳母 と真栄里に逃げる。 ○なぜ討たれたか。	王妃百度踏揚 嫁ぐ 阿麻和利の乱 ○鬼大城中山 軍阿麻和利を 亡ぼす。	○ 尚泰久の 相談相手 ○１４５４年 金丸は内間 御殿を賜る 御物城御鎖側 １４５９年
七代 ○布里 1453〜 1464年 10間年 生きた	尚徳・在位９年 (1461〜1469) 喜界島征伐 １４６６年	○布里は１４６４年 まで１０年間生きた。 ○尚泰久の長男・次男 四男は、当山村・冨里 村で、グスクを築く 百度踏揚は次男の所	☆「血筋は争 えない」護佐 丸・阿麻和利・ 鬼大城は今帰 仁按司の伊波 一族。	１４６８年 内間御殿隠居 尚円王に即位 (１４７０年 〜１４７６年) 在位７年

むすびにあたって

「首里城の創建者・初代　琉球国中山王察度」の初校校正中の時です。

今年二〇一九年十月三十日未明に首里城炎上・焼失した。首里城は、県民の心のよりどころです。首里城の再建を心から祈っています。「よみがえれ！首里城」首里城再建へ県民のひとり一人が立ち上がっています。

二〇一九年十一月二十二日（金）『首里城の所有権の変遷』年表「十四世紀中頃、中山王察度が首里城を築く」（沖縄タイムス社）二十四（日）『王国の中心首里城年表』「十四世紀中頃、中山王察度が首里城を築き遷都」（琉球新報社）。中山王察度が、十四世紀中頃、首里城を築いたことを県民に報じました。

中山王察度は、旧中山浦添グスクと中山首里城の両中山王察度です。

中山王察度にとっては、浦添グスクと首里城と那覇港、泊港は、隣接する一つの生活空間です。「中山は一つ」です。今年二〇一九年十月一日は、ゆいレール浦添線が開業。那覇空港と首里城、浦添グスクとを結び、一つになりました。

さらに、浦添間切謝名村・宜野湾市を含めた「中山万国津梁都市構想」が必要な時が来ています。

「よみがえれ！首里城」二十一世紀の万国津梁琉球王国・沖縄県が、世界の人材・物流・文化の拠点・ねたてとして、世界にはばたく時です。世界のウチナーンチュと共に！

出版にあたり、資料提供された方々へ深く感謝申し上げます。

沖縄タイムス社・琉球新報社・沖縄県教育委員会・沖縄県立埋蔵文化財センター・沖縄県立図書館・沖縄県公文書館・浦添市教育委員会・那覇市教育委員会・うるま市教育委員会・南城市教育委員会・宜野湾市教育委員会・関係各教育委員会・引用・参考文献の著者・宜野湾市文化財ガイド察度の会・宜野湾市立博物館友の会・赤道老人センター琉球の歴史「くがに会」。また、沖縄県社会科教育の指導者の元県教育長故嘉陽正幸先生をはじめ、ご指導くださった方々へ深く感謝申し上げます。

新星出版の城間毅氏には編集にあたり貴重なアドバイスをいただきありがとうございます。琉球プロジェクト代表取締役仲村渠理氏には、出版・発行について助言をいただき、ありがとうございます。

参考文献

宜野湾市教育委員会文化課『ぎのわんの文化財』（第七版）平成十九年

浦添市教育委員会『浦添の歴史散歩』二〇〇一年

那覇市教育委員会『那覇市の文化財』平成十八年度

読谷村教育委員会『読谷村文化財めぐり』平成十七年

南城市教育委員会『南城市文化財ガイドブック』二〇〇〇年

今帰仁村教育委員会『今帰仁城跡』平成十四年

平良市教育委員会『平良市の文化財』昭和六一年

沖縄県うるま市教育委員会文化財シリーズ①『勝連城跡』

恩納村教育委員会（歴史の道『国頭方西海道』）平成十八年

中城村教育委員会『中城村の文化財』平成十八年

北中城村教育委員会『北中城村の文化財』二〇〇八年

石垣市教育委員会『石垣市の文化財』二〇〇二年

宜野湾市教育委員会『ぎのわんの自然ガイド（第二版）』二〇〇三年

沖縄県教育委員会『沖縄の文化財Ⅰ・Ⅱ・Ⅲ・Ⅳ・Ⅴ』平成五年～九年

宜野湾市史編集委員会『宜野湾市史第一巻通史編』平成六年

宜野湾市史編集委員会『宜野湾市史第四巻資料編三』昭和六十年

宜野湾市史編集委員会『宜野湾市史第五巻資料編四民俗』昭和六十年

宜野湾市教育委員会文化課『宜野湾市文化財調査報告書第十集『土に埋もれた宜野湾市』平成元年

編集発行沖縄県宜野湾市教育委員会文化課『ぎのわんの西海岸』平成八年

平良市史編さん委員会『平良市史第一巻通史編Ⅰ』一九七九年

喜舎場永珣著『八重山歴史』国書刊行会　昭和五十年

浦添市史編集委員会『浦添市史第一巻通史編（浦添のあゆみ）』浦添市教育委員会　一九八九年

浦添市史編集委員会『浦添市史第六巻資料編5考古』浦添市教育委員会　一九九三年

読谷村史編集委員会『読谷村史第三巻資料編2文献にみる読谷山』昭和六三年

編集発行沖縄県立埋蔵文化財センター『首里城京の内出土品展』『土でつくられた緑の宝石小形青磁』平成二十一年度

編集発行沖縄県立埋蔵文化財センター『首里城京の内展 ― 貿易陶磁器からみた大交易時代』二〇〇一年三月発行

沖縄県立埋蔵文化財センター調査報告書第56集『首里城跡 ― 京の内跡調査報告書』― 平成六年度調査の遺構編　平成二十三年（二〇一一年）三月

編集発沖縄県立博物館『考古資料より見た沖縄の鉄器文化』一九九七年

編集発行沖縄県教育委員会『沖縄県史第5巻各論編4文化2』 一九七五年
編集発行沖縄県教育委員会『沖縄県史第23巻民俗2』 一九七三年
発行沖縄県教育委員会『首里城跡京の内跡発掘調査報告書（1）』 一九九八年
沖縄県文化財調査報告書第3集『ぐすく』沖縄県教育委員会 昭和五八年
琉球政府文化財保護委員会『文化財要覧』 一九六一年
編集沖縄県教育庁文化課『沖縄県歴史の道調査報告書』―国頭・中頭方西海道（Ⅰ）― 昭和六十年
編集沖縄県教育庁文化課『沖縄県歴史の道調査報告書Ⅲ』―国頭・中頭方西海道（Ⅱ）― 昭和六十一年
編集沖縄県教育庁文化課『沖縄県歴史の道調査報告書Ⅳ』―島尻方諸海道・首里・那覇の道― 一九八七年
長嶺操著『沖縄の魔除け獅子』沖縄村落研究所 昭和五七年
編著黒潮文化の会『日本民族と黒潮文化－黒潮の古代史序説』角川書店 昭和五二年
監修尚弘子 発行者阿南満三『沖縄のぬちぐすい事典』プロジェクトシュリ 二〇〇二年
沖縄国際大学遠藤庄治「宜野湾市の民話『森の川の羽衣伝説』」宜野湾市博物館 平成十三年
編集宮古島市史編さん委員会『宮古島市史第一巻通史編みやこの歴史』宮古島市教育委員会 二〇一二年
編集発行宜野湾市教育委員会文化課『ぎのわんの地名－内陸部編』二〇一二年
稲村賢敷著『沖縄の古代部落マキョの研究』至言社 一九七七年
発行兼編集者沖縄県国頭郡教育部会長 長谷部順治『沖縄県国頭郡志』国頭郡教育部会 大正八年
上里隆史著『尚氏と首里城』吉川弘文館 二〇一六年
上里隆史著『海の王国・琉球』ボーダーインク 二〇一八年
上原静著『琉球古瓦の研究』榕樹書林 二〇一六年
伊敷賢著『琉球王国の真実』沖縄ブックサービス 二〇一四年
伊敷賢著『琉球伝説の真相』琉陽書房 二〇一七年
新屋敷幸繁編集執筆『与那城村史』与那城村 昭和三三年
慶留間知徳著『琉球祖先宝鑑』琉球史料研究会 昭和八年

著者略歴

下地昭榮（しもじ　あきよし）

1937年　沖縄県宮古島市平良市下里に生まれる
1960年　琉球大学教育学部初等教育科卒
　　　　副専攻社会科（中一普　高二普）
1960年　４月　宮森小学校教諭～1998年３月宜野湾小学校長　定年退職
1984年　７月　６学年　室町時代。黄金宮の察度が、中国の明との進貢貿易・中継ぎ貿易をしたことを授業。大謝名小学校
2005年　３月　宜野湾市文化財ガイド認定第一期生。
2007年　４月　「宜野湾市文化財ガイドの会」設立。第一回総会・会長
2009年　３月　第１回察度の日（３月10日）察度ゆかりの文化財ガイド。参加者市民。
2011年　６月　宜野湾市立博物館友の会　第１回定期総会・副会長
2016年　11月　宜野湾市赤道老人福祉センター
　　　　「琉球の歴史」「くがに会」結成。講師
　　　　◎琉球の歴史を歩く『島あっちぃ』。伊平屋島、伊是名島、伊江島、久米島、久高島「琉球王国のグスク及び関連遺産群」等を歩く

著　書　「世界にはばたけ！　ねたての黄金察度王」

首里城の創建者

初代『琉球国中山王察度』

令和二年六月一日　初版第一刷発行

著　者　下地昭榮
発　行　新星出版株式会社
〒九〇〇-〇〇〇一
沖縄県那覇市港町二-一六-一
電　話（〇九八）八六六-〇七四一
ＦＡＸ（〇九八）八六三-四八五〇

発　売　琉球プロジェクト
那覇市泉崎一-一〇-三
電　話（〇九八）八六八-一一四一

印　刷　新星出版株式会社

©Shimoji Akiyosshi 2020 Printed in Japan

ISBN978-4-909366-44-3　C0021
定価はカバーに表示してあります。

万一、落丁・乱丁の場合はお取り替えいたします。